S0-BDI-181

HISTORIA
DE LA LITERATURA
ESPAÑOLA

HISTORIA DE LA LITERATURA ESPAÑOLA

Tomo III
EL SIGLO XVII

Obra dirigida por

JEAN CANAVAGGIO

con la colaboración de

BERNARD DARBORD, GUY MERCADIER,
JACQUES BEYRIE y ALBERT BENSOUSSAN

Directora de la edición española:

ROSA NAVARRO DURÁN

EDITORIAL ARIEL, S. A.
BARCELONA

Título original:
Histoire de la littérature espagnole

Traducción de
JUANA BIGNOZZI

1.ª edición: enero 1995

ISBN: 84-344-7453-0 (OC)
84-344-7456-5 (tomo III)

Depósito legal: B. 750 - 1995

Impreso en España

PRÓLOGO

Los franceses están descubriendo España; o, por lo menos, una España insospechada. En lugar de la España austera de Felipe II, perpetuada por El Escorial, de la España pintoresca —corridas y flamenco—, popularizada por los románticos, de la España trágica de la guerra civil y de la dictadura, sumergida bajo el turismo de masas, ven afirmarse una España inédita que, en poco más de diez años, ha restaurado la democracia, ha mostrado su dinamismo económico y se ha unido a la Europa comunitaria. Aunque todavía existan tensiones, aunque la violencia no haya desaparecido, aunque, debido a las dificultades, las esperanzas surgidas en un primer momento a menudo hayan cedido terreno al desencanto, los Juegos Olímpicos de Barcelona y la Exposición Universal de Sevilla, a pesar de haber estado envueltos en un gran aparato publicitario por parte de los medios de comunicación, no son un escaparate falaz organizado para engañar. Son dos actos simbólicos del espíritu que impulsa a todo un pueblo que, visto desde el extranjero, expresa y manifiesta su genio creador por medio de pintores y escultores, de arquitectos y bailarines, de directores de teatro y cineastas.

En esta lista sólo faltan prácticamente los escritores, curiosamente excluidos de nuestro elenco de valores. Si se pregunta al hombre de la calle, apenas puede citar dos nombres: Cervantes y Lorca. El hombre culto dispone de un abanico más amplio: el Romancero, *La Celestina*, los místicos, la novela picaresca, la Comedia del Siglo de Oro forman parte de su cultura o, por lo menos, de su sistema de referencias. Aunque es de rigor señalar que Lope de Vega, Góngora, Calderón o Gracián le entusiasman, raramente los lee. No hay duda de que Unamuno, Valle-Inclán, Machado y Ortega y Gasset, han venido a rejuvenecer este panteón; que se han saludado como es debido los tres premios Nobel que, desde la guerra, han coronado a dos poetas —Juan Ramón Jiménez y Vicente Aleixandre— y luego a un novelista, Camilo José Cela; cierto es que, desde hace poco, un interés nuevo se hace sentir hacia novelistas —Vázquez Montalbán, Eduardo Mendoza— cuyas obras recientes figuran en buen lugar en las listas de ventas. Pero habría que preguntarse si todos estos nombres juntos llegan a corregir la imagen, por otro lado excesivamente somera, en que había cristalizado antaño la figura mítica de un gran poeta asesinado.

Es evidente que existen todavía inmensas zonas oscuras en un continente que el lector francés no se decide todavía a explorar. Se conforma, demasiado a menudo, con ideas recibidas que convendría disipar. La Edad Media española no es un lugar de tinieblas que ignoró a Occidente. La novela picaresca, si de verdad puede llamarse novela, no se limita únicamente al *Lazarillo*; lo que no quiere decir que haya que incluir en ella al *Quijote*. Góngora no es, como se afirmaba antaño, un poeta hermético y abstruso. El teatro del Siglo de Oro no se limita a esa docena de obras que se representan de vez en cuando en nuestros escenarios. Y hay algo más grave: escritores muy insignes, que forman parte del patrimonio cultural de nuestros vecinos, no tienen eco, o muy poco, de este lado de los Pirineos. Pensemos en Quevedo, máxima figura del barroco, al que unas traducciones ejemplares tratan de dar a conocer. O en Pérez Galdós, que dio todo su esplendor a la novela española del siglo XIX y que es indispensable descubrir por fin, de la misma manera que, gracias a un magnífico trabajo de equipo, se ha descubierdo hace poco a su contemporáneo Clarín, el autor admirable de *La Regenta*. Otros, igual de prestigiosos, se encuentran a la espera de una consagración que esté a la altura de su talento: Valle-Inclán, cuya diversidad de inspiración empieza a sospecharse, sigue, sin embargo, encasillado en la leyenda que él mismo forjó alrededor de su personaje, cuando en realidad experimentó todas las formas de la novela y exploró instintivamente todos los caminos que abriría la revolución teatral de comienzos del siglo XX.

La comprobación que expresamos justificaba desde el comienzo nuestro propósito: tratar sólo la literatura peninsular en lengua castellana, para hacer un cuadro histórico y crítico de conjunto. Quitemos inmediatamente dos objeciones. Este libro no podía ser una historia de las literaturas de España. La literatura catalana, la literatura gallega, al igual que las lenguas de las que surgieron, tienen identidad propia. ¿Cómo reagruparlas? En una historia de la literatura española significaría negar esa identidad. Hemos preferido, por el contrario, respetarla.

Pero este libro no es tampoco una historia de las letras hispánicas de contornos imprecisos. Los escritores hispanoamericanos están sin duda unidos por una comunidad de destino. Pero en la escala de un continente. A pesar de las interferencias entre España y América Latina, del constante vaivén entre el Antiguo y el Nuevo Mundo, este destino no se confunde con el de la literatura peninsular. Imaginemos a García Márquez, Vargas Llosa u Octavio Paz embarcados en una historia de la literatura española. No lo podrían creer...

El proyecto que hemos realizado muestra, también, el espíritu con que se formó nuestro equipo. Especialistas en autores y en temas que aceptaron presentar, los hispanistas franceses que participan en esta empresa respetaron las exigencias científicas; pero también se adaptaron a un público variado, deseoso de tener entre sus manos, según los casos, un manual fiable, una obra de referencia o un libro de consulta. También querríamos que el estudiante de instituto, al igual que el universitario, dispusiera de un instrumento de trabajo reciente; también desearíamos ofrecer al hombre de la calle un panorama coherente que le resulte fácilmente asequible. Pero lo que hemos conseguido es una *historia* de la literatura, en toda la acepción del término, en la que las interpretaciones que se proponen están siempre relacionadas con un nivel de conocimientos, pero donde los encadenamientos manifiestan las opciones; ya sea que se tome en cuenta el veredicto de los siglos o que se proceda a revisiones consideradas indispensables.

El número de colaboradores —más de cincuenta— explica la diversidad de las contribuciones reunidas aquí. Al colocar su piedra en el edificio, cada uno ha dejado su impronta personal. Me ha parecido esencial mantener esta diversidad: creo que es la mejor garantía contra todo dogmatismo, contra cualquier esquematización reduccionista. El objeto literario, eminentemente complejo, se presta a diferentes enfoques, según se parta de las condiciones en que se publicaron las obras, de sus características intrínsecas, o de su devenir y del conjunto de significados que desarrollan. Sin privilegiar exclusivamente un determinado aspecto, cada uno de los colaboradores ha insistido más en el que se adaptaba mejor a sus preocupaciones; pero las ideas que presenta aparecen siempre situadas dentro de todo el conjunto de trabajos sobre el tema.

Hay que hablar de diversidad y no de disparidad, puesto que las contribuciones aquí recogidas tienen su origen en un proyecto global claramente definido desde el principio. En función de este proyecto hemos determinado las líneas de reflexión, distinguido corrientes y tendencias y asignado a los grandes autores el lugar que les corresponde, sin por ello dejar de lado a otros, poco o mal conocidos. Algunos lectores pensarán que hemos destacado demasiado a escritores menores; otros, al contrario, encontrarán que los hemos sacrificado en beneficio de las glorias consagradas. Asumimos plenamente nuestras decisiones. Prescindiendo de la lista de premios o del panteón de hombres ilustres, esta historia de la literatura, que intenta ser coherente, es, como debe ser, una construcción. Los equilibrios y los encadenamientos que establecemos reflejan, como es lógico, el progreso de los conocimientos, pero expresan, al mismo tiempo, nuestro punto de vista particular. Este punto de vista se refleja también en la distribución de la obra que, exceptuando la Edad Media, estudiada en conjunto, se articula por siglos. Por ello, cada período comienza por un capítulo de introducción que lo sitúa en el tiempo y que dibuja sus grandes líneas.

Una de las dificultades que hemos encontrado en nuestro trabajo ha sido la falta de perspectiva en lo que a la producción contemporánea se refiere. Los siglos pasados ya han recibido el veredicto de la posteridad. Aunque ese veredicto pueda someterse a revisiones parciales, nuestra época tiende más bien a legitimarlo que a cuestionarlo. No ocurre lo mismo con las obras más recientes, que se encuentran todavía bajo los efectos de las primeras reacciones, por lo que nuestro balance sólo puede ser provisional. A pesar de ello, no hemos querido dejar de hacer este balance: para poner de relieve la vitalidad de la España actual en un terreno en el que siempre ha sabido manifestar su genio particular; y, además, para demostrar que este auge se inscribe en un amplio movimiento que, desde el *Cantar de Mio Cid* hasta la generación actual, trasciende continuamente a las mutaciones y rupturas, consiguiendo así relacionar íntimamente un pasado y un presente siempre solidarios.

JEAN CANAVAGGIO

A consecuencia de su trágica desaparición, acaecida el 11 de noviembre de 1994, Monique JOLY no habrá llegado a ver este volumen en el que colaboró con un importante capítulo. Colegas, discípulos y amigos comprenderán, con toda seguridad, que este *Siglo XVII* esté dedicado a su memoria.

INTRODUCCIÓN

Jean Canavaggio, en su introducción al estudio de la literatura española del siglo XVII, expone la dificultad que supone el corte entre ese período y el siglo XVI; ambos forman paradójicamente un solo *siglo*, el *de oro*, según la expresión fosilizada. La gran eclosión literaria del Renacimiento, con los nuevos géneros, se asienta, se intensifica. Cervantes, Lope, Góngora... pertenecen a ambos siglos. De ahí que Jean Canavaggio hable de «un patrimonio literario» común, de «un conjunto de permanencias». Sin embargo, él mismo subraya una serie de rasgos que avalan esa decisión. El planteamiento del capítulo primero es, por tanto, revelador y justifica la división de la Edad de Oro en dos volúmenes.

Mientras se iniciaba nítidamente esta *Historia de la literatura española* en la Edad Media con un análisis de los géneros literarios, poco a poco se fue dibujando entre sus páginas la figura del autor. En el siglo XVI se produjo el conflicto entre ambos enfoques: el escritor creaba obras que pertenecían a géneros literarios distintos, y su imagen tenía que repetirse en el estudio de esas formas. En el siglo XVII las grandes figuras se imponen y se apoderan de la organización de la materia. Seis creadores van a ser el centro de otros tantos capítulos: Cervantes, Lope de Vega, Góngora, Quevedo, Calderón y Gracián. La producción teatral por su eclosión esplendorosa quedará como contrapunto a esas grandes figuras: se le dedicará dos capítulos (V y VIII), además del análisis de la obra dramática del gran maestro Lope en el apartado que a él se consagra. Y también, un subgénero genuinamente español: la novela picaresca. Dentro de él asomará de nuevo la figura de Cervantes desbordando con justicia cualquier límite, incluso el del capítulo hecho a su medida, o la de Quevedo; su *Buscón* tiene en él un lugar destacado.

No se van a encontrar en esta obra sólo datos consabidos, la organización diacrónica de la materia acostumbrada con ligeras variantes. Se exponen dudas, se ofrecen nuevas perspectivas. Así Monique Joly inicia el análisis de la novela picaresca planteándose la conveniencia de aplicar tal membrete a un conjunto heterogéneo de obras. Robert Jammes nos muestra las *Soledades* de Góngora como una larga gestación poética, cristalización de las sensaciones que su autor ha vivido desde la infancia, de las emociones que siente a lo largo de sus viajes. Este enfoque en profundidad nos permite descubrir nuevas claridades en la obra de Góngora, acercarnos a una lectura de sonetos de Quevedo desde una nueva perspectiva o disfrutar de los juegos de voces de Gracián en el propio análisis del crítico. Y claro está, obligada a reducir a veces a un lugar excesivamente secundario a autores como el espléndido Villamediana, o Francisco de Rioja o Luis Carrillo y Sotomayor.

Jean Canavaggio, Monique Joly, Nadine Ly, Marc Vitse, Robert Jammes, Maurice Molho, Raphaël Carrasco y Benito Pelegrin son los eruditos cuya aportación ha dado cuerpo a este volumen. Cualquier estudioso de la literatura española asocia sus nombres a los autores o géneros que analizan en esta obra. Su bagaje investigador los ha convertido en grandes especialistas de nuestros autores áureos. Su conocimiento y su entusiasmo por la obra de Cervantes, de Quevedo, de Góngora, de Gracián... proporciona al lector un doble placer: el de encontrar junto a los rasgos esperables, al estudio orientador de las obras, la interpretación del profundo conocedor, la lectura sugestiva de la obra profundamente estudiada: la fusión, en suma, del texto y de la lectura creadora.

ROSA NAVARRO DURÁN

Capítulo I

PERFIL DE UN SIGLO

Una época de contradicciones

1. De un siglo a otro

Se llama comúnmente «Siglo de Oro» al período en que la España de los Habsburgo, en la cumbre de su poderío, tuvo un florecimiento literario y artístico considerado, también, como una especie de apogeo. Renunciar a esta expresión consagrada para distinguir, en un recorte aséptico, entre los siglos XVI y XVII, es una opción que puede ser cuestionada. Nosotros hemos elegido esa opción y es necesario que digamos por qué.

Semejante sustitución nace de un hecho: nuestra dificultad para delimitar ese período y para precisar sus límites. Inventado por los hombres de la Ilustración, que inicialmente lo habían identificado sólo con el Renacimiento, el Siglo de Oro se prolongó hasta el alba del siglo XVIII, cuando desaparecieron las prevenciones que el gusto neoclásico había alimentado respecto del barroco. De esta manera vinieron a entroncar dos periodizaciones diferentes: la que coloca el apogeo político y militar de España hacia 1580, y la que sitúa su apogeo literario y artístico alrededor de 1630. De esta manera también se borran los cambios que pudo sufrir la literatura española, entre la expansión del humanismo y los últimos destellos del teatro de Calderón.

Esta continuidad no es, sin embargo, un espejismo. En el plano histórico, refleja otra, la de una dinastía que, desde el advenimiento de Carlos I, el futuro Carlos V, en 1516, hasta la muerte de Carlos II, en 1700, marcó profundamente a España con su impronta. Por impresionante que pueda ser el contraste entre las victorias logradas por los dos primeros Habsburgo y las derrotas sufridas por sus sucesores, la monarquía ibérica no cayó de un siglo de gloria a un siglo de crisis: el paso de una coyuntura a otra sólo se cumplió progresivamente. Desde un punto de vista más estrictamente cultural, también sería arbitrario dividir en dos partes iguales un patrimonio literario que testimonia todo un conjunto de permanencias, al igual que la diversidad de las experiencias y de las innovaciones. Del *Romancero viejo* al *Romancero artístico*, de los sonetos de Garcilaso a los sonetos de Góngora, del *Lazarillo de Tormes* al *Guzmán de Alfarache*, de los *pasos* de Lope de Rueda a los *entremeses* de Quiñones de Benavente, de los autos religiosos del teatro prelopesco al auto sacramental calderoniano, la filiación es indiscutible, aunque no otorguemos más fe a las genealogías cómodas de los manuales de antaño. Un Cervantes, un Lope de Vega, un Góngora pertenecen a los dos siglos y, cada vez que se pretende trazar una línea divisoria, no se sabe en qué vertiente situar al autor del *Quijote*.

¿La separación que hemos establecido tiene sentido? Lo tiene si en lugar de oponer arbitrariamente el siglo XVI y el XVII, tomamos la justa medida de la transición que nos lleva de uno a otro. Entre Lepanto y Rocroi, la antítesis es ciertamente artificial. Pero el año 1600, cuando se produce el relevo de Felipe II por Felipe III, su hijo, no deja de ser un año bisagra. Es entonces cuando la conducción de los negocios públicos pasa de manos del soberano a manos de los ministros; cuando la política de hegemonía se detiene por la presión de una opinión que aspira a la paz; cuando se inicia el proceso de regresión de una demografía afectada de lleno por la peste de 1599-1601, y cuya caída hace a la nación mucho más vulnerable a los males crónicos que sufre; cuando se dibuja, finalmente, en una España que los observadores más lúcidos describen como «viviendo fuera de todo orden natural», una crisis de conciencia a la altura de su crisis de poderío, que no hará más que aumentar a través de los años.

2. Tradición e innovación

No lleguemos a la conclusión, como se hace demasiado a menudo, de que España, de la noche al día, entró en decadencia. Al advenimiento de Felipe III, la monarquía ibérica era incuestionablemente la primera potencia mundial. Lo seguirá siendo durante varios lustros; y cuando, después de 1680, su decadencia parezca consumada, se verán apuntar, todavía apenas sensibles, los signos precursores de una recuperación que los Borbones, llegado el momento, sabrán explotar y amplificar. No por eso deja de ser cierto que fue en la primera década del siglo XVII cuando la sociedad española señaló definitivamente la separación que, a pesar de la existencia de muchos puntos en común, la alejó de las otras sociedades del Antiguo Régimen; y no lo fue tanto por la organización material como por la imagen que dio de sí misma y por el sistema de representaciones que elaboró. Paradójicamente, esta sociedad marcó su diferencia y su rechazo de la modernidad en el mismo momento en que las letras españolas se aprestaban a marcar la tónica en toda Europa. Nada es más azaroso que establecer una correlación entre esos dos fenómenos; pero por lo menos se debe constatar su simultaneidad: la evolución social así producida ha contribuido, en efecto, a configurar el medio en que nació esa literatura y el seno en el que floreció.

Está fuera de duda que el siglo XVII presencia la afirmación y el triunfo de una cultura diferente a la forjada en el crisol del Renacimiento, aunque incorpore ampliamente la herencia del siglo anterior.

Aun antes de distinguir los diferentes rasgos de esa cultura, subrayemos, de ahora en adelante, que está acompañada por un cambio sensible de las condiciones de producción y de difusión de las obras: el status del escritor; el número y naturaleza de las instituciones que enmarcan, estimulan, controlan su actividad; la acción que ejerce continuadamente sobre un público amplio, a través de la demanda que ese público expresa, sufren una serie de cambios, a veces espectaculares, del orden de los que afectan a toda la sociedad.

Pero el signo más importante de ese cambio es, en el diseño de los géneros literarios consagrados por la tradición, el surgimiento de tendencias, corrientes, formas inéditas que, a la vez que revelan una extraordinaria capacidad de innovación, corresponden a la aparición de una nueva sensibilidad. Considerado desde este ángulo, el siglo XVII español inaugura su recorrido con tres proezas: en primer lugar, la invención de la novela moderna, cuyos dos arquetipos están representados por el *Guzmán de Alfarache* (1599-1604) y *Don Quijote* (1605-1615); luego, el triunfo de la *comedia nueva*, previsible desde la última década del siglo XVI, pero cuya fórmula Lope de Vega no impone y codifica hasta los primeros años del reinado de Felipe III, en el momento en que la reapertura de los corrales y la creación de compañías titulares aseguran el auge de la industria del espectáculo; finalmente, el advenimiento de una «nueva poesía», calificada por los contemporáneos de cultista, y que para nosotros resume el nombre y la obra de Góngora, el incomparable poeta del *Polifemo* y las *Soledades* (1612-1614).

Es explicable que, en esas condiciones, entre las dos épocas de la producción cervantina, las dos maneras de Góngora, los comienzos y la madurez de Lope, la demarcación coincida, *grosso modo*, con el cambio del siglo XVI al XVII; también se comprende por qué, con esas tres excepciones, la mayoría de los grandes escritores del Siglo de Oro pertenecen, en realidad o bien al uno o bien al otro de los dos siglos que abarca.

Los últimos veinte años del siglo XVI verán silenciarse, una tras otra, las grandes voces de la época de Felipe II: santa Teresa de Ávila (1582), san Juan de la Cruz y fray Luis de León (1591), Fernando de Herrera (1597), en tanto que la publicación del *Romancero general* termina con la aparición en 1600 de nueve partes, ampliadas a doce en 1604. Por contraste, los primeros años del reinado de Felipe III, en el momento en que triunfan las formas cardinales de la novela, del teatro y de la nueva poesía lírica, son también los de los comienzos literarios de Quevedo y de Tirso de Molina, mientras que nacen, con un año de intervalo, Calderón (1600) y Baltasar Gracián (1601).

3. Nacimiento del barroco

Reconocido en su especificidad, ¿requiere el siglo XVII español una denominación propia? ¿Es necesario, como se aventura a veces, hacer de él el siglo del barroco? Arriesgando un calificativo a menudo cuestionado, nos exponemos a volver a lanzar un debate que se planteó hace más de un siglo, cuando se quiso extender al campo de los estudios literarios un concepto que, hasta entonces, pertenecía exclusivamente al ámbito de las artes plásticas.

Adoptado con entusiasmo por los romanistas alemanes, la tesis de un barroco literario español se aclimató progresivamente en España, aun a pesar de las vigorosas objeciones de Américo Castro y de las reservas, más matizadas, de Dámaso Alonso. Los hispanistas anglosajones siguieron siendo los más reticentes; también los hispanistas franceses, por razones que tienen que ver a la vez con las tradiciones de pensamiento de una nación donde se produjo el triunfo del clasicismo y con las características demasiado exclusivamente formales que durante mucho tiempo se consideró que definían al barroco. Estas características, como sabemos, son las de un estilo situado bajo el signo de la *concordia oppositorum*, que somete las formas equilibradas del Renacimiento a alteraciones y distorsiones propias de una estética de la dificultad vencida: una estética esencialmente dinámica, que tiende a alcanzar lo extraordinario para suscitar admiración y asombro; que expresa al mismo tiempo una fascinación ante lo aparente, lo inestable, lo ilusorio; que, como se ha dicho correspondería, finalmente, a un doble movimiento: atracción hacia la realidad concreta, huida ascética hacia el infinito.

Remitidos a esos parámetros, son seguramente barrocos *el Quijote* y sus juegos de espejos, la novela picaresca y su construcción dialéctica, el conceptismo de un Quevedo, tal como lo muestran, por ejemplo, *Los Sueños*, las audacias del culteranismo, de las que Góngora nos ofrece su culminación, la alegorización de los conflictos que el auto sacramental calderoniano escenifica, la retórica del desengaño que desarrolla Gracián en sus diferentes tratados. Pero mantenerse en este etiquetado nos condena a enfocar la literatura española del siglo XVII desde una perspectiva distante, en detrimento de la singularidad de las obras, de la diversidad de las tendencias y de las aportaciones, de la aspereza de los conflictos que la recorrieron y estimularon. Entre Cervantes y Lope de Vega, entre éste y Góngora, entre Góngora y Quevedo, para citar sólo los grandes nombres, los enfrentamientos a veces fueron violentos, las polémicas encarnizadas, en función de apuestas estéticas e ideológicas que rebasan ampliamente la incompatibilidad de talante y las rivalidades personales. Sería grave escamotear esas divergencias y reabsorber esas disensiones en un ecumenismo barroco, corriendo el riesgo de engañarse sobre las condiciones de aparición de esa literatura y de restringir y aun de mutilar su significación. En resumen, al querer reducir a una mira barroca las obras que se consideran representativas de este movimiento, se las condena a no ser más que un testimonio de la época en que nacieron, o, por lo menos, de la imagen que hoy nos formamos de esa época. Ahora bien, es también esencial la transhistoricidad de sus recepciones sucesivas y de los sentidos nuevos que pudieron producir desde hace más de cuatrocientos años.

No nos prohibiremos evocar aquí el barroco español. Pero nos atendremos a la única perspectiva legítima: considerarlo no como la expresión de un *Zeitgeist*, sino como la marca distintiva de una cultura cuyas líneas de fuerza corresponden a la visión del mundo que se forjó, en un momento determinado, una sociedad enfrentada con problemas concretos. Esta cultura, la literatura contemporánea de los últimos Habsburgo, refleja sin duda sus valores, al igual que modula sus temas; pero lo hace sin dejar de desbordar, a través de las obras que aseguraron su supervivencia a través de los siglos, el sistema de representaciones de la época en la que nació.

Una España en crisis

Inaugurado por los Reyes Católicos, el siglo XVI español se resume, en lo esencial, en dos reinados, el de Carlos V y el de Felipe II. El siglo XVII, por su parte, verá sucederse tres soberanos en el trono: Felipe III (1598-1621), Felipe IV (1621-1665) y Carlos V (1665-1700).

En apariencia, la longevidad de los tres últimos Habsburgo no le va a la zaga, o casi, a la de sus predecesores, para beneficio de la continuidad dinástica. Pero no hay que dejarse engañar por el simple enunciado de los datos. Felipe III, que sólo tiene veinte años cuando accede al trono, muere en plena juventud. Felipe IV sube al trono a los dieciséis años y desaparece antes de alcanzar la vejez. Carlos II sólo tiene cuatro años cuando le sucede; al ser un disminuido nunca será capaz de asumir el papel que hubiera debido ser el suyo. Sin que haya que subestimar su alcance, la monarquía ibérica se resiente por este debilitamiento.

1. Una crisis de poder

Con respecto a un Carlos V o un Felipe II, sus sucesores son figuras descoloridas. Desde hace unos años se ha producido una rehabilitación de Felipe III, considerándolo más decidido y menos indiferente a las cuestiones de Estado de lo que se había dicho. Lo mismo se ha hecho con Felipe IV, espíritu cultivado y amigo de las artes, cuya influencia benéfica se calibra mejor en la actualidad. Pero sus cualidades personales no estaban a la altura de sus funciones. Más que gobernar sus estados, a ejemplo de Felipe II, renunciarán a lo esencial de sus responsabilidades al restablecer el sistema colegial de los consejos, que había caído en desuso y que devolvió de esta manera a la aristocracia el papel político del que había sido privada desde los Reyes Católicos; y al confiar la gestión de los asuntos públicos a un valido que terminará por recibir el título de primer ministro, después de haber cubierto el cargo *de facto*. El duque de Lerma (1599-1618), el conde duque de Olivares (1621-1643), el conde de Haro (1643-1661) serán por turno, los verdaderos detentores del poder. Pero deberán, para asentar su autoridad, asegurarse el apoyo de una clientela o, como se decía entonces, de un «partido», exacerbando así el juego tradicional de las facciones rivales y exponiéndose a las críticas de sus enemigos. Además, deben su omnipotencia sólo al rey, cuya confianza corren el riesgo de perder en cualquier momento: Lerma, en 1618, caerá en desgracia con Felipe III; Olivares, en 1643, conocerá una suerte comparable con Felipe IV.

A Olivares corresponderá la iniciativa de efectuar reformas de amplia envergadura cuya necesidad había admitido Felipe III antes de su muerte: reforma administrativa, tendente a hacer caer las barreras entre los estados sometidos a la autoridad real y a preparar su unificación; reforma económica, destinada a estimular su cooperación; reforma fiscal y financiera, con el fin de instituir un impuesto único y establecer una red de bancos públicos; reforma moral, que implica la lucha contra la corrupción, la reducción de los gastos suntuarios y la suspensión de las medidas discriminatorias respecto de los conversos. Pasado el momento de los primeros éxitos (1621-1625), esta empresa ambiciosa pronto queda detenida. Trabajador encarnizado pero impulsivo, Olivares no consigue lograr la adhesión a sus objetivos de una aristocracia enemiga del cambio. En estas tentativas de repartir mejor los gastos comunes, choca con la apatía de los castellanos, que en lo esencial los siguen soportando, pero también con la mala voluntad de los otros reinos, hostiles a un aumento de su cuota. A partir de 1630, el conde duque, confrontado con la apuesta de un conflicto mundial en el que España es partícipe, debe renunciar a sus proyectos. El agotamiento de los filones argentíferos americanos, el peso creciente de los gastos militares y de los empréstitos suscritos con los banqueros genoveses acorralan a la monarquía en devaluaciones disfrazadas y en bancarrotas repetidas. En una coyuntura cuyos elementos ya no maneja, el Estado español se ve obligado en adelante a vivir al día. La opinión no dejará de conmoverse, ya sea para deplorar ese estado de cosas, ya sea para sugerir remediarlo, o bien para oponerle un distanciamiento ascético: todo un abanico de actitudes cuya huella conserva la literatura de la época.

En el reinado de Felipe III la monarquía española —proyectada desde Carlos V a los cuatro puntos del universo— presenció la finalización de las guerras que la enfrentaban con sus vecinos: Francia (tratado de Vervins, firmado en 1598, en vida de Felipe II); luego Inglaterra (tratado de Londres, 1604); y finalmente las Provincias Unidas de Holanda (tregua de los Doce Años, 1609). Este regreso a la paz, deseada por todos, hubiera debido ser provechoso para Lerma. Víctima de su impericia, la monarquía de los Habsburgo se adormecerá en una tranquilidad engañosa. Cuando Olivares quiera enderezar la situación y realizar la política exterior que exigía, de todos modos, el mantenimiento del sistema imperial, será demasiado tarde.

A partir de 1620, la defensa de sus posesiones de ultramar, amenazadas por los holandeses, pero también, en Europa, la salvaguardia de su red de comunicaciones (el «camino español» que une los Países Bajos con el Milanesado) llevan a España a entrar en lid y a comprometerse a fondo en la guerra de los Treinta Años. El esfuerzo que debe realizar está más allá de sus posibilidades. Continúa resistiendo a sus adversarios y logra brillantes éxitos; pero España sola no puede triunfar sobre las naciones con las que está enfrentada: Países Bajos, Suecia, Inglaterra, Francia. Más que Rocroi (1643), que representa sobre todo un acontecimiento simbólico, el tratado de Westfalia (1648) y la paz de los Pirineos (1659) tocan a muerto por la preponderancia española. El levantamiento de Cataluña, la secesión de Portugal (1640), la independencia de Holanda, oficialmente reconocida (1648), la pérdida de Artois, del Rosellón y de la Cerdaña, cedidas a Francia (1659), son las manifestaciones más evidentes del final de un largo siglo de supremacía.

2. La recesión y sus signos

Enfrentada a la pérdida de su hegemonía, España también lo está a una recesión que contribuye a explicar esa pérdida y cuyos signos se multiplican desde el reinado de Felipe III. Esta recesión mantiene la conciencia de crisis, pero no es fácil desentrañar sus factores.

Un hecho es cierto: está innegablemente ligada al repliegue demográfico, cuya repercusión sufre la nación en el mismo momento en que, desengañada de las empresas de Felipe II, se esfuerza por recuperarse.

Mientras que el siglo XVI, al menos hasta 1580, había sido un período de expansión, el XVII presenció el estancamiento del número de habitantes de la península. Hay varias razones para este estancamiento: las cuatro epidemias de peste (en especial las de 1596-1602 y de 1647-1652), que provocaron más de un millón de muertos; la subalimentación crónica, provocada por la crisis de subsistencia, que da lugar a violentos levantamientos populares; la expulsión de los moriscos que, entre 1604 y 1611, diezma Aragón y Valencia y priva al país de trescientos mil habitantes; la lenta, pero constante hemorragia ocasionada por las guerras europeas y la emigración hacia las Indias. Este fenómeno afecta al campo, y también a las ciudades que, en Castilla, se hunden literalmente, mientras que resisten mejor en Andalucía, reforzando en esa ocasión su papel. Deja de lado, sin embargo, a Madrid y a Sevilla: dos polos de atracción cuya población aumenta con todos los necesitados que van a ellas en busca del remedio, lícito o no, para su indigencia.

En un país esencialmente agrario, y cuya población está compuesta en un ochenta por ciento de campesinos, estas plagas conjugadas agravan el desgaste de una agricultura que sufre numerosas deficiencias: mediocridad de los suelos, inviernos y veranos excesivos, procedimientos de explotación arcaicos, reparto de la tierra que sólo permite a una minoría de cultivadores acceder a la propiedad, endeudamiento creciente que les acorrala en la miseria. Esta crisis del campo que testimonian la caída de la producción y el éxodo rural, es paralela a una crisis manufacturera y comercial. La industria pañera, atomizada en una miríada de talleres familiares, es incapaz de resistir la competencia extranjera. Las exportaciones de lana, antaño florecientes, ya no tienen salida. Mientras que periclitan las grandes ferias, el polo de gravedad de las actividades económicas abandona Castilla la Vieja y se desplaza hacia el centro y el sur. Pero sus actividades están ampliamente controladas por los países vecinos, reforzándose de esta manera la dependencia de una España que un siglo antes había instaurado el mercado mundial. La fascinación que ejerce el oro de las Indias, paliativo engañoso y a menudo denunciado, ilustra ese contexto más que lo explica; al igual que el desprecio del *oficio vil*, del oficio que, por ser vil, envilece al que lo ejerce: una actitud que se observa en todos los escalones de la sociedad.

¿Estos síntomas autorizan a hablar de una decadencia de la España de los Habsburgo? Acreditada por la Europa de la Ilustración, esta tesis fue admitida durante mucho tiempo. Hoy se la discute. Eminentes historiadores, sobre todo anglosajones, sostienen, por el contrario, que la crisis provocó un choque saludable.

Liberada de un peso que ya no podía soportar, la monarquía ibérica, a favor del repliegue operado desde la época de Carlos II, habría iniciado un cambio de orientación atestiguado por varios indicios: las reformas emprendidas por Oropesa durante su paso por los asuntos públicos (1685-1691); el nuevo despegue de la industria catalana, signo precursor del relevo del centro por las provincias periféricas; la renovación del interés por las ciencias experimentales. Esta reacción saludable también habría preparado la recuperación que se precisará y confirmará en el siglo XVIII. Estos síntomas alentadores no deben, sin embargo, ocultar las sombras del cuadro. El repliegue empezado con Felipe IV continuará, en efecto, hasta fines de siglo: entre el tratado de Aquisgrán (1668) y la paz de Utrecht (1713), la monarquía española, si bien conserva sus dependencias de ultramar, termina de perder sus últimas posesiones europeas y se encuentra a partir de ahí limitada por la frontera de los Pirineos. Además, el fracaso de la política de hegemonía no es simplemente el efecto perverso de la coyuntura.

Este fracaso testimonia en primer lugar un debilitamiento del Estado, agravado después de 1660, por las revoluciones de palacio que marcan el reinado de Carlos II. Pero revela igualmente una esclerosis de la sociedad española, mal preparada para afrontar la prueba y para darse los medios para superarla.

3. Una sociedad estancada

Se imponía, pues, un cambio, que permitiera a una sociedad compartimentada a la vez por el linaje, la raza y el dinero adaptarse al nuevo orden de cosas. Ahora bien, lo que la caracteriza en sus comportamientos es, como dice Pierre Chaunu un rechazo colectivo a la movilidad. Replegada sobre sí misma, endureció sus propias divisiones y eliminó a todos los que la amenazaban en su identidad: la expulsión de los moriscos, inasimilables por inasimilados, participa de esta obsesión.

En la cumbre del edificio, la aristocracia continúa obedeciendo a la Corona, y ésta conserva las funciones arbitrales, que ejerce sin compartirlas desde los tiempos de los Reyes Católicos. Pero el peso político de esta elite tiende a incrementarse cada vez más porque, a falta de una burocracia adaptada a la complejidad de las tareas, la conducción de los asuntos públicos requiere la participación de la nobleza, en materia de defensa, de diplomacia y de fiscalidad. El endeudamiento generalizado que la afecta, en parte unido a la crisis del campo, se ve agravado por los gastos suntuarios, y también por el servicio del rey. Pero, al mismo tiempo, sus bienes raíces se incrementan en proporciones inauditas; y, al admitir en sus filas a la nobleza media de los caballeros, llega a duplicarse en el espacio de un siglo, aumenta sus recursos y refuerza sus prerrogativas. A un público esencialmente urbano, la *comedia nueva*, la novela poscervantina igualmente ofrecen como modelo la representación transfigurada de sus pasiones y de sus maneras de ser: un modelo tanto más fascinante por cuanto esa casta, en una época de incertidumbres, refuerza sus posiciones a la vez que se sustrae a las presiones del universo de la mercancía, y de esta manera le da la espalda a la modernidad.

En la base de la pirámide, la masa de los campesinos sufre de lleno los efectos de la recesión. El empobrecimiento del campo y el éxodo rural resultante trastocan los equilibrios tradicionales y perturban la red de solidaridades familiares y locales. Los espíritus clarividentes se alarman por esta evolución. Mientras que las ciudades absorben en adelante lo esencial de las rentas del suelo, esos espíritus preconizan una restauración del campo, único capaz, a sus ojos, de asegurar la prosperidad de la nación. Es verosímil que a esta aspiración esté unido el auge, bajo Felipe III, de la comedia de inspiración rústica, así como la moda de los temas que ella modula: elogio de las virtudes campesinas, exaltación del labrador rico. Este arquetipo que uno quisiera verse encarnar en la forma de una *gentry* castellana, nunca llegará a representar, en la realidad, el papel que se soñaba para él. El labrador enriquecido, minoritario, no tendrá otro ideal que escapar de su condición por caminos más o menos oblicuos, a fin de alcanzar tarde o temprano el campo de los privilegiados.

Entre estos dos extremos, el paisaje social se revela más variado que lo que haría pensar el sistema estamental, es decir la jerarquía de los «estados» que se considera deben regir su ordenamiento. Si la Iglesia, revigorizada por la reforma tridentina, imprime su huella a todas las manifestaciones, individuales y colectivas, de la existencia cotidiana, la situación del clero está lejos de ser uniforme. Se abre un abismo entre la infantería clerical, son los vicarios de campo, y la elite urbana: episcopado de extracción nobiliaria, órdenes «mundanas» como los jesuitas, pedagogos reputados a los que la aristocracia confía la educación de sus hijos.

Por su lado, la nobleza media mantiene sus posiciones, incrementando su patrimonio de bienes raíces y monopolizando los cargos municipales. De ella salieron un buen número de letrados que, formados en los colegios mayores, aportaron al Estado los cuadros de su administración. De esta manera las letras vencen a las armas, acusando el anacronismo de don Quijote, empeñado en resucitar un mundo caduco. A la inversa, la pequeña nobleza de los hidalgos, cuya importancia numérica (diez por ciento de la población total) hace de España una excepción, siente duramente los efectos de la crisis a la vez que se confirma la decadencia de los valores que antaño justificaron su expansión.

El hidalgo famélico, caricaturizado con los rasgos de don Mendo en *El alcalde de Zalamea*, es un tipo estilizado cuyo carácter de testimonio no se puede desmentir. No deja de remitir, más allá del juego de las mediaciones, a dos figuras emblemáticas de la sociedad de la época: el hidalgüelo de pueblo, confinado en sus tierras que su condición le impide cultivar y que, frente al avance del labrador enriquecido, reivindica ásperamente sus prerrogativas irrisorias; el escudero (cuyo equivalente femenino es la dueña), obligado, para sobrevivir, a entrar al servicio de un grande, y condenado, por este hecho, a no ser sino un castrado social.

Uno de los signos reveladores de este estancamiento general es la aspiración de las capas medias a integrarse en la nobleza o, al menos, a adoptar sus formas de vida a falta de poder competir con ella o de suplantarla. Lo que se llama impropiamente la «traición» de la burguesía castellana es en realidad una reconversión, inevitable por los azares de un capitalismo inestable que pervirtió las finanzas, y por la presión de una competencia extranjera cada vez más dura. Se tradujo en la búsqueda de inversiones más seguras y de ocupaciones más asentadas. En una sociedad que, jurídicamente, no conocía otra distinción que la de nobles y plebeyos, colocar sus rentas en la tierra, destinar los hijos al canonicato o a la magistratura, preferir, para uno y para los suyos, el ocio al negocio permite, más o menos a largo plazo, dar ese paso. Esta aspiración al modo de vida nobiliario está presente, por cierto, en toda Europa; pero, al no haber alternativa, la fuerza que reviste en España produce efectos devastadores.

Desmoralizados, esos burgueses con los que, durante Felipe II, Simón Ruiz había simbolizado el éxito, ya no pueden seguir siendo fieles a su principal vocación. El espíritu mercantil que habían encarnado en una época ya no ocupa su preciso lugar en la jerarquía de valores. A semejanza de los reformadores mercantilistas, un Mateo Alemán, en la linde del siglo XVII, parece haberse convertido en su defensor: Guzmán de Alfarache, embarcado en empresas fraudulentas, llega a lo más bajo de la abyección para hacernos descubrir la eminente virtud del verdadero negocio. A pesar del éxito del libro, la parábola seguirá siendo papel mojado.

Burgués fallido o estafador, el pícaro, que Mateo Alemán y Quevedo hacen acceder a la dignidad literaria, es, pues, un aventurero en pleno sentido del término: un «desgarrado», si se quiere, pero no un mendigo o un vagabundo profesional, cuyo destino se reabsorbería en una evocación pintoresca de los bajos fondos. También es cierto que el marco de sus hazañas está poblado de desarraigados que la desgracia de la época lanza por los principales caminos de la península, cuando no los arroja sobre el pavimento de Sevilla o de Madrid.

El debate sobre la mendicidad, surgido en el corazón del siglo XVI, había encontrado su mejor intérprete a finales del reinado de Felipe II, en la persona del doctor Cristóbal de Herrera, «protomédico de las galeras de España» y amigo de Mateo Alemán. Su *Discurso del amparo de los legítimos pobres*, aparecido en 1598, preconizaba el censo de los pobres; los más fuertes serían empleados en una especie de talleres nacionales donde se explotaría su fuerza de trabajo. Este plan ambicioso no parece haberse aplicado. Agravado por el éxodo rural, por la disponibilidad permanente de miles de soldados sin destino, por la migración temporera llegada de Francia, por el vagabundeo de los gitanos organizados en bandas, por el aumento de un bandolerismo que asolaba toda la extensión del territorio, el vagabundeo es un fenómeno frente al cual los poderes públicos se confesaban impotentes.

En el mundo abigarrado de las grandes ciudades, que escapa a las normas tradicionales e instituye sus propias solidaridades, la frontera entre el servidor y el parásito, el ocioso y el indigente, el marginado y el delincuente no siempre es nítida. El espectáculo de sus excesos no deja de incidir en la manera en que la crisis del siglo XVII fue percibida y entendida por los que la vivieron.

Las formas de una cultura

1. La conciencia de crisis

Más que la crisis en sí misma, es el imaginario que ésta suscitó, lo que interesa en primer lugar al historiador de las mentalidades y de las sensibilidades: el imaginario a que remiten muy a menudo de manera indirecta los textos literarios de los que se quisiera hacer el espejo de una época, cuando lo que más nos dan es el análisis espectral de sus contradicciones. También es necesario tener en cuenta una serie de desfases que una periodización hábil permitiría sin duda articular. Antes de 1630, la constatación precoz de los intérpretes más lúcidos de esta crisis termina con la euforia de un período en el que la monarquía ibérica todavía es, y de lejos, la primera potencia europea. Después de 1640, las esperanzas que despiertan las reformas de Olivares o, más efímeras, las iniciativas desordenadas de don Juan José de Austria, al comienzo del reinado de Carlos II, reflejan en adelante un optimismo superficial que, a través de los años, se vacía de todo contenido y hace más doloroso el desencanto que provoca el final de la preponderancia española.

Del examen de las obras nacidas en ese clima de incertidumbres y de dudas, con seguridad puede inferirse todo un abanico de actitudes reveladoras del malestar latente, y luego reinante. Pero estas actitudes traducen el espíritu de una época cuyas maneras de pensar difieren a menudo de las nuestras. En un universo creado por Dios y alterado por la malicia de los hombres, la idea de progreso no ocupa el lugar eminente que le otorgará el siglo XIX y que nosotros todavía hoy le damos. Cambiar la vida no significa cambiar el orden del mundo, sino cambiar el corazón de los hombres: más que trastocar las estructuras, reformar las costumbres. Propósitos sediciosos, panfletos y revueltas, cuyo ascenso observan los contemporáneos, se inscriben por eso mismo en sus justos límites. A la inversa, el relativismo barroco, atento a reencontrar lo permanente más allá de lo inestable, extrae de esta convicción su carácter profundamente conservador.

Esto es lo que matiza el alcance de comportamientos cuya audacia subversiva se ha exagerado a veces. La despreocupación irónica de un Góngora, el descubrimiento de apariencias a que se dedica Quevedo, la mirada desengañada de Gracián sobre los acontecimientos y los hombres hacen de estos tres escritores los denigradores del conformismo oficial. Pero sería un error ver en ellos a los portavoces de una oposición organizada, apoyada en un cuerpo de doctrina. Ninguna de las corrientes de pensamiento a las que se remiten —neoestoicismo o tacitismo— nos da la clave de su mensaje, aún menos la de la significación de sus escritos.

Salvo la reflexión sobre la dirección de los asuntos públicos, el movimiento de las ideas ya no manifiesta la efervescencia que había tenido en época de Carlos V. La preocupación por la ortodoxia religiosa favorece la autocensura. Se sustituyen las audacias de un humanismo conquistador por las preocupaciones más tranquilas de una erudición de buena ley. En una España que ignora a Galileo, rechaza a Montaigne y condena a Maquiavelo, la desconfianza respecto de las innovaciones llegadas del extranjero y, particularmente, de los descubrimientos científicos, el abandono de las disciplinas especulativas en beneficio de las enseñanzas consideradas más «rentables», como el derecho canónico, son otros tantos signos de un desentendimiento de las elites. El *desengaño*, del que se ha querido hacer el *leitmotiv* del pensamiento español barroco, de Quevedo a Calderón, traduce sin duda el pesimismo de una época que descubre en sus temas predilectos —el mundo al revés, locura del mundo, laberinto del mundo— los armónicos del desencanto. Pero ese pesimismo, lejos de ser unánime, és más la expresión del sentimiento difuso de los grupos minoritarios, que la cristalización de un verdadero sistema de pensamiento; y, si a veces toma el rostro ascético del desprecio del mundo, nunca sirvió de antídoto a la voluntad de poderío o a las ilusiones del momento.

No lleguemos a la conclusión, como se ha hecho en otra época, de que la España del siglo XVII sólo brilló en las obras de imaginación. La riqueza y la complejidad de los grandes textos que nos ha dejado se han impuesto a medida que se profundizaba en su exégesis, aun cuando, en apariencia, sólo se trataba de una literatura de puro entretenimiento. Pero lo que a nuestros ojos constituye el interés de esos textos desborda la suma de referencias que el trabajo de la erudición permite descubrir en ellos. Así, considerado en su génesis, el *Quijote* es inseparable del paisaje intelectual en el seno del cual fue concebido; pero, al inventar la novela moderna, Cervantes llevó a cabo una revolución artística que, aunque estimulada por su reflexión de la *Poética*, no tiene comparación con las fórmulas preconizadas por los comentaristas de Aristóteles. Al igual que la obra proteiforme de un Quevedo, lejos de reducirse a los cánones de un pensamiento conservador cuyos temas transmite más de una vez, multiplica las contradicciones en un juego complejo de tensiones intelectuales y afectivas que, como observa acertadamente Maurice Molho, «equilibra en él la dinámica contradictoria de la inteligencia».

Si bien la reacción frente a la crisis —cuya amplitud nos ayudan a apreciar libelos y sermones— se ha expresado sobre todo a través de la sátira y de la meditación moral, alimentó también toda una corriente de pensamiento, a veces calificado de neoabsolutista. Un Juan de Mariana que, en el momento final del reinado de Felipe II, abogaba por un gobierno moderado que debía adecuarse a las costumbres e instituciones establecidas, era implacable hacia el monarca culpable de burlarse de esos principios, y no dudaba en justificar el regicidio. Los teóricos del siglo XVII pregonan, por el contrario, un reforzamiento de la autoridad real y una intervención incrementada del soberano en los asuntos públicos. De Quevedo (*Política de Dios*, 1626) a Saavedra Fajardo (*Empresas políticas*, 1640) y a Baltasar Gracián (*El político don Fernando*, 1646), la continuidad no puede negarse: no tanto, tal vez, en los temas desarrollados, como en una subordinación deliberada de la política a la moral, en la que se basa la crítica a la razón de Estado maquiavélica. Esta concepción providencialista del príncipe justo concuerda, por otra parte, con una reivindicación del carácter carismático de la monarquía, a la que la oratoria sacra asegura una amplia audiencia y de la que la comedia se ha hecho eco.

Pero la expresión más original de la conciencia de crisis es, indiscutiblemente, la que le debemos a los arbitristas, es decir a todos los que se inclinaron sobre el marasmo de España e intentaron hallarle remedio.

Si las soluciones que preconizan traslucen generalmente utopía (de ahí los sarcasmos de un Quevedo), su diagnóstico a menudo es penetrante, como cuando saca a la luz la recesión demográfica, las taras del sistema fiscal, el reparto injusto de las riquezas, las disfunciones de la economía o los efectos perniciosos de la discriminación religiosa. El *Memorial* de Martín González de Cellórigo (1600) debe su celebridad a la definición que nos da de España en el momento en que Cervantes lanzaba por los caminos a don Quijote: «una república de hombres encantados que viven fuera del orden natural». Pero se debe señalar, también, la importancia de los escritos de un Sancho de Moncada (*Restauración política*, 1619), de un Pedro Fernández de Navarrete (*Conservación de monarquías*, 1626) o de un Miguel Caxa de Leruela (*Restauración de la antigua abundancia de España*, 1631). Esos «primitivos del pensamiento económico español», redescubiertos por Pierre Vilar, son hoy objeto de un renovado interés, plenamente justificado.

Más allá de la influencia momentánea, pero cierta, que esos arbitristas ejercieron sobre Lerma y, más aún, sobre Olivares, que adoptó algunos de sus proyectos de reforma, sus análisis testimonian la viva percepción que tuvo la opinión de los graves problemas con los que se enfrentaba toda la nación. Pero, entre los responsables de la política española y los grupos dominantes cuyo apoyo activo les era indispensable, nunca se llegó a un acuerdo sobre el cambio de rumbo que exigían las circunstancias.

2. Permanencias y mutaciones

Que la conciencia de crisis haya agudizado el sentimiento, durante largo tiempo difuso, de que los tiempos habían cambiado no bastaba para acreditar la idea de una ruptura brutal con el pasado. No es simplemente que el siglo XVII español, lejos de liquidarla, conserve y reivindique la herencia del Renacimiento, cuyos grandes temas vuelve a orquestar. Se trata sobre todo de que presenta características que ya se han podido observar en otras épocas, y cuya persistencia muestra que no hay verdadera solución de continuidad.

Persistencia, en principio, del culto a la Antigüedad, reavivado con interés y exaltado por la enseñanza de los jesuitas, aunque el respeto debido a los clásicos griegos y latinos vaya acompañado en lo sucesivo por una voluntad de superación que se expresa sobre todo entre los defensores de la *comedia nueva* y del que Góngora, en su lírica, nos ofrece el más hermoso ejemplo. Persistencia, igualmente, de tradiciones populares que la cultura oficial incorpora cuando es necesario, y cuyo rico filón explotan las formas cultas de la creación literaria: de la prosa cervantina al teatro de Calderón, romances, proverbios y cuentecillos siguen impregnando estas formas, aun si, al hilo de los años, la reelaboración de los motivos tradicionales se hace en el sentido de una «desfolclorización» cada vez más marcada. Persistencia, también, de los circuitos habituales de difusión de las obras. Hay sin duda una correlación entre los progresos de la edición y el incremento relativo, hasta mitad del siglo, del número todavía restringido de los que acceden directamente al escrito. Pero no por eso se abandonan las prácticas consagradas desde hace tiempo, como la lectura en voz alta que asegura una circulación ampliada de los textos. En estas condiciones, nos explicamos la fama que tuvieron en vida poetas cuya obra nos ha llegado mutilada, al no haber sido fijada por la imprenta. También se comprende mejor la acogida reservada a la *comedia nueva* por un público sin duda variado, pero, sin embargo, en perfecta simbiosis con todas las formas de la oralidad.

Persistencia, finalmente, de una jerarquía de los géneros, que no remite sólo a las categorías heredadas de Aristóteles, sino que refleja también la diversidad, social y cultural, de los diferentes públicos: las «academias» y cenáculos que consagran los artificios de la lírica barroca, los salones donde se deleitan con las novelas a la italiana, los corrales donde se produce el triunfo de la comedia lopesca, constituyen tres ambientes nítidamente diferenciados. La distinción, apreciada por el Renacimiento, entre *vulgo* y *discretos* sigue siendo de actualidad; sólo han cambiado los criterios que la definen, en razón, sobre todo, del auge sin precedentes de un teatro de amplia difusión.

Lo nuevo, por el contrario, es la manera en que esos públicos coinciden alrededor de manifestaciones que en adelante les son comunes. Entre éstas, el teatro constituye por supuesto el sitio predilecto de esta convergencia, como lo testimonian la extensión y la renovación constante de un repertorio que, desde el reinado de Felipe III, llega al campo. Pero no hay que desdeñar la aparición, después de 1630, de un teatro de corte del que están excluidos, sin excepciones, los espectadores de los corrales y que, poco a poco, crea una distancia entre la corte y la ciudad. Otros fenómenos, a los que trabajos recientes empiezan a otorgar su lugar preciso, merecen nuestra atención: las justas poéticas y, más en general, todas las formas de la fiesta que, a través de un ceremonial cuidadosamente establecido, permiten a la colectividad expresar su adhesión al orden reinante y a los valores que lo fundamentan; también la elocuencia sagrada, arte de la persuasión tanto como de la ejemplaridad, cuya influencia se mide mejor en la actualidad: ésta es la que, en gran medida, modeló la sensibilidad de los españoles del siglo XVII, expandiendo de manera gráfica los grandes temas de la espiritualidad tridentina; una empresa que, dicho sea de paso, no impide en absoluto el divorcio entre conducta y creencia que caracteriza el comportamiento habitual en materia de religión.

3. El legado de una época

¿Cultura de masas la de la España barroca? La fórmula, que se debe a José Antonio Maravall, puede parecer anacrónica, vista la relativa extensión de las «masas» en la España de los últimos Habsburgo. Pero no deja de poner el acento sobre el incremento del número de los que participan en esa cultura, a la vez que subraya la interacción de los diferentes ambientes que contribuyen a configurarla. Cultura con dominante urbano, también, en razón del peso de las ciudades en la vida del país y de la generalización de las actitudes que caracterizan la forma de vida de los ciudadanos. Finalmente, ¿cultura dirigida? Sobre este punto conviene, en nuestra opinión, matizar la tesis de Maravall.

Es cierto que en el siglo XVII nació y se desarrolló en España una verdadera política cultural, cuyas premisas ya aparecen en la época de Felipe III, pero a la que su sucesor, con el concurso activo de Olivares, dará el impulso decisivo.

Esta política no sólo es acción del príncipe. Impulsada a escala regional y local por los virreyes y los grandes señores, se apoya en una red de instituciones que, al estimular el conjunto de las actividades literarias y artísticas, canalizan la demanda a la que tienden a responder. Los cenáculos que, siguiendo el ejemplo de Italia, toman el nombre de academias, mezclan a aristócratas amantes de las bellas letras con escritores profesionales con ocasión de los concursos y las justas poéticas. La Iglesia, por su lado, desempeña un papel esencial: patrocina algunas de esas justas; determina el calendario de las fiestas religiosas, cuyo ceremonial regula; toma parte importante en la organización del año teatral y controla los temas de los autos sacramentales, concebidos como ilustraciones de la eucaristía y de los sermones en acción; vigila, a través de la censura eclesiástica, la difusión del libro y promueve la publicación de obras edificantes. Los municipios, cada vez más sometidos al poder central, aseguran la preparación y la financiación de los espectáculos y contribuyen al florecimiento de la fiesta.

La acción de Felipe IV y de Olivares, los dos amigos y protectores de las letras y de las artes, debe volver a situarse en este contexto. Calderón, Velázquez, entre muchos otros, se beneficiaron del apoyo de esos dos mecenas, a los que España debe el haber conocido una verdadera cultura cortesana y haberse abierto a las influencias extranjeras —la de Rubens, en especial—, desarrollando, en un ámbito preciso, sus intercambios con el resto de Europa. Como ha demostrado John Elliott, el palacio madrileño del

Buen Retiro, edificado por iniciativa de ellos y decorado por los mejores artistas, fue deseado y percibido, a pesar de las críticas, como el símbolo por excelencia de ese mecenazgo lúcido.

El error, sin embargo, sería llegar a la conclusión de que la vida cultural española fue sistemáticamente orientada y orquestada por las directivas del monarca y de su ministro. Puede ser que el poder acogiera favorablemente las obras que expresaban una visión optimista del mundo y que la propusieran a un público en busca de razones para confiar. Puede ser también que, desde esa perspectiva, las innovaciones y las audacias de la estética barroca fueran, en cierto sentido, una respuesta imaginaria a los problemas reales que la sociedad de la época ya no podía resolver. Pero la monarquía de los Habsburgo —el fracaso de Olivares lo prueba— no tenía la ambición, ni los medios de concebir un acondicionamiento de una colectividad prisionera de múltiples compartimentaciones, sometida a tendencias centrífugas como lo demuestran la secesión portuguesa y la rebelión catalana, y que no accederá más que tardíamente, a fines del siglo XVIII, a la total conciencia de su existencia como nación. El nuevo incremento de la aristocracia, con el advenimiento de Felipe III, no va acompañado por una reforma intelectual y moral de la que habría sido la instigadora; el tipo de existencia que encarnaba es el que, en una época de desasosiego, reforzó su prestigio y se erigió a sí mismo como modelo. Incluso el control ejercido por la Iglesia en materia de ortodoxia debe ser apreciado de manera conveniente: no esclavizó la creación al dogma, sino que más bien avivó en el escritor la conciencia de su papel y de sus responsabilidades en la ciudad.

De manera general, las manifestaciones de la cultura barroca no podrían reducirse a los efectos puntuales de un dirigismo que, para ejercerse convenientemente, habría implicado que España fuera capaz de mantener su supremacía y conservar hasta el final la libre disposición de sus recursos. La *comedia nueva*, de la que a veces se ha querido hacer el instrumento de un condicionamiento deliberado, sin duda debe en parte su éxito a la manera en que permitió a una comunidad verse representada en la escena, no como era realmente, sino como soñaba ser. Sin embargo sólo lo logró por la adhesión espontánea de todos los que colaboraron en ese éxito, en función de posturas no sólo económicas e ideológicas, sino también artísticas. De haber sido concebida como un teatro de propaganda no habría logrado su objetivo, sacrificando a un proyecto reductor su calidad estética e incluso su eficacia.

La prudencia que se impone sobre el tema nos impide trazar también, entre cristianos viejos y cristianos nuevos, una línea divisoria que llevaría a distinguir dos literaturas, una mayoritaria y otra minoritaria. Ciertamente, son muchos los judaizantes que, cuando hubo la unificación religiosa, eligieron el exilio o, como los marranos, la resistencia clandestina. Pero los escritos que nos han dejado constituyen, en lo esencial, tema de especialistas, y raros son los que, como Antonio Enríquez Gómez o Miguel de Barrios, escapan a la gravitación de una marginalidad más o menos asumida. En cuanto a los conversos, que prefirieron jugar la carta de una integración obligada o voluntaria —además de pagar su precio— no pueden ser captados como un grupo homogéneo cuya singularidad se expresaría en una escritura. Con seguridad, al igual que santa Teresa, san Juan de la Cruz o fray Luis de León en el siglo XVI, Mateo Alemán y Vélez de Guevara tuvieron una parte de sangre judía en las venas y, tal vez con ellos, Góngora y Gracián. Pero, al igual que no explica su genio, esta parte de sangre no determina sus actitudes respecto de los valores dominantes. Para no hablar de Cervantes cuyos orígenes inprecisos nunca nos entregarán la clave de sus preferencias o de sus desacuerdos, o de un Góngora, rebelde *sub specie recreationis*, que erige de buena gana lo irrisorio en juego literario, sin que haya que atribuir a la raza las razones de su pretendida rebelión. A la inversa, Lope de Vega, al igual que Quevedo, apologistas de los ideales cristianos viejos, asumen en sus obras las contradicciones de su época. El alcance subversivo de las comedias de comendador, *Fuenteovejuna* en primer lugar, así lo testimonia, al igual que la aspereza corrosiva de la *Vida del Buscón*, concebida, sin embargo, por Quevedo como una respuesta al *Guzmán* del cristiano nuevo Mateo Alemán. Nos negaremos, pues, de acuerdo con Maurice Molho, a considerar la cultura española del Siglo de Oro una confirmación o una confrontación del discurso institucional. Pero, si «el desgarramiento constructivo que le impone desde siempre el juego de sus tensiones contradictorias» está ligado, por una parte, «a la textura plural de una sociedad cuya cohesión [...] no tiene más fundamento que una multiplicación de segregaciones internas», también es revelador de fenómenos que han conocido las sociedades de otros estados europeos, empezando por algunas de esas segregaciones.

En resumen, el discurso literario que instituye ese desgarramiento, lejos de ser unívoco, se desmenuza en una infinidad de discursos específicos: con la distancia del tiempo, hemos vuelto nuestra atención a cada una de esas voces, más que a la polifonía que crea su unión; y la imagen que hoy nos formamos de la literatura española barroca no depende tanto, en última instancia, de su inscripción en una época caduca como de su capacidad para trascenderla. Nuestra escala de valores —incluidos los estéticos— ya no coincide con la de los contemporáneos de Felipe IV. La masa de escritores menores, algunos de los cuales tuvieron antaño su hora de gloria, ya casi no interesan más que al trabajo de los eruditos. Los géneros que cultivaron no deben su supervivencia ni a ellos ni a sus protectores, sino a los grandes nombres que marcaron esos géneros con el sello de su genio. Sin Cervantes, la ficción en prosa no hubiera tal vez superado el estadio de la experimentación. Sin Lope de Vega, Tirso de Molina y Calderón, la *comedia nueva* difícilmente hubiera cruzado los Pirineos y fuera de España sería casi un vestigio arqueológico. Sin Góngora, el gongorismo hubiera tenido dificultades para salir del purgatorio donde lo confinó, durante casi dos siglos, el gusto neoclásico.

Se comprenderá, pues, que más que ahogarlos en la descripción de las escuelas, de las tendencias y de las corrientes, hayamos elegido dar a esos autores el lugar eminente que les corresponde por derecho. Se admitirá también, al menos así lo esperamos, que seis de los capítulos que abarcan el siglo XVII en lo esencial estén consagrados a seis creadores que dominaron su época: Cervantes, Lope de Vega, Góngora, Quevedo, Calderón y Gracián; así el lector podrá abarcar el conjunto de su producción y, dado el caso, valorar la medida de su diversidad. A nuestro parecer esta elección, tal vez discutible, es, sin embargo, la que está más de acuerdo con el brillo de un siglo que la posteridad ha elevado a la categoría de mito: un mito tan exaltado como discutido, según la mirada con la que, desde hace trescientos años, las elites españoles consideran su propio destino histórico, pero del que es conveniente tomar conciencia antes de proseguir.

JEAN CANAVAGGIO

CAPÍTULO II

LA NOVELA PICARESCA

¿Existe la novela picaresca?

1. UN CONCEPTO IMPRECISO

Aun para quien se atenga sólo al ámbito de la España de los siglos XVI y XVII, el concepto de «novela picaresca» es un concepto impreciso: fue y continúa siendo utilizado respecto de un cuerpo heterogéneo, sobre el que la crítica especializada no está de acuerdo. Sin embargo, durante mucho tiempo a este problema sólo se le prestó una atención marginal, mucho menor, por ejemplo, que la que se daba a la controvertida etimología de la palabra *pícaro*. La aguda conciencia de tener que dar cuenta, cuando se consideraba ese *corpus*, de un fenómeno que al menos al principio es específicamente hispánico, en cierto modo hacía que se pasara por encima de su heterogeneidad.

Por el contrario, en el curso de los últimos treinta años la crítica se ha preguntado de manera muy insistente si el concepto genérico de picaresca tenía o no valor operativo. Y ello ya sea por considerar que era fuente de confusión y que más valía en adelante prescindir de él, ya sea por preconizar su mantenimiento, aunque sólo fuera en razón de los testimonios precoces que atestiguan que algunos de sus primeros receptores entendieron la picaresca como género. La convicción de que puedan existir razones hermenéuticas para continuar pensando en la picaresca como un género está acompañada, en adelante, por la seguridad de poder hacerlo sólo si se reemplaza la visión dogmática de una picaresca definida en un momento posterior, en función de criterios estáticos, por un enfoque preocupado por aprehender la constitución del género en su propio proceso de creación.

Debido a un efecto cuya convergencia está lejos de ser gratuita, en los últimos treinta años han aparecido muchas tentativas que, por variadas que sean, apuntan todas en ese sentido.

2. Un curioso comienzo de siglo

Se ha prestado así una atención nueva a la manera tan desigual en que se manifiesta la actividad creativa en el curso del siglo de vida que se asigna habitualmente a la historia de la picaresca. Según la estimación más comúnmente aceptada, ésta ocuparía el período que va de 1550, fecha probable de la primera edición de *La vida de Lazarillo de Tormes*, a 1646, fecha de la publicación de *La vida de Estebanillo González*. Es muy grande el contraste entre el «vacío» que siguió a la aparición del *Lazarillo* y la efervescencia que como contrapartida siguió a la publicación de la primera parte de la *Vida de Guzmán de Alfarache*, de Mateo Alemán (1599).

Es verdad que en ese caso las cosas se complican por la aparición anunciada, pero diferida, de una segunda parte que no se publicará hasta 1604. Mientras tanto, un plagiario llamado Juan Martí había publicado en 1602 una segunda parte apócrifa. De 1604, año de la publicación de la segunda parte auténtica de la *Vida de Guzmán*, datan, por otro lado, al menos una primera versión de la *Vida del Buscón llamado don Pablos*, de Quevedo, que circulará manuscrita hasta 1626, y una obra curiosa, *El guitón Honofre*, de un tal Gregorio González, destinada a permanecer inédita hasta el siglo XX (finalmente fue publicada en 1974). En 1605 apareció *La pícara Justina*, del enigmático Francisco López de Úbeda. Aparición a la que siguió a unos meses de distancia la de la primera parte de *Don Quijote*: en el capítulo XXII de esta obra se inserta a la vez insidiosamente y de manera espectacular una alusión a todos los libros ya escritos o que se escribirán algún día «en el género» de *La vida de Lazarillo de Tormes*. Este acto de reconocimiento de la picaresca como género, cuyo alcance teórico se ha tardado en apreciar, no es además la única indicación en el *Don Quijote* de 1605 que atestigua el interés con el que Cervantes seguía el desarrollo de ese género naciente. A vuelta de página se encuentra mencionada una novela, *Rinconete y Cortadillo*, llamada a figurar en 1613 en la recopilación de las *Novelas ejemplares*. Ahora bien, *Rinconete y Cortadillo*, cuya primera versión es anterior a 1605, es una de las piezas maestras del dispositivo que permite a Cervantes invertir el modelo elaborado por Mateo Alemán.

La preocupación por valorar ese momento excepcional, que no tendrá equivalente, ha dictado la organización del presente capítulo. La continuación de la trayectoria de la picaresca, cuya relación con las opciones planteadas en ese comienzo de siglo nos esforzaremos por mostrar, sólo será abordada de manera más sumaria y posteriormente.

3. De Lázaro a Guzmán

La vida de Lazarillo muy pronto tuvo una continuación, en forma de segunda parte, también anónima (1555). Si para la historia de la picaresca es legítimo hablar de un vacío de casi medio siglo, es porque esa «continuación», concebida sobre el modelo de las transformaciones de Luciano, presentaba las aventuras subacuáticas de un Lazarillo de Tormes metamorfoseado súbitamente en atún. Mateo Alemán sería el primero en explotar de nuevo la fórmula de la autobiografía de un ser vil, presentada de manera deliberadamente realista. Pero lo haría con particularidades que, de entrada, marcan la distancia que separa su propio proyecto del de su modelo.

La etimología de la palabra *pícaro* ha hecho correr mucha tinta. Actualmente hay acuerdo en estimar que la aparición y el desarrollo del vocablo en cuestión, entre 1540 y el final del siglo XVI, fueron favorecidos por la existencia anterior, en castellano, de varios derivados formados sobre la raíz *pic-* (de ahí, el verbo *picar*), muy expresivos. Por otra parte, parece innegable que, en esta designación nueva de ciertos personajes considerados inferiores o marginales, haya intervenido la mala reputación de los picardos (y todavía más la de los flamencos, sobre todo a partir del momento en que éstos se rebelaron contra la autoridad del rey de España). Más que la etimología propiamente dicha, conviene destacar los datos reunidos a propósito de la historia del vocablo. En primer lugar, aquellos que conciernen a la fecha de los primeros testimonios, ya que, contrariamente a lo que todavía indica de manera errónea el *Trésor de la langue française*, no se posee ninguno que sea anterior a 1540. Conviene luego, destacar el interés de los contextos en que aparece la palabra en esos primeros testimonios: se utiliza, en efecto, como término de injuria, cercano a designaciones igualmente degradantes, muy reveladoras de algunas fobias sociales (equivalentes de «haraganes», «vagabundos», «bellacos», «canallas», «rufianes», etc.) y funciona como antónimo de «cortesano» (en el sentido de «persona distinguida»). También de manera relativamente precoz es objeto de una especialización en la forma de *pícaro de cocina, pinche*. Uno de los textos más interesantes para la historia de este vocablo es un largo poema sobre las guerras civiles en Flandes, escrito entre 1567 y 1598, en el que *pícaro*, aplicado por supuesto a los rebeldes flamencos, alterna con una transcripción apenas retocada de *gueux* («guez») y con *guitonero* (cfr. el título de guitón que se da un émulo precoz de Lazarillo de Tormes y de Guzmán). En 1565 *pícaro* aparece traducido por la palabra francesa *bélître* en uno de los primeros *vocabularios* en los que se incluye.

En cuanto al concepto de «novela picaresca» se trata, al igual que muchos conceptos comúnmente usados por la crítica literaria contemporánea, de una invención del siglo XIX. Se han alzado protestas repetidas contra su uso y sus inconvenientes. En la medida en que la vida libre y ociosa del pícaro aparece burlonamente celebrada en varios poemas jocosos de fines del siglo XVI y, como pueden formularse una serie de objeciones de fondo contra la utilización de la palabra «novela», se ha propuesto emplear en su lugar el concepto de «materia picaresca». Ésta es una práctica que por pertinente que sea, no se ha extendido fuera de círculos críticos relativamente especializados.

A menudo se ha subrayado que el término *pícaro* no aparece en *La vida de Lazarillo*. Al contrario, es la primera palabra que se presenta en la pluma de Alemán en el momento en que, preocupado por remediar los inconvenientes que corría el riesgo de provocar la aparición diferida de la segunda parte de la *Vida de Guzmán*, expone a grandes rasgos su proyecto en una «Declaración para el entendimiento de este libro», que coloca al inicio de la primera parte. El sumario que esboza de su obra empieza con estas palabras: «Para lo cual se presupone que Guzmán de Alfarache, nuestro pícaro...»

La designación era tan congruente que se generalizó en seguida, ya fuera para hablar del personaje o para designar familiarmente al libro. Ésta es una práctica que el mismo Alemán transforma en tema de reflexión en la segunda parte, sobre todo para oponer esta designación familiar al título que tenía la intención de agregar al de *Primera Parte de Guzmán de Alfarache: Atalaya de la vida humana*. Título complementario que efectivamente tendría el honor de figurar en la portada en el momento de la publicación de la segunda parte. Hay mucha distancia, como se ve, entre la palabra a la que el público acude espontáneamente para designar el libro, a este modo de destacar con cierta solemnidad cómo, más allá de lo anecdótico, Guzmán resulta promovido al rango de vigía cuya mirada descubre a los demás los peligros con que, en tanto hombre, puede hallarse confrontado.

La *Vida de Guzmán de Alfarache*

Los conflictos de interpretación que suscitaría la obra, a causa de la dualidad que existe en ella, ya están en germen en esta oposición. Antes de volver sobre ello, sin embargo, hay que hacer algunas precisiones sobre esta obra y sobre su autor.

Mateo Alemán nació en Sevilla en 1547. Hijo de médico, descendía por parte de padre de una familia sevillana de judíos conversos y, por parte de madre, de hombres de negocios florentinos instalados en Sevilla debido a las relaciones comerciales de esa ciudad con las Indias.

Después de recibir una formación humanística, al parecer bastante sólida, inició estudios de medicina que interrumpió para consagrarse al comercio. Se casó, y su matrimonio no parece haber sido feliz. A los treinta y tres años, aparece inscrito en la universidad, esta vez en la carrera de derecho. Durante los próximos veinte años estará al servicio de la administración real y pasará períodos bastante largos en Madrid. Los años fecundos en los cuales publicó las dos partes de la *Vida de Guzmán* y la *Vida de san Antonio de Padua*, escrita por una promesa, parecen estar dominados por grandes dificultades económicas.

En 1607, poniendo en ejecución un proyecto en el que ya había pensado en el pasado, Alemán se embarca para México. Va acompañado de dos o tres de sus hijos naturales y de una joven a la que hace pasar por su hija. En México aparecerán sus dos últimas obras: un tratado de ortografía (1609) y un elogio del arzobispo de México, en ocasión de su muerte (1613). Su huella se pierde después de 1615.

Sólo de manera relativamente reciente se ha tomado conciencia de la importancia de los lazos amistosos, al parecer estrechos, que Alemán mantuvo con un pequeño grupo de hombres cultos y ardientes partidarios de reformas. Entre éstos, en primer lugar está el doctor Cristóbal Pérez de Herrera, médico del rey, autor de numerosos proyectos de reforma, el más conocido de los cuales se refiere a la reorganización de la ayuda a los pobres. En una de las dos epístolas que Alemán le dirigió en 1597, la génesis de la *Vida de Guzmán* aparece expresamente relacionada, de manera tal vez un poco reductora, con el debate sobre la mendicidad y la necesidad de hacer trabajar a los parásitos que abusan de la caridad pública.

También se dispone, desde 1985, de un extraño documento que aunque no sea de puño y letra de Alemán, no por eso deja de ilustrar un singular episodio vivido por él en 1593, en el momento en que es comisionado para presentar un informe sobre las condiciones de trabajo de los galeotes que el rey había puesto a disposición de los riquísimos Fugger para explotar el yacimiento de mercurio de Almadén. La intervención de Alemán parece haberse distinguido más por su energía que por su preocupación por tratar con tiento a poderosos adversarios. Rápidamente lo dejaron libre de ese molesto asunto. El testimonio en bruto que representa el interrogatorio que hizo a trece galeotes y a otros doce testigos (contramaestres, autoridades locales, médico y barbero cirujano) sigue siendo un documento antropológico de primer orden.

A diferencia del *Lazarillo* la *Vida de Guzmán* se presenta de manera ostentosa, resaltada por la presencia de un retrato del autor como la obra de un tal Mateo Alemán, «servidor del Rey Felipe II, Nuestro Señor, y natural de Sevilla». Ahora bien, el anonimato de *La vida de Lazarillo* no era en absoluto un hecho puramente circunstancial. Se ha señalado, con razón, que forma parte del proyecto de crear una ilusión realista, proyecto que asigna en toda la obra el uso exclusivo de la primera persona a Lázaro, incluso en el prólogo. Nada de eso hay en el caso de la *Vida de Guzmán*, cuyo texto está precedido por un conjunto imponente de piezas liminares.

Este imponente conjunto no entra, sin embargo, en contradicción con el hecho de que el discurso de Guzmán también se encuentre basado en la verosimilitud. Para Alemán, en efecto, no se trata de dejar que la credibilidad, de la que es esencial que ese discurso se beneficie, dependa de circunstancias aleatorias y se limite sólo al tiempo de la lectura. También se toma buen cuidado de dotar a ese discurso, desde el comienzo, de una base cuya racionalidad parece innegable: Guzmán es, por cierto, capaz de llevar una vida llena de errores, pero, por otro lado, está excepcionalmente dotado en el plano intelectual y, además, ha hecho muy buenos estudios. La primera información que aporta la «Declaración para el entendimiento de este libro», una vez señalada su condición de pícaro, concierne a su calidad de «buen estudiante latino, retórico y griego». El extremado rigor lógico de la construcción de Alemán exigía, por supuesto, que la excelencia de esta formación encontrara, llegado el momento, su destino y su razón de ser.

«Llegado el momento», porque si hay otra de las innovaciones narrativas del *Lazarillo* que parece haber suscitado la reflexión de Alemán es la relación que se establece entre el final y el comienzo de la trayectoria del personaje cuya vida es objeto del discurso autobiográfico. Una de las particularidades de la obra consistió en jugar con un innegable sarcasmo con la elección del momento presentado como culminante a partir del cual se consideraba retrospectivamente el pasado. La situación de adulterio de la que Lázaro había sido testigo y beneficiario en la infancia tenía como equilibrio una situación final de *ménage à trois*, en la que participaba como marido complaciente. Lo que no le impedía decir que había llegado, gracias a los efectos de una iluminación procedente del Cielo, al colmo de la buena suerte. Alemán retendría este esquema y a la vez subvertiría su sentido. También en él hay correspondencia entre el comienzo y el final del trayecto, aunque sólo sea porque el protagonista, que se va de Sevilla siendo adolescente, vuelve a ella al final del camino. Hasta reencuentra a su madre, a la que en razón de su experiencia trata de poner de consejera y tercera de su mujer, cuyos encantos ya había empezado a explotar antes de ese regreso a su lugar natal. Pero en este caso esa circularidad no dicta la organización de toda la obra desde su situación de marido complaciente. A diferencia de Lázaro, Guzmán no arroja una mirada retrospectiva sobre el pasado. La intención resueltamente didáctica de Alemán exige que esta situación sea trascendida. Y es lo que sucede cuando Guzmán, después de una última fechoría —gran fechoría, como indica el lugar que ocupa, pero sin relación con la explotación del adulterio a la que se entrega el protagonista—, es enviado a galeras por el conjunto de sus delitos. Es en ese momento de extremo desamparo cuando, iluminado, pero no de la manera blasfematoria en la que Lázaro afirmaba estarlo, vuelve a lo que condiciona la totalidad de su doble discurso. Doble discurso sobre el que un prólogo, también significativamente doble, atrae desde el comienzo la atención, oponiendo al vulgo, incapaz de superar el nivel más aparente de la fábula, el «prudente lector», capaz de apreciar la complementariedad de lo frívolo y lo grave.

En estas condiciones, se concibe que cualquier esfuerzo por dar una visión del contenido anecdótico de la *Vida de Guzmán*, desnaturalice *ipso facto* el sentido. En la medida en que la narración es conducida con un brío que la hace eficaz y contundente, conviene, no obstante, dar una idea de su coherencia.

Sin embargo, hay tres observaciones que hacer, antes de proponer esta trama. La primera concierne a la incidencia que la ambición del proyecto de Alemán tiene sobre el radio de acción de su protagonista, tanto en lo referente al espacio geográfico que recorre como al espacio social en el que evoluciona. Su periplo, lejos de limitarse, como el de Lázaro, sólo a Castilla y a dos grandes ciudades (Salamanca y Toledo), lo lleva de Sevilla a Roma y lo vuelve a llevar de Roma a Sevilla, con episodios más o menos importantes situados en Madrid, Toledo, Barcelona, Génova, Siena, Florencia, Bolonia, Zaragoza y Alcalá de Henares. Paralelamente, pese a la degradación de sus orígenes, Guzmán ya no es el hijo de un molinero hábil para hacer sangrías en los sacos de trigo que le confían y de una mujer que, una vez muerto su marido, «fue frecuentando las caballerizas», sino de un hombre de negocios, representante del comercio internacional —su padre es un banquero genovés, experto en quiebras fraudulentas— y de una mujer que, cuando lo da a luz, está ricamente mantenida por un viejo que logra en parte su fortuna de rentas eclesiásticas... Más tarde, ya no hará parte de su aprendizaje al lado de un modesto cura rural sino junto a un cardenal romano. La segunda observación se refiere al hecho de que el pretexto para la sátira de la sociedad que se encuentra en la *Vida de Guzmán* dista mucho de ser exclusivamente ocasionada por el paso de un amo a otro. Teniendo en cuenta las dimensiones de la obra, la duración y la amplitud del periplo cumplido por el protagonista, el número de amos a los que sirve es relativamente modesto: hay ocho en total, dos de los cuales sólo aparecen en los dos últimos capítulos.

La última observación concierne a los relatos que, cuatro veces, interrumpen el hilo de la narración principal. El problema de su relación con ésta ha sido considerado de diferentes maneras. Ése es un aspecto de la obra en el que aquí no nos detendremos; nos contentaremos con precisar en qué momento y en qué condiciones se introduce cada uno de esos cuatro relatos.

> Un vez hechas estas precisiones, veamos cuál es el contenido de la historia de Guzmán. Ésta comienza con la presentación del padre y de la madre con —detalle original— la evocación de su primer encuentro y el comienzo de sus amores. Estos primeros amores tienen lugar bajo el signo del pecado y del engaño, en un jardín que se ha podido vincular a aquel en el que se cometió el pecado original. El padre de Guzmán muere, no sin antes haber regularizado una unión durante mucho tiempo irregular. Las dificultades que empiezan a reinar entonces en una casa en la que siempre vivió como hijo mimado incitan a Guzmán a partir, animado además por el deseo de conocer la rica familia genovesa de su padre. Parte con malos auspicios, un viernes, día de la muerte de Cristo.
>
> Las dos primeras ventas que encuentra serán el marco para engaños que tienen valor iniciático. En la tercera entra al servicio del ventero y así pasa, por primera vez, del campo de los engañados al de los que engañan. Mientras tanto, ha oído contar una historia de amor que corresponde al primer relato interpolado en la obra. Se lo cuenta, por el camino, un clérigo que desea hacerle olvidar un incipiente error judicial del que había sido víctima.
>
> Siempre animado por el deseo de conocer a su familia paterna, Guzmán deja el servicio del ventero. Llega a Madrid donde, a falta de mejor empleo,

ejerce el oficio de ganapán. Entra luego al servicio de un cocinero, auténtico saqueador de las casas a las que va a cocinar. Despedido por el cocinero, Guzmán vuelve a convertirse en ganapán. En calidad de tal comete un robo importante, robo que le permite pavonearse, bien vestido, en Toledo, donde le esperan una serie de decepciones eróticas. Éstas culminan en una posada en la que acierta a pasar la noche, cuando se dispone a unirse a una compañía de soldados que está a punto de embarcarse para Italia. El juego, que practica desde que frecuentó las cocinas, lo arruina después de su encuentro con los soldados. Un capitán con el que había trabado amistad lo toma a su servicio. Conmovido por el desamparo de ese nuevo amo, para socorrerle realiza diferentes robos (con una denuncia de plagas que afligen al «cuerpo enfermo de la milicia» sobre las que existe en la época abundante literatura). Estos robos culminan en uno cometido contra un usurero judío de Barcelona. Al llegar a Génova, el capitán prefiere deshacerse de ese criado que se ha vuelto molesto. La acogida que le reservan en esa ciudad los parientes que ha ido a buscar es tal que Guzmán huye, jurando volver para vengarse de aquellos que se han avergonzado de sus harapos. Aprende a practicar el arte de pedir de los mendigos en el camino que lo lleva de Génova a Roma; el problema de la mendicidad, con el que se cierra la primera parte, ocupa un lugar considerable en el libro (más de cuatro capítulos).

En Roma, contra su voluntad, es socorrido por un cardenal a quien sus falsas llagas conmueven. Convertido en paje, se distingue por su ingenio, se metamorfosea en el bufón oficial de su amo, y recibe su primera formación en el campo de las humanidades. El juego, una vez más, causa su perdición. Para corregirlo, el cardenal finge despedirlo. Herido por ello, Guzmán se niega a volver a su servicio. Entretanto el cardenal muere, y Guzmán, falto de recursos, entra al servicio del embajador de Francia, amigo de su anterior amo. Otra vez se insiste en el brío con el que ejerce la función de bufón. La primera parte termina con la presentación de una segunda novela, que se ofrece como una tragedia recién ocurrida y que se está comentando con gran asombro en los círculos cortesanos de Roma. Esta novela permite distraer la atención en un momento en que se criticaba a los españoles por sus bravuconadas.

La organización de la materia narrativa de la *Segunda Parte* se vio afectada por la aparición de la segunda parte apócrifa. Alemán, en efecto, no se contentó con atacar al plagiario en el prólogo con el que encabeza su segunda parte. Integró, además, en ésta una venganza novelesca al término de la cual todo acaba muy mal para el ladrón miserable que lleva uno de los dos patronímicos con los que se disfrazó el plagiario (Martí había adoptado el seudónimo de Mateo Luján de Sayavedra). El Sayavedra de Alemán se vuelve loco y, después de creerse que es la sombra de Guzmán de Alfarache, se arroja al mar.

En el momento en que empieza la segunda parte, Guzmán sigue al servicio del embajador de Francia. Continúa desplegando el mismo virtuosismo en su papel de bufón. Una tercera novela, relacionada expresamente con la que cerraba la primera parte, se narra cuando Guzmán acaba precisamente de distinguirse como bufón flagelo de ridículos, momento de tensión que, por ese mismo motivo se ha creado, y que interesa romper.

Guzmán interviene también en los amores de su amo sirviéndole de alcahuete. Por este motivo se cruzan su camino y el de Sayavedra. Después de una desventura muy sonada causada por los amores del embajador, Guzmán se ve obligado a abandonar Roma. Comete la imprudencia de informar a Sayavedra del viaje que tiene intención de emprender para visitar Siena y luego Florencia. Sayavedra le precede en la primera de estas dos ciudades y hace que le entreguen todo el equipaje que Guzmán ha enviado por adelantado. El robo, sin embargo, no beneficia a ese desdichado que no es más que un testaferro. Por ello, cuando se cruza de nuevo, pobre y miserable, con Guzmán, éste lo perdona y acepta, con aparente magnanimidad, tomarlo a su servicio. Esto, en realidad, servirá de pretexto para una serie de lecciones magistrales, que demostrarán a Sayavedra el dominio y la superioridad de Guzmán.

De todos los robos que entonces realiza Guzmán, los más sabiamente urdidos y más fructíferos tienen como víctimas a sus parientes de Génova, adonde, de acuerdo con lo prometido, ha vuelto para vengarse. Se embarca de nuevo hacia España y, durante una tempestad que sucede mientras navegan, Sayavedra pierde el juicio y se ahoga. La última novela interpolada de la obra es leída en el barco a Guzmán, para consolarlo de una tristeza que él dista mucho de sentir.

El libro III, con el que se cierra la obra, está en buena parte consagrado al problema de la perfección en el matrimonio. Después de una serie de desventuras amorosas que tienen como marco Zaragoza, Guzmán va a Madrid y allí se convierte en mercader gracias al producto de sus robos italianos. Comete el error de casarse con la hija de otro mercader, con quien su complicidad es total. Este matrimonio sirve, por una parte, de pretexto para una dura denuncia de las prácticas fraudulentas de los mercaderes, tema ya abordado al comienzo de la obra a propósito del padre de Guzmán. Además, sirve para introducir abundantes consideraciones sobre cómo conseguir un matrimonio feliz. El de Guzmán es un fracaso. Su mujer muere y él se encuentra en una situación económica difícil. Con el dinero que le queda intenta emprender estudios de teología y convertirse en sacerdote, con el único fin de asegurar su existencia material y escapar, llegado el caso, a las diligencias judiciales de las que continúa siendo objeto. Este edificante proyecto, para cuya realización ha ido a Alcalá, cambia de pronto cuando se enamora de la hija de una mesonera. Ésta se llama simbólicamente Gracia y Guzmán no tarda en casarse con ella. Y en su compañía regresa a Sevilla donde su esposa no tarda en abandonarlo.

Guzmán comete entonces una última fechoría, que según ya se ha dicho fue pensada con una serie de circunstancias destinadas a acrecentar su gravedad. El tal delito provoca su detención y su condena a galeras, por el conjunto de sus maldades. La conversión final que lo metamorfosea en pecador arrepentido ocupa, materialmente, un lugar que parece irrisorio. Algunos, al observar que Alemán anuncia además la aparición de una futura tercera parte, han aducido argumentos para dudar de la sinceridad de ese momento último. El texto de Alemán es, sin embargo, bastante explícito sobre el tema de una transformación final que se presenta como efecto de una iluminación de carácter providencial. Lo que da a entender que el crédito que esta conversión habría de inspirar debe basarse en un acto de fe, no en la comprensión de los resortes secretos que pueden mover un alma.

El éxito de publicación que tuvo la primera parte de la *Vida de Guzmán* hoy se cita frecuentemente como el fenómeno editorial más importante de finales de 1600. Sólo en el período de 1599 a 1604, mientras que Alemán se afanaba por hacer reimprimir dos veces la primera parte, un contemporáneo afirma que el número de ediciones piratas se elevaba a veintiséis. Lo que quiere decir que, aunque tuvo éxito, éste no benefició necesariamente al autor. Se comprueba, por el contrario, que benefició al *Lazarillo*, que a partir de 1599 tuvo un nuevo éxito editorial. Tal fenómeno confirma que, de manera precoz, se estableció entre las dos obras una relación de tipo genérico.

La historia de las traducciones empieza pronto: en 1600, con la que el francés Gabriel Chappuys hace de la primera parte. Una versión italiana muy modificada de esta primera parte apareció en 1606. Era obra de un curioso personaje, editor-traductor-adaptador, Barezzo Barezzi, a quien se debe igualmente una versión de *La pícara Justina*. En 1615 apareció la traducción italiana de la segunda parte y la primera traducción alemana. Jean Chapelain publicó sucesivamente una nueva versión francesa de la primera parte (1619) y la primera traducción al francés de la segunda (1620). La versión inglesa de James Mabbe, de 1623, al igual que la adaptación latina de Gaspard Ens, aparecida el mismo año en Colonia, se inspiran en las modificaciones de Barezzi. Seguirán una nueva versión alemana (1626) y una traducción holandesa (1655).

Si Francia merece ocupar un lugar aparte en esta historia, no es por la fecha de aparición de la traducción de Chappuys, ni por la calidad de la de Chapelain, sino por la reorientación impuesta a la lectura de la *Vida de Guzmán* por nuevas versiones que dan relieve a las aventuras del héroe. Se produce un giro a finales del siglo XVII, con la adaptación de Gabriel Brémond (1695) que abre el camino a la que Lesage presentó en 1732, vanagloriándose de haber expurgado el original de sus «moralidades superfluas».

El punto de vista de Lesage se impuso hasta el momento en que, por un exceso contrario, sólo se vio en la obra de Alemán su aspecto didáctico. Esta tendencia dominó el campo de los estudios críticos durante el período que se extiende, de manera general, desde 1930 hasta finales de la década de 1960. Al mismo tiempo, los estudiosos centraban su atención, aunque a menudo de manera impresionista, en los fundamentos ideológicos de este didactismo. Para unos, no cabía duda de que el moralismo de Alemán debía cargarse en la cuenta de una adhesión inquebrantable a los ideales de la Contrarreforma. Otros, por el contrario, lo interpretaban como último recurso y desahogo de un hombre habitado por la angustia existencial de los cristianos nuevos. Un ensayo que marcó el final de la década de 1960 realizaba la síntesis de esos dos puntos de vista y, esforzándose por dar al conjunto del análisis una base sociohistórica, explicaba los ataques antigenoveses de Alemán, interpretados como nítidamente anticapitalistas, por su marginalidad de cristiano nuevo.

Al final de esa misma década, sin embargo, se esbozaba un cambio del que no es excesivo decir que en la actualidad ha desembocado en una visión totalmente renovada de la *Vida de Guzmán* y de su autor. Esta renovación se apoyó en especial en un esfuerzo hecho para volver a situar con precisión al hombre y la obra en su contexto. Esto sucedió en primer lugar con la obra interpretada a la luz de la reacción que fue la del primer público, con lo que, de golpe, apareció nítidamente como una obra de transición, todavía cargada, es cierto, por todo lo que la emparenta con las misceláneas, pero igualmente portadora de una novedad que se tenía tendencia a subestimar o a negar. Llegó luego el turno al escritor y al pensador, cuyos lazos sólidos y estrechos con un pequeño grupo de renovadores se pusieron en evidencia y se consideraron, con justicia, difíciles de conciliar con la posición antimoderna atribuida a Alemán, hasta hace poco, por la casi totalidad de la crítica. Esta doble relectura sigue siendo discutida. Pero la solidez de los resultados a los que ha permitido llegar así como su convergencia, han hecho que cada vez se considere más convincente.

Las consecuencias de un éxito

Las obras que presentaremos a continuación no son, en muchos aspectos, comparables. Tampoco lo es la manera en que la *Vida de Guzmán* aparece en ellas prolongada o repensada. No obstante el lazo que existe entre ellas no deja de ser muy fuerte. Cada una, en efecto, debe una parte de su especificidad al hecho de haber sido concebida en el ardor de las reacciones suscitadas por la aparición de la primera parte del *Guzmán*.

Para comprender el fenómeno de fascinación, y la mayoría de las veces de rechazo, que estas obras atestiguan, es importante considerar algunas de las consecuencias que la aceptación del postulado de Alemán provocaba. Al dotar hasta a los más ínfimos de sus personajes de una interioridad que los arrancaba de su suerte habitual de «tipos» cómicos u odiosos, el autor de *La Celestina* había realizado un progreso considerable en el sentido de una visión «de simpatía» hacia una humanidad que no por ello dejaba de ser presentada como abyecta. El autor del *Lazarillo* había llevado aún más lejos una experimentación basada, al comienzo, en una utilización capciosa del tradicional *sermo humilis*, que en su pluma se volvía ambiguo. El problema, con Alemán, es que su deseo de rigor debía conducirlo, por una parte, a llegar más lejos en la solidaridad con un discurso en que el emisor es considerado un ser vil, pero a quitarle ambigüedad en la medida en que el buen natural de Guzmán y la calidad de su formación intelectual permitían hacerlo plausible. Con la consecuencia de que la conversión que había permitido a Guzmán deshacerse del hombre viejo lo hacía *ipso facto* capaz de rivalizar con el más hábil cortesano. Por otra parte, Alemán, al final de una dedicatoria donde declara que espera que la protección de la persona a la que la dirige permitirá a su pícaro hacer un buen papel entre la gente cortesana, reivindica ese status de una perfección muy mundana. Apreciación que puede considerarse unida al estilo convencional de la dedicatoria, pero que coincide además con el título de *Pícaro cortesano* que Alemán en algún momento parece haber pensado en dar a su libro. Por lo menos, tanto las implicaciones sociales como morales del regreso de Guzmán debieron resultar escandalosas a hombres que, por diferentes razones, se adherían a otra imagen de la ortodoxia cortesana y de los valores de la nobleza.

1. Martí el plagiario

Se sabe poco sobre quien adoptó el seudónimo, a primera vista realmente abusivo, de Mateo Luján para seguir las huellas de Mateo Alemán con la pretensión, además, de hacerse pasar por natural de Sevilla, siendo valenciano. A lo sumo se sabe que era abogado.

Salvo al final de la obra donde Guzmán se hace comediante por amor a una actriz y viaja con una compañía célebre hasta Valencia, la segunda parte apócrifa de la *Vida de Guzmán* estriba, en lo esencial, en una utilización un poco mecánica del recurso que consiste en hacer que Guzmán pase de un amo a otro (a varios otros, eventualmente, ya que, en un momento dado, sirve como criado a cuatro estudiantes que tienen economía en común); resorte que hemos visto utilizado con parsimonia por Alemán. Paralelamente, la obra de Martí se caracteriza por un uso proliferante de la digresión, que aparece de manera algo ostensible como rectora en relación con el propósito narrativo.

> Para las aventuras o desventuras que atribuye a su héroe, Martí se entregó frecuentemente a copiar episodios que pertenecen a la primera parte, reminiscencia que tiene la práctica de subrayar él mismo con cierta torpeza. Así, en el momento en que Guzmán hace que de nuevo lo tome un cocinero en Nápoles, no deja de recordar que en otra época sirvió a un cocinero madrileño. La mediocridad del talento de Martí queda denunciada por el poco partido que logra sacar de la «Declaración para el entendimiento de este libro» y de las indicaciones que esta declaración aportaba sobre la trayectoria del protagonista. Alemán además no dejaría de atacarlo sobre este punto en el prefacio de su propia segunda parte, aparentando, por el contrario, admirar la vasta erudición de su plagiario.

Nos podemos preguntar en qué medida este elogio no es un elogio envenenado. Las digresiones de Martí, además de que a menudo son introducidas y desarrolladas de manera muy inorgánica, representan también un caso de explotación desvergonzada de fuentes transcritas, durante páginas, de manera casi literal. Según una estimación que sin duda no responde exactamente a la realidad, al menos un quinto de la obra no se debería a la pluma de Martí. La identificación de esta otra forma de plagio presenta un gran interés. Permite, en efecto, comprobar que el plagiario se interesa por obras recientes y por problemas de actualidad. Sobre algunos de éstos (el problema de la mendicidad o el de los fundamentos de la verdadera nobleza), se ha observado que las posiciones de Martí, perceptibles en el tratamiento que reserva a sus fuentes, no están muy alejadas de las de Alemán. De manera que tal vez fue por razones menos mezquinas que las que siempre se le han atribuido por las que adoptó un seudónimo y un origen regional calcados del nombre y del origen de su «modelo».

Agreguemos que el gusto de Martí por la actualidad puede tomar formas diferentes de las que se le han señalado. Sin duda, a él se debe la extensa relación inserta al final de la obra y visiblemente pensada como un «colofón» que permitiera a Martí celebrar a su ciudad natal (y aquella en la que se publicó la primera edición de su libro), ya que las bodas objeto de esa relación son las de Felipe III y Margarita de Austria, celebradas en Valencia en abril de 1599. En comparación, el envío de Guzmán a galeras casi parece un epifenómeno.

En todo caso es poco dudoso que ese gusto por la actualidad contribuya a explicar la acogida reservada a la obra y las siete reediciones que se escalonan entre 1602 y 1604.

2. Quevedo el aristócrata

Alemán encontraría otro «continuador» en la persona de Francisco de Quevedo. Su *Vida del Buscón llamado don Pablos* ciertamente es algo más que una respuesta a la *Vida de Guzmán*, pero innegablemente lo es, e incluso, de las tres grandes respuestas que en esa época se están gestando, tal vez la más corrosiva.

Las aclaraciones más elocuentes que se poseen sobre este tema, se deben no a la pluma de Quevedo, sino a la del librero que, en 1626, intervino de manera decisiva en la difusión de la obra al publicarla. Este librero, «émulo» a su vez de Quevedo, cuyo estilo se esfuerza por imitar para presentar la *Vida del Buscón* al público, hace de Pablos de Segovia el émulo de Guzmán, convirtiendo en irrisoria la idea de que se pueda comprar un libro divertido para apartarse, mediante su lectura, de un «natural depravado». Pablos será, opuestamente a Guzmán, un ser al que todo destina a ser y a continuar siendo abyecto, a pesar de su disonante pretensión de querer renegar de sus orígenes y «ser caballero».

Sea cual sea la importancia del repertorio de los motivos degradantes utilizados para que esa abyección sea total (infamia de los padres, desventuras salpicadas por episodios escatológicos, vergonzosas revelaciones, caídas, golpes y disputas), ésta es radical sólo porque Pablos, de manera hipertrofiada en relación con el resto de los personajes grotescos quevedianos, utiliza un discurso que, literalmente, se le escapa. «Yo, señor, soy de Segovia»: el comienzo del libro es a este respecto revelador. En efecto, dadas las actividades propias de la ciudad, «Ser de Segovia» significa en aquel entonces ser experto en el arte de urdir y, más ampliamente, ser un pícaro consumado. Por esta identificación del lugar de origen, por adelantado todo el discurso de Pablos se encuentra desacreditado y señalada su naturaleza innata, y ello aun antes de tratar de un padre barbero, ladrón, borracho y de una madre que, además de descender de judíos conversos, conjuga las actividades celestinescas de alcahueta y de bruja.

En cuanto a la frase con la que se cierra la obra y que, al parecer, procede de Horacio, se considera que comenta la decisión que acaba de tomar Pablos de ir a las Indias, para ver si logra mejorar su suerte: «Y fueme peor [...] pues nunca mejora su estado quien muda solamente de lugar, y no de vida y costumbres.» Sentencia moral que hace mucho ya se ha señalado, es la única que se encuentra en la obra, pero, por eso mismo, parece corresponder mucho más a un juicio del autor que a un enunciado que pueda emanar de ese Pablos quien, siendo de Segovia, no puede ser moralmente sino un ciego, al mismo tiempo que un simulador y un tramposo.

Esta manipulación del discurso del personaje, que no es más que un aspecto de la siempre extrema habilidad verbal del autor, es un dato que convendrá tener en cuenta al leer el resumen en el que nos hemos esforzado por dar una idea del contenido anecdótico de esta obra célebre. Aunque ese contenido tenga en conjunto una coherencia que debe al esquematismo de la línea seguida por el autor, no deja de tener una estructura aparentemente poco trabada. Extraña combinación que ha hecho decir, con razón en los dos casos, que la *Vida del buscón* era, de hecho, una «novela de tesis», pero también que no es más que una serie de brillantes ejercicios de estilo.

> Una vez precisado el origen regional del protagonista, la obra empieza con la presentación de sus padres. La infamia del padre y de la madre se pone de relieve por la manera en que cada uno de ellos recuerda sus taras al otro, en el curso de incesantes disputas. Esta exhibición de deshonor por aquellos que están marcados por él es una constante de la sátira quevediana.
>
> Pablos, cuya ambición empieza a manifestarse desde la infancia, es atendido en su ruego de ser enviado a la escuela. Allí traba amistad con un joven caballero, don Diego Coronel de Zúñiga. La escuela es, por otra parte, para él un marco de desventuras mortificantes. Éstas culminan cuando Pablos, nombrado rey de gallos, termina, después de una batalla que lo enfrenta con las verduleras de la plaza, cayendo en una letrina.
>
> Pablos abandona entonces definitivamente a sus padres y entra al servicio de don Diego. Frecuenta en su compañía una pensión de un tal licenciado Cabra, cuya avaricia está representada con un virtuosismo de desmesura burlesca que le ha valido a este retrato ser una de las caricaturas más célebres de la literatura española. Pablos y don Diego, convertidos en sombra de lo que eran, son finalmente retirados de la pensión de Cabra y enviados a Alcalá.

Sigue una doble fase iniciática que tiene como marco, por una parte, una venta donde Pablos y su amo se paran; por otra, la propia ciudad universitaria. En la primera, el rico don Diego alimenta a sus expensas a un grupo de parásitos; en la segunda, Pablos el criado es sometido por etapas a una famosa y repugnante novatada. Se considera que ésta le ha enseñado a vivir, lo que, de manera reveladora, no tiene otro efecto que transformarlo en la estrella de las hazañas estudiantiles de las que eventualmente el robo puede ser uno de los componentes.

La estancia en Alcalá termina cuando Pablos se entera por una carta de su tío de la muerte de su padre. El tío, que ejerce las funciones de verdugo, procedió él mismo a la ejecución del padre, lo que detalla a su sobrino en esa carta. Pablos abandona a don Diego y parte para Segovia donde le espera su herencia. En el camino, encuentra sucesivamente a cuatro de esas figuras de monomaníacos tan apreciadas por Quevedo: un arbitrista, un teórico de la esgrima, un poeta ridículo y un soldado fanfarrón. Pablos y el soldado, en esa etapa, son desvalijados por un ermitaño que les gana todo el dinero en el juego.

En Segovia, Pablos participa como comparsa en un monstruoso banquete que tiene lugar en casa de su tío. Recuperado su peculio, parte para Madrid. Un hidalgo, cuya única nobleza se basa en el arte de saber preservar las apariencias de su vestuario, lo introduce en una sociedad de timadores. Esta sociedad está regida por estatutos de los que se ha señalado, con razón, en los que habría que ver un equivalente, y un equivalente que supone una carga burlesca, de las ordenanzas que, en Alemán, rigen la vida de los mendigos. Los robos cometidos por los miembros de ese «colegio» terminan por llevar a Pablos y a sus compañeros a la cárcel.

Pablos sale de ella y haciéndose pasar por rico y caballero, emprende sucesivamente la conquista de una jovencita bastante agradable; luego la de una dama de calidad que resulta estar emparentada con don Diego. Se descubre la superchería y Pablos se gana un apaleamiento organizado por su antiguo amo. En Toledo, en donde se ha disfrazado de falso mendigo, Pablos se enamora de una comedianta; él mismo se convierte en actor, compone versos, sobre todo para la escena. La compañía se disuelve y él se entrega durante un tiempo a los ridículos amores de los galanes de mojas. Llega a Sevilla donde vive haciendo trampas con las cartas, y junto con un antiguo condiscípulo de Alcalá que se ha hecho rufián, mata bajo los efectos del vino, a dos sargentos. Es entonces, con la justicia pisándole los talones, cuando piensa en salir para las Indias, en compañía de una prostituta que se ha convertido en su amante.

Una interpretación que ha prevalecido durante mucho tiempo, y que tenía coherencia, consistió en ver en el personaje de don Diego a una especie de depositario de los valores aristocráticos a los que el mismo Quevedo se adhiere. Esta interpretación fue puesta en tela de juicio cuando se observó que la atribución a ese personaje del patronímico de Coronel estaba cargada de consecuencias. Se trata, en efecto, del patronímico de una rica y poderosa familia de Segovia, conocida por ser de origen judío. Pablos y don Diego representarían así dos rostros diferentes, pero igualmente desprestigiados, de esa rica ciudad mercantil. De manera que también podría ser por la virulencia de su posición antimercantilista por lo que Quevedo se opondría en su *Vida del Buscón*, a Mateo Alemán.

El destino editorial de la *Vida del Buscón*, de la que se conocen en total diez ediciones en el segundo cuarto del siglo XVII (1626-1648), da sin duda una idea bastante imperfecta de la circulación real de la obra, que parece haber sido bastante importante, en forma manuscrita, desde los primeros años del siglo.

Por el contrario, la obra de Quevedo aparece como el *best-seller* de la producción picaresca en su versión francesa.

3. El caso Cervantes

La manera en que conviene abordar las relaciones complejas que la obra de Cervantes mantiene con la de Alemán es un tema que ha sido y continúa siendo objeto de muchos debates, en especial desde finales de la década de 1950. Lo que no impide que el asunto aún esté colmado de clisés y de apreciaciones convencionales. La visión que se esbozará aquí no abordará el problema en su totalidad. Se tratará, en efecto, sólo de los tres textos cervantinos en los que la referencia a Alemán es más explícita y, en consecuencia, la más cómodamente observable. Estos tres textos son tres novelas que pertenecen a las *Novelas ejemplares*: *La ilustre fregona*, *Rinconete y Cortadillo* y *El coloquio de los perros*.

La ilustre fregona presenta, entre otras particularidades, la de empezar con un ejercicio de alto virtuosismo, determinado en su totalidad por el empleo insistente de la palabra *pícaro* y de sus derivados. El carácter significativo de lo que aparece como una especie de desafío coincide con la única referencia explícita de Cervantes, no a Alemán, que nunca fue citado por él, sino a su personaje. Y esto, en circunstancias especiales, ya que se trata de plantear de entrada que el personaje elegido por Cervantes para narrar una breve inmersión en la vida picaresca, «pudiera leer cátedra en la facultad al famoso de Alfarache». Por parte de Cervantes semejante insistencia sólo puede significar una cosa: que ese comienzo de novela es precisamente un texto donde él mismo decidió tratar la picaresca alemaniana con una distancia que le confiere *ipso facto* sobre ella una superioridad manifiesta. Se ha de resaltar que Cervantes, al hacer esto, se coloca en una perspectiva exactamente inversa a la que Quevedo había adoptado o adopta más o menos en esa época en la *Vida del Buscón*. El pícaro, cuya carrera completa traza con extraordinaria fuerza en esas páginas liminares, no es en efecto un verdadero pícaro: es un joven aristócrata, originario de una ciudad asociada al pasado épico español más prestigioso (Burgos), al que su espíritu aventurero y curioso empujan a encanallarse y a «cursar la picaresca» como quien cursa la universidad. A la inversa de Pablos de Segovia, que hiciera lo que hiciese seguía marcado por el sello indeleble de su infamia, es inútil que Diego de Carriazo, ese joven aristócrata, cambie de identidad y considere una cuestión de honor pasar por un perfecto pícaro, su nobleza termina siempre por revelarse y traicionarle. También es una paradoja viviente, definida por una serie de oxímoros, como corresponde al hermano de la *fregona ilustre* del título.

Esbozado ese recorrido picaresco, el resto de la novela cumple en efecto las promesas del título; está organizado en torno a un misterioso personaje femenino a propósito del cual, en relación con problemas específicos de la representación del eros en Cervantes, se invita al lector a releer el eros tal como aparece en el *Guzmán*.

Si *Rinconete y Cortadillo* tiene algo en común con *La ilustre fregona*, consiste en brindar la oportunidad para presentar especies de condensaciones de vidas picarescas, comparables a esos compendios de novela de caballerías que se encuentran varias veces en la primera parte de *Don Quijote*. Y también la de presentar, entre líneas, la inversión de una situación retomada textualmente en la primera parte de la *Vida de Guzmán*. Situación que, en Alemán, es la de un encuentro del joven pícaro con un doble que le devuelve exactamente su imagen, pero con el cual es impensable que se establezca una comunicación que no sea engañosa, mientras que en Cervantes hay un asombroso nacimiento simultáneo de dos personajes, verdaderos gemelos que, pasada una primera fase de pruebas y fingimientos, se vuelven transparentes el uno para el otro. Una vez realizada esta inversión, los dos personajes juveniles a los que la inversión concierne servirán sobre todo de filtro a través del cual se contempla y juzga una «cofradía» delincuente que tiene su centro en Sevilla y que está muy simbólicamente representada como el cáncer secreto que mina desde dentro todo el cuerpo de la república.

A esta coincidencia de la duración completa de un relato con la narración de deambulaciones picarescas, que Cervantes no consideró para sus pícaros cuando eran humanos, le resultó posible recurrir en *El coloquio de los perros*, a propósito de un pícaro de cuatro patas. Durante una noche en la que se ven milagrosamente dotados del poder de la palabra, el perro Berganza cuenta al perro Cipión dónde nació, quiénes fueron sus padres, además de la serie de experiencias negativas que le ha valido su contacto con una humanidad tan corrompida como irrisoria, hasta el día en que el encuentro con un hermano hospitalario a quien en lo sucesivo acompaña a recoger la limosna, le ha permitido de alguna manera estar en paz consigo mismo. Todos los recursos retóricos de los que Alemán se servía para atraer la atención del lector sobre el carácter digresivo de su prosa, Cervantes vuelve a utilizarlos al hacer de Cipión una especie de canalizador del discurso con frecuencia digresivo y moralizante de Berganza. Canalizador al que le sucede, excepcionalmente, que se transforma por el contrario en incitador a hablar más. El placer del texto que procura ese juego con la práctica digresiva de la moralidad es tal que podría hacer creer que la toma de distancia respecto de Alemán se efectúa en un clima de relativa serenidad. Tentación a la que, sin embargo, sería peligroso ceder, como lo muestra el carácter incisivo de una alusión hecha de pasada a los «rebuznos» del asno picaresco.

4. *La pícara Justina*

Sólo en época relativamente reciente *La pícara Justina* ha sido de modo definitivo asignada a su verdadeo autor: Francisco López de Úbeda, un médico nacido en Toledo, que se movía en los círculos cortesanos y tal vez estaba unido a la persona de Rodrigo Calderón, «favorito del favorito», el todopoderoso duque de Lerma. La disputa sobre la atribución en este caso está estrechamente ligada a la interpretación de la obra. Con el pretexto de que un fragmento bastante largo de *La pícara Justina* está consagrado a la descripción de los monumentos de la ciudad de León, durante mucho tiempo se quiso ver en el mismo un testimonio documental que sólo podía ser obra de un autor originario de la región. Una serie de lecturas esclarecedoras, debidas a Marcel Bataillon, demostraron que esa «romería» era en realidad la crónica burlesca de un desplazamiento que el rey había hecho a León en 1602 y que, al parecer, fue muy poco apreciado por los cortesanos que lo acompañaron.

En verdad, pocas cosas pueden tomarse en sentido literal en esta obra donde la irrisión llega al exhibicionismo. Esto se echa de ver tanto en el imponente dispositivo formal, ostentosamente calcado del de las obras doctrinales, con sus divisiones y subdivisiones múltiples, su sumario, sus tablas y notas al margen, como en la interminable y muy provocadora genealogía burlesca que se remonta, para el padre y la madre, a varias generaciones.

Una particularidad de *La pícara Justina* es, sin embargo, la de no iniciarse con esta genealogía. No sólo porque un curioso umbral, bautizado con el nombre de «Introducción general», nos muestra a Justina en lucha con las herramientas de la escritura (pluma, tinta, papeles), empeñadas en denunciar sus taras más secretas, sino porque, franqueada esta etapa, el relevo de alguna manera está asegurado por otro agresor, un extraño personaje de estudiante apicarado que Justina termina por dejar burlado. Esto es importante en la medida en que uno de los rasgos más constantes de la protagonista, subrayado por ella de pasada, es su vocación, muy poco «realista», ya lo vemos, por encontrarse en conflicto con estudiantes o con letrados. En realidad, se trata del único tipo de adversario masculino que se le puede oponer.

Por otra parte, Justina es hija de mesoneros y es en el mesón, en compañía de sus hermanos y hermanas, donde hace su aprendizaje. Una vez muertos sus padres, hace dos romerías, desplazamientos que le darán ocasión para confrontaciones más o menos agresivas, que siempre terminan con el triunfo de Justina sobre sus adversarios. Geográficamente, el recorrido de Justina, que la devuelve siempre a su pueblo natal, se encuentra limitado a una zona comprendida entre Valladolid (lugar donde residía entonces la corte) y León. Al final de la obra, Justina, expuesta a la animosidad de sus hermanos y hermanas, emprende un nuevo viaje. Todo vuelve a terminar triunfalmente para ella: roba a sus indignos hermanos, se apropia indebidamente de la herencia de una vieja morisca, y, así enriquecida, ve desfilar por su casa a múltiples pretendientes. La obra llega a su fin cuando se retira con el que ha elegido para su noche de bodas, pero se anuncian la muerte de ese primer marido, una boda ulterior y una vida feliz con Guzmán de Alfarache.

En realidad, como da a entender la conclusión un poco salaz sobre la noche de bodas, la totalidad del pretendido discurso femenino se ha de interpretar a la luz de lo que el episodio críptico aludido anteriormente revela del gusto del autor y de su público por la superchería. Una superchería denunciada, en un caso extremo, cuando el autor presenta a Justina «confundida», que ha olvidado que es una mujer, pero que se transparentaba en el hecho de que ese discurso en femenino retoma de manera permanente todos los clisés de la misoginia tradicional.

En el uso exhibicionista que se hace de un discurso tan poco verosímil, no está excluido que haya un ataque intencionado contra Mateo Alemán. Sin embargo, donde la dialéctica de Alemán aparece expresamente convertida en irrisoria es en los pequeños párrafos sentenciosos, inevitablemente intercalados al final de cada capítulo y en los que el autor, de acuerdo, por otra parte, con lo que había anunciado en el prólogo, interviene en persona para aportar un contrapunto moralizador a la inmoralidad del discurso expresado anteriormente.

Restringir el alcance paródico de la obra sólo a los elementos de parodia antialemaniana que, verosímilmente, contiene, sería dar una imagen inexacta de la misma. El proyecto paródico burlesco de López de Úbeda se distingue por su naturaleza enciclopédica.

> Y de esto dan testimonio, en particular, las dos antologías a las cuales la historia de Justina aporta una especie de pretexto: una antología de jeroglíficos, algunos de los cuales han sido efectivamente tomados de las grandes recopilaciones del siglo XVI, mientras que otros parecen debidos a la imaginación del autor, y una antología de formas poéticas catalogables en ese comienzo del siglo XVII; cada circunstancia de la vida de Justina se encuentra presentada de antemano en versos deliberadamente detestables, pero que ilustran en caso necesario rarezas métricas.

Sin duda hay una relación entre ese exhibicionismo seudoerudito y el hecho de que los adversarios masculinos de Justina sean indefectiblemente estudiantes y letrados. Al hacer preceder la genealogía burlesca de la heroína por la presentación de un primer duelo paraescolar, López de Úbeda parece traicionarse y señalar, en realidad, el doble arraigo de su obra: por una parte, en el esquema de una «vida picaresca» subversivamente vaciada de su sentido, por otra, en la tradición de chistes estudiantiles, que encuentra a la vez una prolongación y un relevo en la vida de los círculos literarios.

> Impresa dos veces el año de su aparición (1605), *La pícara Justina* muestra luego una vitalidad que, sin ser espectacular, es muy superior a aquella de la que gozan las simples obras de circunstancia. Las adaptaciones tardías que se realizaron (la primera en italiano [1624-1629], después en alemán [1627], en francés [1635] y, finalmente, en inglés [1707]), parecen indicar que la obra, aunque no fuera más que en su calidad de suma burlesca vaciada en el molde de un género que en ese momento tenía mucho éxito, agradó a públicos distintos de aquel al que estaba prioritariamente destinada.

5. EL GUITÓN HONOFRE

Preparado en 1604 para una edición que no se publicó entonces, *El guitón Honofre* circuló, sin embargo, como nos lo indican las piezas liminares, en el círculo de amigos cultos que el autor, un jurista de nombre Gregorio González, tenía en la pequeña ciudad de Calahorra. Este relato se distingue en particular por el sentido de la eficacia narrativa a la que contribuyeron en gran parte diferentes fuentes. Fuentes reivindicadas: el *Lazarillo* y el *Guzmán*; la primera está más presente al comienzo de la obra; la segunda, aunque utilizada de manera más continua, lo está sobre todo en la continuación. Fuente no mencionada, pero explotada casi como «a la manera de»: *La Celestina*. Fuente, finalmente, problemática: Quevedo y su *Vida del Buscón*. Sobre todo si se tiene en cuenta el momento en que se efectuó, este curioso trabajo sincrético merece un comentario.

> Señalemos, para empezar, que la definición de Honofre está acompañada por remisiones intertextuales: cuando acepta para sí el sobrenombre de *guitón*, equivalente cercano de *pícaro*, dice que es para figurar en tercera posición detrás de los titulares de los primeros y segundos lugares (Lazarillo y Guzmán, por supuesto). Honofre también rechaza, de manera explícita, un componente esencial de la carrera tipo del guitón, a saber la práctica de la mendicidad. No sólo la excluye de su propio campo, sino que se permite al respecto una alusión crítica a Guzmán y a su experiencia romana. Expresada de manera menos acerba, se adivina en esto una reticencia ante el tratamiento que hace Alemán de la mendicidad, que nos lleva a pensar en el de Quevedo. Según se ha dado a entender, se plantea de una manera más amplia el problema de eventuales puntos de contacto entre Gregorio González y este otro modelo. Primero, en el nivel anecdótico, a causa de coincidencias de detalle entre ciertos episodios de la vida de Honofre el guitón y la de Pablos el buscón: como Pablos, Honofre se encuentra enfrentado con personajes femeninos antipáticos (viejas mujeres avariciosas, vendedoras); como él, sobre todo, sirve en un momento dado a un estudiante que se llama don Diego, con un vivo contraste entre la religiosidad del amo y la vida disipada de su criado. Más allá de la anécdota, en la utilización de un discurso sentencioso de apariencia ampliamente fundamentada, como el de la tradición celestinesca, en un uso intensivo de la paremia. Más que en el Quevedo autor del *Buscón*, convendría pensar en el censor de los refranes comunes.

Si de esta manera se produce un trabajo de zapa con relación a ciertas posturas decisivas de Alemán, hay que señalar que esta crítica se efectúa de manera casi incidental, suavemente y sin acrimonia. Esto se debe a que lo esencial para Gregorio González es preservar los derechos de una narración que antes que nada pretende entretener. Una comprobación en este mismo sentido se impone a propósito de una modificación que podría parecer a primera vista cargada de consecuencias, además de representar una total novedad: a diferencia de Lazarillo y sobre todo de Guzmán, Honofre no está marcado por la infamia de sus orígenes. Es hijo de honestos labriegos. La única tensión se producirá porque, a despecho de la modestia de sus orígenes, se hace llamar Honofre Caballero. Precioso testimonio —sobre todo si se supone que el autor tuvo conocimiento de la opción tan diferente de Quevedo sobre este punto— de la manera en que cierto conformismo narrativo ejerce muy pronto su acción trivializadora y necesariamente reductora.

Diseminación del género

Como se deduce de las páginas precedentes, la picaresca resulta desde sus orígenes singularmente heterogénea. Sin embargo, hay una relación en el carácter de todas las reacciones que suscita, inmediatamente después de su aparición, la primera parte de la *Vida de Guzmán*. Sean éstas de solidaridad (caso de Martí) o de rechazo más o menos irónico (caso de Quevedo, de Cervantes, de López de Úbeda). Pero la verdadera naturaleza de las apuestas que había marcado este primer debate bien pronto se pierde de vista aunque, en un nivel superficial, los pícaros o las pícaras ulteriores sigan proclamándose eventualmente émulos de Guzmán; aunque en un nivel más profundo, el carácter heterogéneo del pícaro de Alemán siga planteando problemas.

Este problema, por el contrario, constituye el centro de *La hija de Celestina* (1612), única incursión de Alonso Jerónimo de Salas Barbadillo, autor, por otra parte, extremadamente fecundo, en el ámbito de la picaresca. Por razones debidas a su manera tan particular de hacer de unos impostores condenados a castigos ejemplares los instrumentos privilegiados de cierta justicia inmanente, Salas se muestra incapaz de asociar de manera duradera en esta obra precoz la utilización del discurso en primera persona y el relato de las proezas de sus expertos en bellaquerías. La rigidez exenta de cualquier tensión caricaturesca por la que opta, a diferencia de un Quevedo que denuncia sarcásticamente las vanas pretensiones de su buscón, o de un López de Úbeda, manipulador no menos corrosivo del discurso aparentemente triunfalista de Justina, lo convierte en el creador de una picaresca que se ha podido calificar de «picaresca en tercera persona».

En el nivel de la anécdota, Elena, la bella aventurera cuya historia cuenta Salas, tiene al comienzo como cómplice a su amante, Montúfar, y a una vieja alcahueta, la Méndez. Juntos explotan sobre todo el gusto demasiado pronunciado que un caballero, don Sancho, tiene por las mujeres hermosas. A pesar de una presentación poco halagüeña de este personaje pervertido, queda claro que Salas se siente solidario con él. El final será además muy moral: don Sancho hará una confesión pública y tras morir la Méndez, Elena, que ha envenenado a Montúfar y causado la muerte de su nuevo amante, terminará ajusticiada.

El camino abierto por Salas será explotado por Alonso de Castillo Solórzano, aunque con menos pesimismo en la presentación de algunos expertos en el arte de burlar. Después del fracaso de un primer relato autobiográfico titulado *La niña de los embustes, Teresa de Manzanares* (1632), Castillo Solórzano optó resueltamente por la narración en tercera persona en *Las aventuras del Bachiller Trapaza, quintaesencia de embusteros y maestro de embelecadores* (1637), y en *La garduña de Sevilla y anzuelo de las bolsas* (1642).

En un sentido totalmente diferente aparece resuelto el problema del contraste entre discurso ejemplar y voz poco autorizada para tomar a su cargo ese discurso en Vicente Espinel, músico y poeta de renombre, cuando éste decide consagrar varios años de su vejez a la redacción de *Relaciones de la vida del escudero Marcos de Obregón* (1618). Así lo da a entender claramente el título original; en esta obra el protagonista-narrador no es ya un pícaro o un aventurero, sino un pobre escudero, o sea un representante de esa pequeña nobleza de recursos módicos de la que había salido el mismo Espinel.

Pero este rasgo no es el único que ha llevado a considerar el personaje de Marcos como una proyección de su creador: al igual que él, ha nacido en Ronda, es como él músico, estudia como él en Salamanca y vive luego una existencia jalonada de deambulaciones que lo llevan sobre todo al norte de Italia; parece además haber heredado muchos de sus rasgos de carácter y también algunas de sus particularidades fisiológicas. Por otra parte, Espinel se divirtió creando la posibilidad de que reinasen dudas acerca de un posible cruce de la narración con la autobiografía. Pero, si bien hay proyección, se trata a lo sumo de una proyección como la que resulta de una autobiografía soñada más que de una auténtica confesión realizada con la máscara de un *alter ego* de ficción. Parecen sueños esos encuentros siempre afables con gente de bien, esas relaciones de amo a servidor en las que Marcos tiene en general un papel gratificante. Como lo parece también el discurso que con bastante frecuencia dedica a la celebración de las virtudes de la moderación y de la paciencia, un escritor cuya mordacidad y pasión habían sido célebres y que, identificando en esto sus aspiraciones personales con las de España, desea tanto para ella como para él una imagen diferente a la de la consabida furia española.

Espinel, de quien se sabe que estuvo entre los primeros lectores de la primera parte de la *Vida de Guzmán*, ya que es el autor de uno de los poemas preliminares que figuran al comienzo de la obra, se inspira en el relato picaresco para la especie de confesión entreverada de fabulación compensadora que elabora. De los personajes tipo del género, su héroe conserva la movilidad geográfica, pero una movilidad geográfica que se puede considerar huera de contenido picaresco. En cuanto al contrapunto moralizador, en él está marcado por la reverencia hacia el orden de las cosas tal como lo conciben los nobles y las personas honradas.

Jerónimo de Alcalá Yáñez, un médico de Segovia, tomaría la idea de la confesión por boca de un personaje modesto, pero no infame, para *Alonso, mozo de muchos amos*, obra publicada en dos partes (1624-1626). Como en el caso de Marcos, esta notable manera de suavizar la caracterización del protagonista tiene como consecuencia que el vagabundeo de Alonso, aunque atolondrado y ciego a veces, en ningún momento es delincuente. Alcalá Yáñez toma de Espinel también una situación de base, que reelabora de manera muy personal: Marcos cuenta lo esencial de su relato a un amigo ermitaño, en cuya ermita encuentra refugio contra una tormenta; Alonso, por su parte, tendrá dos interlocutores, los dos eclesiásticos: el padre vicario de un convento en el que él mismo es hermano lego y luego un sacerdote, en la segunda parte, cuando ya se ha convertido en ermitaño. Pero, mientras que la situación no llevaba en Espinel a instaurar un diálogo, la confesión de Alonso está íntegramente construida como un diálogo.

Entre las otras innovaciones que se deben a Alcalá Yáñez, figuran la que señala el título, es decir una explotación muy sistematizada de uno de los componentes del género, el paso de un amo a otro como elemento estructurante del relato y como recurso para introducir elementos de crítica social. A este respecto Alonso posee un récord, ya que sirve como criado sucesivamente a diecinueve amos. A partir de finales del siglo XVIII, un título complementario, *El donado hablador*, tomado, en efecto, del título de un capítulo, atraería la atención sobre la particularidad sin duda más notable de la caracterización de Alonso. Al sistematizar en ese caso uno de los datos fundamentales de la picaresca, cuyos protagonistas siempre resultan ser incansables habladores, Alcalá Yáñez hace de su Alonso un charlatán impenitente. Su locuacidad no está sólo ilustrada por las digresiones en las que entra al narrar sus experiencias pasadas, sino que tiene un papel mucho más funcional, ya que debido a ella lo despiden los amos a los que importuna un criado no sólo charlatán sino sermoneador. Las enseñanzas se encuentran así integradas de manera muy amena en la anécdota y en la intriga.

Sin embargo, uno de los rasgos más originales de la narración de Alonso es la inmersión que permite efectuar en ambientes que el resto de la picaresca casi no explora: el ámbito del artesanado textil de Segovia, de los negociantes que se enriquecen en México y mantienen relaciones comerciales con China. El mismo Alonso, convertido en mercader, pierde toda su fortuna, castigo que aparece como justa punición de su arrogancia. Pero ese tratamiento severo, de acuerdo con la denuncia tradicional de la codicia de los mercaderes, no debe ocultar una exaltación sincera del trabajo acompañado de la práctica respetuosa de las virtudes cristianas, una defensa de un enriquecimiento legitimado con tal de que sea también fuente de acciones de gracias hacia Dios, que lo hizo posible. Acentos mercantilistas de gran originalidad, explicables, sin duda, por el contexto específico de una ciudad (Segovia) y por las particularidades de una coyuntura (la valoración del comercio que forma parte del plan de reforma que se propone aplicar el conde duque de Olivares, en el momento de su llegada al poder en 1623). Pero es conveniente no perder de vista que el año en que aparece la segunda parte del relato de Alonso es el mismo en que se publica la *Vida del Buscón*, cuya doctrina sobre este punto es rigurosamente inversa.

La curiosidad que la picaresca despierta fuera de España, al igual que razones políticas todavía mal conocidas, explican que algunos heterodoxos refugiados en Francia pensaran en explotar esa vena con éxito. Tal es el caso de dos curiosos personajes, el doctor Carlos García y Juan de Luna cuyas incursiones en la picaresca están ambas dedicadas a representantes de la familia de Rohan, es decir, a una familia conocida por su adhesión al protestantismo y por su oposición encarnizada al partido español. Esto es bastante desconcertante en lo que se refiere a Carlos García, autor, en plena época de reconciliación entre Francia y España, de un importante tratado bilingüe de intención panfletaria, *La oposición y conjunción de los dos grandes luminares de la tierra*, que celebra «la feliz alianza de Francia y España» (1617). La obra que nos interesa, por sus relaciones con la picaresca, se publicaría dos años después con el título *La desordenada codicia de los bienes ajenos*.

Se trata sobre todo de una descripción de la vida de los ladrones, enriquecida con una nomenclatura de los timadores dentro del gusto de las que habían circulado en el siglo XVI por un buen número de países de Europa, pero poco o prácticamente nada en España. La obra de Carlos García tiene, sin embargo, la particularidad de integrar un fragmento narrativo de inspiración picaresca. Ese fenómeno de hibridación ha sido interpretado como un intento para unir una forma familiar al público francés con otra, de inspiración más auténticamente española.

Juan de Luna publicó en París en 1620 una edición de *La vida de Lazarillo de Tormes*, bastante revisada y corregida para el público francés y, el mismo año, sin duda por razones de estrategia editorial, una *Segunda parte del Lazarillo de Tormes*, que se abre con un ataque a la segunda parte anónima de 1555.

Se trata de una obra cruel y violenta, cuyo protagonista es blanco de una serie de engaños, humillaciones, y hasta de torturas. Es, además, marcadamente anticlerical y presenta algunos episodios eróticos con la crudeza de ciertos *fabliaux*, pero sin el encanto de éstos. Luna parece afectado por una deformación profesional (era maestro de lengua) y en algunas partes acumula proverbios e idiotismos como en los manuales entonces en uso para el aprendizaje de idiomas, actividad en la cual se había distinguido. En 1622, Luna, viajó a Inglaterra donde, con siete ediciones, su *Segunda parte del Lazarillo de Tormes* sería, con la adaptación inglesa del *Guzmán* realizada por Mabbe, el más popular de todos los relatos picarescos traducidos o adaptados del español durante el siglo XVII.

Más de veinte años después de Carlos García y Juan de Luna, Antonio Enríquez Gómez, un miembro judaizante de la activa colonia marrana instalada en Ruán, publicó en esa ciudad *El siglo pitagórico y vida de don Gregorio Guadaña* (1644), donde en un sueño acompañado de metempsicosis, figura una de las últimas autobiografías picarescas. La obra muestra de manera muy visible la marca de la influencia de Quevedo, pero se trata de una influencia que se ejerce de manera más superficial que profunda, lo que es natural, ya que las circunstancias vitales personales de Enríquez Gómez parecen difícilmente conciliables con la defensa de algunos de los postulados de base quevedianos.

La obra que, por su fecha de publicación, pasa frecuentemente por ser la última que merece un lugar en la trayectoria de la picaresca de la época clásica es también, aunque de manera diferente, otro producto de la «periferia». Considerada por un número no desdeñable de críticos como la autobiografía auténtica de un bufón que efectivamente estuvo empleado al servicio de Octavio Piccolomini, gobernador general de Flandes, al que está dedicada la obra, esta narración titulada *Vida y hechos de Estebanillo González, hombre de buen humor* se publicó en Amberes en 1646. El buen humor que señala el título es, en realidad, bastante chirriante y parece mucho más fruto de una manipulación realizada con un desprecio bastante profundo por la figura del cobarde bebedor y exhibicionista representado por Estebanillo, que la provocativa confesión de un auténtico bufón que se complace cínicamente en su papel. Es cierto que el relato se desarrolla sobre un fondo de guerra (la guerra de los Treinta Años), esa guerra que ha podido considerarse como una especie de sustituto de la sociedad por la que pasan tantos pícaros anteriores.

¿Un fenómeno específico?

¿Cuáles son las diferencias que justifican que la literatura picaresca represente, para el período considerado, un fenómeno específicamente hispánico? Este es un problema en el que se ha trabajado mucho y al que se han aportado respuestas que periódicamente han sido discutidas. La crisis que lleva al despoblamiento del campo y que multiplica, en el siglo XVI, el número de vagabundos no es una crisis que afecte sólo a España, o que la afecte más duramente que a los países vecinos. Las obsesiones que provoca parecen ser el origen de la corriente de curiosidad que acogió a una literatura que pretendía informar sobre la vida y costumbres de los ladrones, y dar claves para entender su jerga. Así, para explicar la manera en que España se aparta del resto de Europa creando el modelo picaresco, se ha considerado otro factor de crisis, en este caso original: a saber, la exclusión que afectó de manera creciente en los siglos XVI y XVII a los cristianos nuevos de origen judío. No cabe duda de que nos encontramos ante un fenómeno cuya incidencia fue grande, tanto en la vida económica como en el conjunto de las relaciones sociales y, por tanto, en la producción cultural. La aplicación de esta clave de lectura al fenómeno picaresco se realizó, sin embargo, con algunos lamentables esquematismos.

Aunque sin renunciar a integrar este importante dato en una explicación global del fenómeno, en la actualidad se hace un esfuerzo por valorar más correctamente su alcance hermenéutico. Paralelamente, de una crisis sobre la que existió demasiada tendencia a retener sólo sus aspectos arcaicos (exaltación exacerbada del sentimiento del honor, rechazo del trabajo, considerado degradante) se subraya en la actualidad que no carecía de rasgos de modernidad y que éstos, con el surgimiento de una mentalidad burguesa y un comienzo de capitalismo, tal vez fueron tan decisivos para el desarrollo de la picaresca como los lastres de signo inverso, a los que durante mucho tiempo se ha asignado un valor explicativo excesivo.

MONIQUE JOLY

CAPÍTULO III

CERVANTES

En un siglo en el que se desarrollarán todos los géneros y en el que abundarán los escritores geniales, Cervantes es el único español que alcanzó un renombre totalmente universal: desde este punto de vista no pueden comparársele ni Lope de Vega, ni Góngora, ni siquiera Calderón. Este privilegio que, a los ojos de los extranjeros, le ha valido encarnar a su país, es independiente de la influencia, en suma limitada, que ejerció sobre sus contemporáneos. Se explica, primeramente, por su contribución decisiva al advenimiento de las formas cardinales de la ficción moderna, el relato y la novela. Se debe también a la manera en que su obra, aparentemente transparente y, sin embargo, sumamente ambigua, desborda sin cesar el designio del que surgió. Desde hace medio siglo, siguiendo a Américo Castro, se ha trabajado para volver a situarla en el clima cultural de su época. Se ha establecido de esta manera que no es, como se creyó durante mucho tiempo, el fruto misterioso de una germinación espontánea; pero nunca ha sido posible encerrarla en un esquema ideológico. Capaz de producir nuevos sentidos, a través de las épocas vio cómo se modificaban sus contornos: en la actualidad ya no se otorga la preferencia a *La Galatea* o al *Persiles*; ya no leemos las *Novelas ejemplares* con la misma visión que nuestros antepasados; y en cuanto al *Quijote*, antaño epopeya burlesca, se ha convertido para nosotros en la primera, si no en la más grande de las novelas modernas. Pero continuamos admirando a Cervantes al igual que a los hombres del siglo XVII, aunque nuestra escala de valores ha cambiado. Éstas son las razones de esa permanencia que intentaremos poner de relieve aquí.

Nacido en 1547 en Alcalá de Henares, de un padre cirujano que se consideraba hidalgo y de quien se asegura, sin pruebas decisivas, que descendía de conversos, Miguel de Cervantes sale de la sombra cuando, en 1569, en Madrid, el humanista López de Hoyos, su maestro, publica cuatro poesías de su «caro y *amado* discípulo» dedicadas a la memoria de la reina Isabel de Valois. Su brusca partida para Italia, en ese mismo año, interrumpió prematuramente sus estudios, pero le permitió acceder, como autodidacta, a las fuentes mismas de una incomparable cultura de la que se impregnará sin esclavizarse a ella. Sus campañas militares a las órdenes de don Juan de Austria, sobre todo en Lepanto donde fue herido en la mano izquierda (1571), y, después, su cautiverio en Argel, marcado por cuatro tentativas infructuosas de evasión (1575-1580) explican una entrada tardía en la república de las letras. De regreso a Madrid, donde esperó en vano la recompensa de sus servicios, hizo representar, no sin éxito, unas piezas, de las cuales la posteridad sólo ha recogido *Numancia.* En 1585, publicó una novela pastoril, *La Galatea*, unos meses después de haberse casado con Catalina de Salazar, veintidós años menor que él. Empieza entonces un silencio de casi veinte años, durante los cuales Cervantes, ausente de su hogar, recorre Andalucía en calidad de comisario de víveres, y luego de recaudador de impuestos. Como consecuencia de oscuras complicaciones con el Erario público, es encarcelado en 1597 en Sevilla; luego, prácticamente se pierde su huella durante varios años. En 1605, reaparece en Valladolid, el mismo año en que sale en Madrid la Primera Parte de *Don Quijote.* Dos años más tarde, vuelve a Madrid siguiendo a la corte, y, alentado por el éxito de su novela, se consagra definitivamente a las letras. En los últimos años de su vida se acumulan duelos familiares y decepciones íntimas, pero no por eso deja de realizar una labor intensa. Ésta confirma su reputación de escritor, al hilo de la publicación de sus obras: las *Novelas ejemplares* (1613), el *Viaje del Parnaso* (1614), las *Comedias y entremeses* y la Segunda Parte del *Quijote* (1615). Al mismo tiempo Cervantes trabaja en firme para terminar su novela póstuma, *Los trabajos de Persiles y Sigismunda*, que termina en su lecho de agonía y que aparecerá en enero de 1617. Murió el 22 de abril de 1616, unos días después que William Shakespeare.

El poeta

Desde sus años de adolescencia hasta su muerte, Cervantes cultivó asiduamente la Musa; pero sólo conservamos una parte de su producción: las poesías intercaladas en sus obras en prosa; algunas piezas de circunstancias, dedicadas a amigos y colegas; un puñado de poemas dispersos cuya atribución se cuestiona, como la «Epístola a Mateo Vázquez», pero que aseguraron su fama antes de la publicación del *Quijote*; y, finalmente, el *Viaje del Parnaso*, que se destaca por sus ambiciones y su amplitud.

Basándose en confidencias dispersas, se atribuye a Cervantes una viva conciencia de la mediocridad de sus dones. También hay que ver una nota de humor en esas declaraciones alusivas de un escritor que se califica a sí mismo de «raro inventor». Cervantes poeta cultiva las formas castellanas (redondilla, quintilla, romance), pero sin desdeñar las estrofas importadas de Italia (so tos, elegías y canciones). Se complace en petrarquizar, con una búsqueda efecto musical que lo emparenta más con fray Luis de León que con Herre Pero con quien lo unen las afinidades más profundas es con Garcilaso.

La imagen a medias tintas que dejó a la posteridad no es, sin embarg la que tuvieron de él sus primeros admiradores. Desde la época de su pa tida para Andalucía (1587), la opinión pública lo señala como uno de l dos o tres mejores autores de romances de los que puede gozar Madrid. P desgracia, la mayor parte de sus composiciones, difundidas gracias a copi manuscritas, o publicadas de manera anónima en recopilaciones colectiva ya no son accesibles o, al menos, son imposibles de identificar.

Entre las piezas que conservamos y cuya autenticidad parece confirmada, una de las más notables es el soneto con estrambote compuesto poco después de la muerte de Felipe II, en 1598. Se titula «Al túmulo del rey que se hizo en Sevilla»:

«¡Voto a Dios, que me espanta esta grandeza
y que diera un doblón por describilla!
porque ¿a quién no suspende y maravilla
esta máquina insigne, esta riqueza?

¡Por Jesucristo vivo! Cada pieza
vale más que un millón, y que es mancilla
que esto no dure un siglo, ¡oh gran Sevilla,
Roma triunfante en ánimo y nobleza!

Apostaré que el ánima del muerto,
por gozar este sitio, hoy ha dejado
la Gloria, donde vive eternamente.»

Esto oyó un valentón, y dijo: «Es cierto
cuanto dice voacé, seor soldado,
y, quien dijere lo contrario, miente.»

Y luego incontinente
caló el chapeo, requirió la espada,
miró al soslayo, fuese, y no hubo nada.

Entre el énfasis del soldado, que nos toma por testigos de su deslumbramiento ante el monumento funerario, y la desenvoltura del bravucón que le da la réplica y se aparta de esa construcción efímera, el poeta, sin manifestarnos su propio sentimiento, abre el camino por el que se insinúa la sonrisa desengañada del lector. Aquí se esboza una técnica que reorquestará, pero totalmente en otra escala, el *Quijote*.

La tentativa más ambiciosa que nos ha dejado Cervantes sigue siendo el *Viaje del Parnaso*.

Este poema burlesco en ocho cantos, con un suplemento en prosa (*Adjunta al Parnaso*), cuenta con tres mil endecasílabos. Libre trasposición del *Viaggio in Parnaso*, del italiano Cesare Caporali (1585), del que retoma la idea inicial, el poema tiene por tema una odisea imaginaria: un periplo que conduce al autor, vía Cartagena, Roma, Nápoles y Corfú, hasta la cima del monte Parnaso, para socorrer, con un batallón de escritores, a Apolo amenazado por un ejército de veinte mil rimadores. Cervantes toma el pretexto de este viaje para evocar a sus colegas. Su enumeración desconcierta al lector moderno, impermeable, muy a menudo, a los encantos del género burlesco mitológico. Pero, si se considera la división de los escritores en esos dos campos, sus defecciones y traiciones ocasionales, se ve asomar, tras los elogios afectados, una visión lúcida de las reputaciones usurpadas y de los verdaderos talentos.

Más aún: más allá de lo que el narrador deja entrever de sus ideas y de sus gustos literarios, se descubren poco a poco ante nosotros los fragmentos dispersos de su historia personal. Ese viaje mítico, que se cumple en un espacio remodelado por la memoria, es a la vez un peregrinaje a las fuentes y una revancha contra los envidiosos que, en 1610, habían disuadido al conde de Lemos de que llamara a Cervantes a Nápoles. Para el autor es, sobre todo, una manera de imponer su imagen, sobre el trasfondo de las hazañas de antaño, de las decepciones recientes, de los éxitos presentes y de los proyectos inmediatos; una imagen que el «Adán de los poetas» compone con toques sucesivos, jugando hábilmente con sus contrastes. Esta conquista por la escritura de una identidad propia, que se afirma en la confluencia de lo vivido y del sueño sin prejuzgar el veredicto de la posteridad, produce un efecto muy nuevo para la época: proyecta el *Viaje del Parnaso* mucho más allá de las convenciones en las que hubiera podido perderse.

Un dramaturgo contrariado

Hemos recordado la contribución de Cervantes a los progresos de la escena española, en la época en que ésta buscaba liberarse de las limitaciones de un arte de puro consumo (véase J. Canavaggio, *Historia de la literatura española. Siglo XVI*, cap. VIII, Barcelona, Ariel, 1994).

Esta contribución, estimada por el autor en veinte o treinta comedias, de las que sólo se han conservado diez títulos, se resume, para nosotros en *El trato de Argel* y en *Numancia*, probablemente compuestas hacia 1583-1585. *La Jerusalén*, también mencionada por él, posiblemente ha sido encontrada muy recientemente, por Stefano Arata, en los fondos de la biblioteca del palacio real de Madrid. Y otras tres piezas perdidas se ha dicho que habrían sido refundidas para figurar en la recopilación de *Comedias y entremeses*, publicada por Cervantes en 1615, un año antes de su muerte; pero esta última hipótesis no ha sido suficientemente fundamentada como para lograr nuestra total convicción.

Lo que nos dice Cervantes en 1615 de su alejamiento de los corrales, a partir de 1587, hace pensar que no estuvo exclusivamente unido a contingencias materiales: el advenimiento de la *comedia nueva* y el éxito, tan rápido como fulgurante, de Lope de Vega, su principal inventor, fueron sin duda los factores determinantes de ese alejamiento.

Varios indicios sugieren que ese divorcio se volvió más acusado con los años, a medida que se confirmaba el entusiasmo del público por la nueva comedia: así, los propósitos agridulces del cura del *Quijote* sobre las «comedias que agora se usan» (entre ellas las de «un felicísimo ingenio de estos reinos»), acusadas de controvertir «los preceptos del arte»; y, sobre todo, el rechazo reiterado que los profesionales de la escena manifestarán al autor de *Numancia* después de 1607, fecha de su regreso definitivo a Madrid. Así se explica que haya decidido confiar al librero Villarroel sus *Ocho comedias y ocho entremeses nuevos nunca representados*: decisión insólita de un prosista consagrado por el éxito del *Quijote*, y que esperaba llegar a un público de lectores adictos sin pasar por los habituales circuitos de difusión del teatro, a contracorriente de la práctica de su época.

1. Las comedias

Las ocho comedias que se han conservado plantean delicados problemas de cronología. Hayan sido o no refundidas algunas, con toda probabilidad su composición se escalona entre los comienzos de su autor y su total madurez.

Eclipsadas por el *Quijote* y las *Novelas ejemplares*, durante mucho tiempo sólo encontraron indiferencia, en especial a partir del momento en que el escenario a la italiana impone en toda Europa otra estética de la representación, distinta a la de la escena múltiple. A estas comedias se las comparó, para su detrimento, con las obras maestras de Lope. En realidad, corresponden a otra concepción de la acción dramática: la misma que había experimentado el teatro del Renacimiento al encadenar secuencias episódicas, que la dramaturgia cervantina tiende a asociar mediante un juego complejo de correspondencias simbólicas. Testigo del triunfo de la *comedia nueva*, Cervantes no dejó de meditar sobre la fórmula de su feliz rival, que subordinaba la relación de las intrigas al dinamismo de una acción concebida como un todo orgánico. Pero sus concesiones al gusto del momento son las de un superviviente de la generación de 1580. Si bien se acomoda, en algunos casos, a la pluralidad de lugares y tiempos, en nada reniega de sus convicciones profundas. Hostil a la comercialización en gran escala engendrada por el triunfo del «arte nuevo», señala sin indulgencia las debilidades de un repertorio necesariamente desigual, porque «las comedias se han hecho mercadería vendible». Nunca aceptará las impertinencias del gracioso, el criado bufón que la *comedia* convertirá en la pieza maestra de su sistema y a quien, hasta el final, considerará un intruso.

Tres de ellas nos dan una visión original del islam: a diferencia de las comedias de asunto turco de Lope, la experiencia vivida atraviesa constantemente la fabulación novelesca. *Los baños de Argel* se inspiran libremente en el cautiverio del poeta; *El gallardo español* hace revivir el sitio de Orán por los turcos; *La gran sultana* arroja al Gran Turco a los pies de una cautiva española. Todas trazan un cuadro matizado de las relaciones entre cristianos e infieles, más ambiguo que el fresco militante de *El trato de Argel*. Otras cuatro comedias nos transportan, por el contrario, a un universo de pura fantasía, modulado sobre diferentes registros. *La casa de los celos* y *El laberinto de amor* toman su tema de las aventuras de los héroes de Boyardo y de Ariosto. *La entretenida* es un extraño vodevil en el que los equívocos en tropel nacen de un supuesto incesto. *Pedro de Urdemalas* nos arrastra tras los pasos de un mistificador ingenioso a un mundo dominado por un folclore agreste. Y *El rufián dichoso* vuelve a vincularse con la historia y nos presenta la auténtica conversión de un estudiante sevillano tocado por la gracia, como consecuencia de una apuesta que inspirará a Jean-Paul Sartre la apuesta de Goetz, el héroe de *Le Diable et le Bon Dieu*.

Más que las fluctuaciones de una práctica de compromiso, las comedias de Cervantes ilustran los azares de un arte experimental que, a falta de poder ser experimentado, osciló entre diferentes fórmulas. Son, sobre todo, el ejemplo de un teatro problemático que, a la inversa de la *comedia* lopesca, se niega a reducir a un esquema simple y eficaz la complejidad de los acontecimientos vividos. En un mundo recorrido por la ambigüedad y la duda, las criaturas cervantinas ahondan sin cesar las relaciones cambiantes del ser y del parecer. En lugar de identificarse con una «naturaleza» dada por adelantado, se inventan a medida que se descubren, a riesgo de realizarse sólo en el mundo de lo imaginario. Pedro de Urdemalas que, al término de un recorrido sinuoso, abandona sus identidades prestadas para metamorfosearse en un comediante proteiforme, es el mejor ejemplo de esos seres problemáticos, cuyo poder de fascinación permanece intacto.

2. Los entremeses

Compuestos en su mayoría entre 1610 y 1612, los ocho entremeses gozan, por el contrario, de una fama merecida. Cervantes supo darle carta de nobleza a un género menor cuya fórmula había establecido Lope de Rueda, su modelo admitido (véase, J. Canavaggio, *Historia de la literatura española. Siglo XVI*, Barcelona, Ariel, 1994).

> Al igual que Rueda, Cervantes toma sus personajes y situaciones del folclore: las esposas ariscas de *El juez de los divorcios* son parientes cercanas de las malcasadas de los *fabliaux*; la criada de *La guarda cuidadosa*, solicitada por un soldado famélico y por un sacristán próspero, traslada las vacilaciones de las heroínas del *bruscello* transalpino; la entrada subrepticia, en *El viejo celoso*, del galán que introduce la vecina Hortigosa nace de un subterfugio que ya se encuentra en Aristófanes y en Esopo; el espectáculo invisible que montan los charlatanes de *El retablo de las maravillas* deriva de una fábula que es la fuente del famoso cuento de Andersen, *El traje nuevo del emperador*. Como Rueda, también Cervantes explota con acierto toda una gama de comportamientos cómicos, encarnados por tipos fijados por la tradición: duplicidad de la esposa infiel, desventuras del vejete celoso, simplezas del campesino ingenuo, astucias del estudiante tracista, baladronadas del soldado fanfarrón.

Por supuesto, los entremeses cervantinos no se limitan a rejuvenecer ese folclore inscribiéndolo en un marco estilizado, rústico o madrileño, siempre dibujado con trazo seguro, sino que renuevan su esencia incorporando los deseos y los fantasmas de una España en busca de su identidad: por eso esa obsesión por la *mancha*, que condena a los campesinos del *Retablo* a proclamar que ven las pretendidas maravillas que les describen, ya que se considera que los judíos y los bastardos no pueden contemplarlas.

Hay que entender como se debe esa fuerza subversiva. Al igual que no se reducen a cuadros de costumbres, los entremeses no fueron concebidos como panfletos o máquinas de guerra. Fieles al espíritu de la farsa, nunca subordinan su *vis comica* a fines polémicos; por el contrario, el poder del juego y del lenguaje es lo que les permite descubrir prejuicios y penetrar falsas apariencias.

> A veces, el desfile de secuencias y de personajes basta para servir de rito de presentación. Pero, muy a menudo, el engaño o la trampa puesta en escena dan lugar a una verdadera intriga, fértil en peripecias: la intervención del estudiante aguafiestas de *La cueva de Salamanca* que, abusando de un marido crédulo, saca a la esposa adúltera del mal paso en que se había metido; el descaro de doña Lorenza, la heroína de *El viejo celoso* que, atrincherada en su cuarto, detalla a su viejo marido los encantos del galán que la acaricia. Estas situaciones clásicas adquieren nueva frescura gracias a los recursos de un habla expresiva; gracias también al contrapunto de los gestos y de la mímica y al contracanto de los refranes y las danzas.
>
> Ese teatro sin ambiciones proclamadas es, pues, todo lo contrario de un teatro de tesis. Deja a cargo de las marionetas que anima ante nuestros ojos, que ellas mismas se deshagan, llegado el momento, de la máscara que les prestaba cara humana, reduciendo sólo a su apariencia a los seres que representan ante nuestros ojos.

Los entremeses cervantinos, obras menores de un escritor mayor, no parecen haber creado escuela. Los «entremesistas» del siglo XVII sin duda tomarán de ellos todo un repertorio de situaciones cómicas, pero las desnaturalizarán al someterlas a la óptica deformante de un tratamiento burlesco a flor de piel. Habrá que esperar tiempos más propicios para ver cómo el teatro de Cervantes toma por fin el camino de la escena. La tentativa más significativa sigue siendo la de Federico García Lorca que, a la cabeza de La Barraca, una compañía de actores aficionados, supo, en vísperas de la guerra civil, «devolver [los entremeses] a la luz del sol y al aire libre de los pueblos». Otras experiencias, más recientes, han venido a tomar su relevo: son la mejor prueba de la vitalidad de ese teatro en libertad.

La tentación de lo pastoril

Ya hemos visto las razones, estéticas pero también culturales que, en la España de Felipe II, habían favorecido el auge del género pastoril (véase J. Canavaggio, *Historia de la literatura española. Siglo XVI*, cap. V, Barcelona, Ariel, 1994). Cervantes, a su manera, testimonia ese éxito. Sin duda, de adolescente había leído *La Diana* de Montemayor; pero hasta después de su cautiverio no aportará su piedra al edificio.

> Empezada sin duda en 1580, *La Galatea* fue, en lo esencial, redactada entre 1582 y 1583; concretamente, los seis libros que componen la Primera Parte de la novela, la única que fue publicada, en marzo de 1585, por el librero madrileño Blas de Robles. Siguiendo los pasos de Montemayor y, más cercano a él, de su amigo Gálvez de Montalvo cuyo *Pastor de Fílida* acababa de aparecer en 1582, Cervantes rindió pleitesía a su vez a la moda de los seudónimos y de los disfraces literarios. Al mismo tiempo, gracias al artificio de las poesías intercaladas, creaba el cuadro más adecuado para acoger las piezas en verso que deseaba entregar a la imprenta.

Pero éstas son sólo razones accesorias. Lo que sedujo al autor de *La Galatea* fue la posibilidad que le ofrecía el relato de las tribulaciones de los pastores, al abrirle, bajo el velo de la fabulación bucólica, los caminos de la introspección amorosa; también es la concepción tan coherente, que expresa el género pastoril, del perfecto amor en tanto que principio universal de acción: una concepción alimentada por las ideas neoplatónicas difundidas por los *Diálogos de amor* de León Hebreo, del que la novela toma su aparato ideológico.

La Galatea, primer intento de un prosista todavía novato, a menudo ha sido considerada obra de un epígono. La estructura de la novela manifiesta la deuda contraída por el autor con sus predecesores.

> Los casi cincuenta pastores que pueblan el libro de pastores cervantino no se limitan, en efecto, a experimentar y a expresar deseo, aversión o indiferencia. Las relaciones que establecen y que, muy a menudo, engendran conductas de fracaso, están en el origen de un sinfín de microcosmos amorosos, unidos por un juego complejo de equilibrios y contrastes. La narración que desarrollan ve su lenta progresión periódicamente detenida por amplias disertaciones a cargo de Tirsi y Damón, los dos sabios que han conseguido quebrar las cadenas del amor. Esta intervención de dos personajes que cumplen un papel simbólico en la economía general de la obra se

conjuga con la intervención de poemas intercalados, a menudo de amplias proporciones (una égloga «representable» y el canto de Calíope, elogio de los poetas contemporáneos del autor). Está acompañada también de la inclusión de varias historias interpoladas para anclar sólidamente *La Galatea* en la tradición que ilustra.

Si se sigue con mirada más atenta el movimiento del relato, nos vemos, entonces, conducidos a inscribir esta herencia en sus justos límites. Apenas se entra en materia, el diálogo de los dos amantes de Galatea se separa de las quejas convencionales del pastor doliente: frente al delicado Elicio, el rústico Erastro, pronto a conjurar la «mala rabia o la cruda roña» que amenazan a sus rebaños, introduce una nota verista inesperada. A través de su debate, se esboza la confrontación de las dos verdades que distingue Aristóteles —la de la poesía y la de la historia—, una confrontación que se encarnará más tarde a través del compañerismo de don Quijote y Sancho.

Paralelamente, la constancia que pone Galatea en desalentar a sus adoradores expresa no tanto el comportamiento estereotipado de la bella indiferente, como el deseo de libertad de una heroína que se niega a no ser más que un objeto amoroso. En cuanto a las historias episódicas que, según las apariciones y encuentros, se insertan en la trama del relato principal, no son simples paréntesis. Marcan la irrupción, en el corazón del *locus amoenus*, de la violencia y de la muerte; arrancan a los pastores de su delectación amorosa; abren la Arcadia cervantina hacia otros horizontes: la corte y sus intrigas, la ciudad y sus sortilegios, el mar y sus peligros.

La historia se interrumpe al final del libro VI, sin que se justifique la brusca partida de la heroína hacia Portugal. Esta suspensión de improviso parece reflejar la conciencia que tuvo Cervantes del callejón sin salida al que lo había llevado su deseo de conciliar, en una síntesis armoniosa, exigencias contradictorias. También aclara el juicio retrospectivo del cura sobre *La Galatea*: este «libro tiene algo de buena invención; [pero] propone algo y no concluye nada». Esta frase no expresa la ironía del perro Berganza que, en *El coloquio de los perros*, se burlará de los libros de pastores en los que hay «cosas soñadas y bien escritas para entretenimiento de los ociosos»; pero no dejan de sentirse las mismas reticencias respecto de las «fábulas mentirosas», que no logran hacer «lo imposible creíble».

A pesar de sus ediciones sucesivas (1585 y 1590), a pesar de la acogida favorable en España y en el extranjero (Honoré d'Urfé, autor de la *Astrée* será su ferviente lector), *La Galatea* quedará inconclusa, sin que Cervantes se decida a publicar la Segunda Parte, que prometerá, sin embargo, hasta su lecho de muerte.

El último avatar de la pastoral cervantina es, finalmente, el que incorpora el *Quijote* a lo largo del relato: la aventura del estudiante Grisóstomo, que se disfraza de pastor enamorado y termina por suicidarse, atrapado por una pasión sin salida hacia una muchacha esquiva, enamorada de su libertad; o también la Arcadia del verbo, que don Quijote y Sancho al regreso de su última aventura, se imaginan en el momento de una conversación, sin medir el abismo que separa sus sueños respectivos. Fruto de la amplia reflexión del escritor sobre las formas y los fines de la literatura, esta problemática pastoral sólo podía encontrar su lugar en la polifonía de su gran novela.

Las *Novelas ejemplares*

1. La invención de una fórmula

La génesis de las *Novelas* cervantinas es por lo menos tan mal conocida como la de su teatro.

Rinconete y Cortadillo (mencionado en 1605 en *Don Quijote*) y *El celoso extremeño* se considera que fueron escritas hacia 1590. Conservamos una primera versión de esos dos relatos, recogida en misceláneas preparadas hacia 1606 por un racionero de la catedral de Sevilla, Porras de la Cámara, destinada al cardenal Niño de Guevara. Esta versión parece haber sido modificada más tarde, antes de la inclusión de los dos relatos en la edición de 1613. En cuanto a las otras diez novelas, su fecha ha dado lugar a hipótesis contradictorias, según el lazo que se establece entre experiencia vivida y creación literaria. *El amante liberal* y *La española inglesa*, que durante mucho tiempo se consideraron las más antiguas de la colección, en la actualidad se suponen posteriores al regreso del escritor a Madrid. *La gitanilla*, *El licenciado Vidriera*, *La ilustre fregona*, *El casamiento engañoso* y *El coloquio de los perros* hacen referencia a acontecimientos notables de la primera década del siglo XVII (éxito del *Guzmán de Alfarache*, expulsión de los moriscos); pero algunas de estas alusiones pudieron ser introducidas en una última revisión. En cuanto a *La fuerza de la sangre*, *Las dos doncellas* y *La señora Cornelia*, nada en la actualidad permite fecharlas.

En el importante prefacio que abre la recopilación, Cervantes dice ser «el primero que he novelado en lengua castellana»; porque, precisa, «las muchas novelas que en ella andan impresas, todas son traducidas de lenguas estranjeras». En efecto, la España de Felipe II ignoró la novela, en el sentido canónico del término; no se puede, pues, cuestionar esa primacía (véase, J. Canavaggio, *Historia de la literatura española. Siglo XVI*, cap. V, Barcelona, Ariel, 1994).

Es verdad que las novelas incluidas por Mateo Alemán en el *Guzmán de Alfarache* se publicaron antes de la Primera Parte del *Quijote*. Pero sólo son historias interpoladas, aparecidas en una fecha en la que Cervantes ya había dado adelantos de su talento. Por eso éste se refiere a un precedente importado de Italia: la *novella*, cuya fórmula Boccaccio y sus émulos habían fijado desde hacía tiempo y que, en lugar de multiplicar las peripecias, concentra el relato en torno a una crisis, cuyos efectos se desvelan a través de los sentimientos y las opciones de los que son confrontados con ella.

Si meditó sobre el ejemplo de los *novellieri*, Cervantes se abstuvo de cualquier calco servil. Es verdad que si sólo se considera la intriga, sus novelas retoman a menudo los motivos consagrados cuyo origen se pierde en la noche de los tiempos. En *La gitanilla*, *El amante liberal*, *La ilustre fregona* y *La española inglesa*, un amor largo tiempo contrariado termina por encontrar su salida en una feliz unión. En *La fuerza de la sangre*, *Las dos doncellas*, *La señora Cornelia*, el matrimonio asegura la reparación de una falta, nacida del deseo impulsivo de un seductor. En *El celoso extremeño* y en *El casamiento engañoso*, el acontecimiento desbarata, a veces de manera trágica, los designios pecaminosos de los que burlan las leyes de la naturaleza. Pero esos diferentes derroteros no se reducen a las peripecias que jalonan raptos, duelos o reconocimientos; ordenan, en una progresión razonada, las experiencias singulares que el lector comparte siguiendo el movimiento según el cual los personajes, poco a poco, se van descubriendo a sí mismos.

De este desplazamiento del acento, que subordina el *qué* al *cómo*, de acuerdo con el genio de la novela, se desprende la economía del relato cervantino, irreductible a cualquier modelo prefigurado. La fórmula de las *Novelas*, si es que existe una fórmula, se caracteriza por su extraordinara soltura. Preocupado por explotar todos los recursos, su inventor supo adaptarlos cada vez a su propósito, alterando, si era necesario, las convenciones de la escritura.

Es así como, en *El licenciado Vidriera*, las peregrinaciones italianas de Tomás Rodaja son sólo un preámbulo al infortunio del héroe que, desde que se ve afectado por la locura, cultiva la paradoja y el aforismo, imprimiendo a la narración un giro inesperado. Pero será en *El coloquio de los perros* donde llegue más lejos en audacia: la autobiografía de Berganza, narrador de cuatro patas, que ha recibido un buen día el don de la palabra, se inserta en la trama del diálogo que sostiene con su compañero Cipión y que transcribe Campuzano, el héroe de *El casamiento engañoso*, para dar ejemplo a su amigo e interlocutor, el licenciado Peralta. Esta doble intercalación es una «narración dentro de la narración» que rompe con los cánones habituales del género.

La representación del mundo que nos proponen las novelas cervantinas escapa a las clasificaciones que la crítica positivista intentó establecer en otra época. Oponer, como se hizo, las novelas realistas (*Rinconete y Cortadillo*) a las novelas idealistas (*La española inglesa*) e ideorrealistas (*La ilustre fregona*) significa multiplicar las distinciones aparentes a partir de criterios anacrónicos. Tomadas en conjunto, las *Novelas ejemplares* muestran otro realismo distinto que el del trozo de vida, sobre cuya naturaleza conviene no engañarse. Narrador y personajes arrojan sobre el teatro del mundo una mirada que, en lugar de registrar el espectáculo de los seres y de las cosas, se dedica a restituir en su desarrollo una experiencia singular y a hacérnosla compartir elevándola a universal. De ahí la indiferencia hacia el pintoresquismo de pacotilla; de ahí, inversamente, la valorización del detalle significante a través del juego de los puntos de vista. El realismo cervantino se nos presenta, pues, como el arte de captar a cada ser en su situación: enfrentado consigo mismo, con otros seres, con toda la sociedad, a merced de las pruebas con las que se ve confrontado.

2. La ejemplaridad de las *Novelas*

En una época como la de hoy, en que el relato de imaginación, desvelando las convenciones que lo fundamentan, se alimenta de su propio cuestionamiento, las novelas cervantinas, más allá de la variedad de los esquemas que aplican, manifiestan una asombrosa modernidad: al explorar sistemáticamente los caminos de la creación novelesca, estas doce ficciones experimentales se nos presentan, a ese respecto, ejemplares. No parece, sin embargo, que los lectores del siglo XVII hayan entendido así su ejemplaridad, por poco que se recuerde la tradición de la que procede este género y los debates a los que dio lugar.

Hemos visto que la Edad Media, a fin de legitimar las «fábulas mentirosas», las presentaba como *exempla*: al fijar un episodio de la existencia humana, eran un espejo para ayudar al lector a corregirse. En la Europa de la Contrarreforma, atenta al poder de persuasión de la literatura, los autores de ficción afectaron de buena gana ofrecer un abanico de «casos», que son otras tantas lecciones de vida: así Giraldi Cinzio asigna a sus novelas una finalidad deliberadamente ejemplificante, una intencionalidad declarada que ciertamente favoreció su difusión en Europa.

¿Compartió Cervantes esos objetivos? Al presentar sus novelas al lector hizo como si sugiriera las razones por las cuales las califica de «ejemplares»:

«[...] si bien lo miras, no hay ninguna de quien no se pueda sacar algún ejemplo provechoso; y si no fuera por no alargar este sujeto, quizá te mostrara el sabroso y honesto fruto que se podría sacar, así de todas juntas, como de cada una de por sí.»

Estas aclaraciones plantean más interrogantes que los que disipan. Para Américo Castro, el autor de las *Novelas* no habría tenido otro fin que desarmar las prevenciones del censor al que se ofrece como guía, ocultándose en el momento de mostrar el fondo de su pensamiento. Para otros, por el contrario, testimoniaría una adhesión sincera a los valores establecidos, o, aún mejor, un arrepentimiento tardío corroborado por la expurgación que se revela al comparar las dos versiones de *Rinconete* y de *El celoso extremeño*. Actitudes tan tajantes concuerdan mal con lo que sabemos de un escritor en quien lo doctrinario nunca prevaleció sobre el artista. En todo caso, las reelaboraciones invocadas por la crítica como cuerpo del delito nos parece que requieren una interpretación más matizada.

Contra lo que se ha afirmado a veces, el *rifacimento* de *El celoso extremeño* no es el efecto de un simple prurito de decencia. En la versión primitiva, la inocente esposa del viejo Carrizales cedía a la seducción de Loaysa; en la versión definitiva, le opone una resistencia tan empecinada que «ella quedó vencedora, y entrambos dormidos». Este fracaso del galán concuerda de hecho con lo que sospechábamos de ese impotente al que su designio descalifica y al que su conducta hace indigno de los favores de Leonora. La mancha del adulterio no alcanza a la joven a la que su marido había condenado a la reclusión; pero el choque que sufre el viejo al descubrir, abrazados en un casto sueño, a los dos supuestos amantes, sigue siendo brutal. Víctima de las apariencias, muere de dolor, como en el relato primitivo; pero en éste asume él solo su falta; de ahí el precio del perdón que otorga, antes de morir, a la esposa desconsolada a la que su pasmo impide «contar por extenso la verdad del caso».

La ejemplaridad de las novelas cervantinas no es preexistente, pues, al relato; es consustancial a éste, y el lector, sólo él, debe sacar la lección de una historia que debe su poder de sugestión a que es a la vez ficción y verdad, capaz tanto de sorprender como de convencer. El narrador no quiere ni puede mostrar el sentido de esta historia ambigua. El desenlace que prepara —recompensa o castigo— no es la sanción de un *deus ex machina*, ni el veredicto inesperado de un destino complaciente; es el final del recorrido jalonado de obstáculos que el héroe cumplió de cabo a rabo, la salida del laberinto adonde lo condujo su estrella y por el que erró durante mucho tiempo.

El mundo de las *Novelas ejemplares* se presenta así como la imagen de nuestro mundo. Allí éste se desvela, con su parte de azar y de necesidad, a merced de nuestras pulsiones más oscuras, pero también a prueba de las opciones que realizamos en un camino sembrado de acechanzas, donde el bien y el mal pueden intercambiar sus máscaras. Debemos meditar el ejemplo de aquellos a los que se hubiera creído incapaces de mostrarnos el camino: los falsos ingenuos a la manera de Rinconete, cuya mirada inocente atraviesa las apariencias; los locos del tipo del licenciado Vidriera, que, como ven el mundo al revés vuelven a enderezarlo; los perros de raza que como Berganza comparten el destino de los hombres a la vez que se desprenden de sus prejuicios. Si ése es el «misterio escondido» evocado por el autor en su prefacio, la ejemplaridad de las novelas cervantinas no ha perdido nada de su actualidad.

3. La novela después de Cervantes

Las *Novelas ejemplares* tuvieron un éxito inmediato: cuatro ediciones en el primer año, contando las ediciones piratas; veintitrés ediciones durante el siglo XVII, a las que hay que agregar numerosas traducciones y adaptaciones. Su difusión estimuló la expansión de un género confinado hasta entonces a la interpolación y que, convertido en la lectura predilecta del público aristocrático y femenino, resistirá las críticas de los moralistas, adversos, como les corresponde, a la evocación complaciente del triunfo de las pasiones. En la huella de las novelas cervantinas, cuyo ejemplo a menudo invocan, sin conservar verdaderamente su espíritu, los relatos episódicos acumulan los incidentes destinados a contrariar, hasta el desenlace, la unión de los amantes.

Estas historias sentimentales combinan tradiciones heterogéneas —anécdotas folclóricas, *exempla* medievales, fábulas italianas—, a veces contaminadas por los procedimientos de la comedia de intriga. Pero el equilibrio de estos elementos es tanto más inestable por cuanto a menudo se yuxtaponen de manera empírica, sin que la poética de la novela, género impuro ignorado por Aristóteles, sea objeto de una formalización: su esbozo más sugestivo, el de Lope de Vega, sigue, en efecto, subordinado a una práctica singular cuyo carácter específico será examinado más adelante (véase cap. IV). El más dotado de los epígonos de Cervantes, Tirso de Molina, aunque rinde un homenaje manifiesto al «Boccaccio español», se revelará un discípulo infiel. Una primera recopilación de misceláneas, *Los cigarrales de Toledo* (1626), reúne poesías líricas, comedias y relatos en prosa cuya fórmula híbrida oscila entre la novela y el cuento (*Los tres maridos burlados*). En ellos el autor aparece con brío como un notable creador de atmósferas. *Deleitar aprovechando* (1635) conserva el mismo artificio de composición, pero testimonia una evolución significativa. Tirso agrupa en ella relatos edificantes que, como *El bandolero*, transportan la comedia devota al campo de la novela, con una predilección por lo legendario que volverá a orquestar más tarde en otra escala la novela histórica de los émulos españoles de Walter Scott.

Hacer inventario de la abundante producción de los novelistas menores, contertulios de las academias literarias que, a lo largo del siglo, se dedicaron a satisfacer a un público de ociosos, no nos conduciría más que a elaborar un catálogo de nombres. Juan de Piña (1566-1649), Gonzalo de Céspedes y Meneses (1585-1638), Juan Pérez de Montalbán (1602-1638) cultivan con innegable habilidad los estereotipos de un género que cae a menudo en el sentimentalismo, el erotismo y la violencia, con el pretexto de prevenir al lector contra los efectos de una conducta desordenada. Por eso se considera que un propósito moralizador abiertamente manifiesto justifica los tópicos de una literatura de puro consumo. Alonso de Castillo Solórzano (1584-1648) ocupa por su parte un lugar especial, en la confluencia de la novela y de un tipo de relato que como ya se ha señalado ilustraba la disolución de la picaresca (véase cap. II). Alonso Jerónimo de Salas Barbadillo (1581-1635) suele correr parejas con él en razón de una posición estratégica comparable, si no idéntica. Este ferviente admirador de las *Novelas ejemplares*, una de cuyas aprobaciones suscribirá, nos ha dejado relatos novelados que, como *El caballero perfecto* (1620), unen la pintura idealizada de las pasiones amorosas con una representación más satírica que crítica de un mundo de nobles y de pícaros. Consideraremos finalmente la contribución de María de Zayas y Sotomayor (1590-1661): en sus *Novelas amorosas y ejemplares* (1637) y en sus *Desengaños amorosos* (1647) desarrolla un vigoroso alegato feminista a la vez que manifiesta una propensión marcada a lo macabro y lo sobrenatural.

Estas excepciones notables no pueden ocultar una «desproblematización» creciente de la novela a través de los años. Las razones de la proliferación de estos relatos que apelan al patrón de las *Novelas* cervantinas explican también el callejón sin salida en el que se encontraba un género al que Cervantes había dado tanto brillo.

El Quijote

1. La primera novela moderna

Best-seller de la edición mundial, después de la Biblia, el *Quijote* debe lo mejor de su fama a un héroe que vivió en adelante su propia vida. Los que en la actualidad invocan su nombre, en su mayoría, tendrían dificultades para narrar sus aventuras; *a fortiori*, casi ni sospechan el papel fundacional del relato cuya trama es intrigada por éstas. Por lo tanto, a ese libro eclipsado por el mito que ha suscitado convendría devolverle su justo lugar, el de primera novela de los tiempos modernos.

Editada por Robles, la Primera Parte del *Quijote* salió en enero de 1605, de las prensas del impresor madrileño Juan de la Cuesta. Si se cree en una confidencia insinuada por Cervantes en su prólogo, el libro se «engendró en una cárcel, donde toda incomodidad tiene su asiento y donde todo triste ruido hace su habitación». Salvo que se tratara de una reclusión moral, evocada en términos gráficos, esta prisión parece ser la de Sevilla, lo que haría remontar a 1597 la primera idea de la novela. Habiéndose realizado su redacción durante el período peor conocido de la vida del autor, no hay nada más trabajoso que reconstruir sus etapas. Se ha supuesto que Cervantes inicialmente concibió una manera de cuento o narración breve, que correspondería aproximadamente a la primera salida de don Quijote; pero ninguna de las tentativas hechas para descubrir la exacta fisonomía de este esbozo resulta plenamente convincente. A la inversa, se ha observado, no sin razón, que desde los primeros capítulos aparecen los temas más importantes, en torno a los cuales se ordena la estructura de conjunto de la novela: la locura del héroe, sus preparativos, el armarse caballero en la venta sólo pueden concebirse como los primeros jalones de una epopeya de vastas proporciones.

Comenzado en Sevilla, el *Quijote* se resintió un poco en su elaboración por las andanzas de su autor, sin duda obligado a interrumpir varias veces su tarea. Es lo que sugieren los arrepentimientos de la pluma que se descubren aquí y allá, así como las incoherencias menudas que pueden observarse en diferentes lugares: cuando la penitencia de don Quijote en Sierra Morena, el asno de Sancho tan pronto está en escena como se considera que ha sido robado. También esto es lo que se deduce de la construcción de la novela: en lugar de una progresión lineal, surgida de un patrón preestablecido a la manera de Flaubert, aparece un universo en expansión donde la narración de las hazañas de don Quijote y de Sancho, modulada por la polifonía de los supuestos narradores, se enriquece con historias episódicas. Una de ellas, la novela del Cautivo parecer haber sido esbozada por lo menos en 1590; otra, *El curioso impertinente* posiblemente es posterior en algunos años.

Al comienzo de la historia aparece, por supuesto, lo que será de un extremo a otro el resorte esencial: la locura de don Quijote; más exactamente, la decisión aberrante de un oscuro hidalgo manchego cuyo cerebro ha sido alterado por la lectura de los «Amadises» y que, creyendo resucitar la caballería andante, sale a recorrer el mundo en busca de aventuras. Si nos atenemos estrictamente a sus propósitos, su creador habría tenido como único fin «deshacer la autoridad y cabida que en el mundo y en el vulgo tienen los libros de caballería».

En realidad, Cervantes justificaba de esta manera, en tono divertido, el desarrollo paródico que sustenta la novela y dirige su dinámica. Al mismo tiempo, se dejaba las manos libres para plantear, de manera simbólica, un problema de fondo: el de las condiciones que deben cumplir las «fábulas mentirosas» (es decir, las obras de imaginación) para «casar [...] con el entendimiento de los que las leyeren»; entiéndase, para acreditar en el espíritu del lector la verdad que les es propia, esa verosimilitud poética que Aristóteles distingue de la verdad contingente de la historia.

Este interrogante sobre la verosimilitud de la ficción, probablemente alimentado por la lectura de los comentaristas italianos y españoles de la *Poética*, informa igualmente los debates de los personajes. Pero no se constituye en un cuerpo de doctrina; consustancial a la novela, une indisolublemente su teoría y su práctica.

La odisea paródica del caballero y de su servidor manifiesta esta imbricación en el más alto grado. Pero tenemos otros signos de lo mismo. Ya hemos dicho algo sobre la constelación de los episodios bucólicos que intercalan en la narración los avatares de una pastoral problemática. También habría que recordar, siguiendo a Monique Joly, la importancia del encuentro de don Quijote y del galeote Ginés de Pasamonte (véase cap. II). Éste decidió escribir la historia de su vida, a despecho del *Lazarillo de Tormes* y de «todos cuantos de aquel género se han escrito o escribieren». Al hacer esto denuncia, por diferentes caminos, el artificio seudo autobiográfico en el que se basa la fórmula picaresca, el cual establece que el autor no sea ni el pícaro ni su doble arrepentido. Don Quijote afirma de esta manera su singularidad frente a las tres figuras emblemáticas de la ficción novelesca —el caballero, el pastor y el pícaro—, mientras que cada una de sus aventuras coloca un nuevo jalón para profundizar en una reflexión constantemente reajustada en el taller de la escritura.

La locura de don Quijote se ilumina en su génesis, cuando se la vuelve a situar en el clima cultural de la época que la vio nacer. Desde ese punto de vista, se recorta sobre todo un trasfondo donde se mezclan las chanzas del bufón de Carnaval, el elogio erasmiano de la locura, y los debates del Renacimiento sobre el *ingenium*: todo un conjunto de tradiciones respecto de las cuales el delirio del caballero marca su diferencia. Pero el sentido que reviste se desprende de la finalidad que se le asigna y del papel del que está investido en la economía de la novela. Al decidir irse, con sus armas y su caballo, a correr aventuras, don Quijote ilustra a su manera la fuerza contagiosa de la literatura en todos los que sufren su hechizo. Pero, lector ejemplar, no se limita, como nosotros podríamos hacerlo, a interrogarse sobre el lugar que ocupan los libros en la realidad. Preocupado por determinar si son verdaderos de manera absoluta o sólo relativa, pone esa verdad a prueba, y descubre enseguida la ambigüedad de las relaciones entre literatura y vida. Como caballero errante, se convierte en el héroe de una epopeya burlesca, en constante desfase con los modelos en los que cree inspirarse: sustituyendo los molinos por gigantes a los que desafía, o a pacíficos penitentes blancos por fantasmas a los que enfrenta, la realidad da un perpetuo mentís a sus ilusiones. Y sin embargo, por irrisoria que ésta sea, ya que es la de un obstinado que descifra el mundo con el código que encontró en las novelas, la existencia a la que accede don Quijote le pertenece sólo a él; nadie puede cuestionársela.

De lo cual resulta que, al igual que sus fracasos repetidos no nos entregan el sentido de su empresa, su verdad no se confunde con la de las fábulas de las que se proclama lector apasionado. Se resume, de hecho, en el acto fundacional por el cual decide correr mundo. Don Quijote no se limita a reivindicar la identidad que se ha forjado: persevera sin desaliento en su ser, trascendiendo de esta manera la suma de las determinaciones que pesaban de entrada sobre él. A la inversa de un Guzmán de Alfarache, tributario de su infamia y empeñado en convencernos, hasta su conversión final, de que es incapaz de liberarse de ella, el ingenioso hidalgo mantiene contra viento y marea el proyecto de un hombre libre.

Pero sólo hay libertad sometida a la prueba de los hechos. Resucitar la caballería andante es encarnarla en la cotidianidad, en el marco familiar de una existencia concreta: las llanuras de la Mancha adonde el héroe va en busca de aventuras, la venta donde es armado caballero, los caminos por los que se cruza con cabreros, monjes y galeotes sólo muestran el «realismo» cervantino como signos de un presente del que no podría abstraerse y que, en la cúspide de su exaltación, lo devuelve siempre a la tierra. En la bisagra del mundo prosaico en el que se arraiga y del mundo ideal hacia el que se proyecta incansablemente, don Quijote no tiene más salida que integrar ese presente en su sistema de pensamiento. Al imaginar que puede explicar sus contrariedades por la acción de los encantadores dedicados a perderlo —la desaparición de su biblioteca o la metamorfosis de gigantes en molinos—, se provee de los medios para interpretar las contradicciones de lo real sin salir del ámbito de la ilusión.

Atento a relativizar de esta manera lo absoluto, el caballero logra poco a poco edificar, sobre las ruinas del mundo legendario al que se refiere, el mundo ambiguo del cual es el héroe. Pero sólo lo logra en la medida en que, instruido por las malandanzas de su primera salida, decide dotarse de un escudero. Condenado por su creador a la soledad, hubiera terminado irremediablemente en el asilo; Sancho, al compartir en adelante su odisea, le permitirá continuar luchando con la realidad. En tanto que figura peculiar, Sancho surge de todo un sustrato de representaciones del campesino, ampliamente difundidas por el folclore y reelaboradas por el teatro del Renacimiento. Pero sólo puede ser captado a través del diálogo que sostiene con su amo y que es el contrapunto permanente de su caminar. Y a él finalmente le debe don Quijote poder impregnarse de la densidad de las cosas y transmitirnos una sensación de vida que nadie, antes de él, había sabido manifestar con tal intensidad.

¿Don Quijote y Sancho, o la confrontación del ideal y de lo real? Éste es un punto de vista que nos ha legado el Romanticismo. Y hay que matizarlo.

> Más de una vez, en efecto, el caballero se muestra circunspecto frente a sus fantasmas: cuando aún no ha cruzado el umbral de su casa, se abstiene prudentemente de someter a nueva prueba la celada de cartón que echó a perder al querer asegurarse de su resistencia. Por su lado, el escudero se diferencia del estereotipo del criado codicioso, movido por el cebo del beneficio: él también sabe soñar, ya que la única recompensa a la que aspira es la ínsula que su amo le ha prometido y de la que espera ser gobernador algún día.

Al azar de sus pláticas, sensatas o graciosas, se nos descubren no dos símbolos sino dos seres de carne y hueso que, incansablemente, expresan sus reacciones e intercambian sus impresiones sobre la aventura. Su antagonismo aparente se muda en una armonía sutil, hasta el punto de que llegan a contaminarse uno del otro.

> Enviado por su amo como embajador ante Dulcinea, Sancho, que ha fracasado en su misión, se ve obligado a inventar una fábula para acreditar un encuentro que no tuvo lugar. Ante la pregunta impaciente que le hace el caballero, ávido de saber si no habrá sentido, al acercarse a la dama de sus pensamientos, «una fragancia aromática», opone una respuesta que querría ser de sentido común: todo lo que sintió, contesta, fue «un olorcillo algo hombruno; y debía ser que ella con el mucho ejercicio estaba sudada y algo correosa». Esa patraña inspira a su vez a don Quijote un comentario —«[...] tú debías de estar romadizado, o te debiste oler a ti mismo»— lo cual es, finalmente, un rasgo de lucidez.

Atrapados en el vaivén que, al hilo del relato, nos hace oscilar entre ilusión y realidad, don Quijote y Sancho se nos presentan constantemente asociados en su percepción de los seres y de las cosas, sin que se pueda trazar, de una vez para siempre, la frontera que separa sus puntos de vista respectivos.

Este movimiento pendular, que marca el ritmo de la narración, implica igualmente a todos los que el caballero y su escudero encuentran en su camino.

> Cada uno, con su parte de verdad, une su voz a esa amplia polifonía: la pastora Marcela, a quien corteja en vano el estudiante Grisóstomo, y que se muestra tan rebelde al matrimonio como enamorada de su libertad; el infortunado Cardenio, que don Quijote descubre en el corazón de Sierra Morena, lo que nos vale un sabroso diálogo entre sus dos locuras; la hermosa Dorotea, amante desconsolada traicionada por su seductor, pero también una

buena pieza que se disfraza de infanta Micomicona para engañar al hidalgo y servir así a los designios de los que han decidido devolverlo a su casa; Ruy de Viedma, el capitán cautivo, cuyo idilio novelesco con Zoraida la morisca se recorta sobre el telón de fondo de los recuerdos de Argel.

Las apariciones sucesivas de esos personajes episódicos enriquecen la acción principal con intrigas adventicias, con las que mantienen todo un juego de correspondencias. También el lector no prevenido corre el riesgo, a veces, de perderse en este universo donde los planos se encabalgan y donde los relatos se imbrican. Esta intercalación de historias donde cada personaje, a través de su destino, encarna una referencia particular a la literatura, sitúa, en efecto, la novela en una época que ya no es la nuestra, configurándola como la síntesis de todas las formas de ficción que gozaron de las preferencias de los hombres del Renacimiento. Pero el *Quijote* no es simplemente la encrucijada donde convergen las modas literarias de una época caduca; este cuestionamiento de las «fábulas mentirosas», inscrito en el mismo corazón de las vidas que se manifiestan ante nuestros ojos, procede de una intuición singularmente nueva: la de la relación problemática que todo creador entabla con sus criaturas.

Constantemente enfrentados en el desarrollo de la narración, estos destinos contrastados nos proponen otras tantas verdades parciales, que terminan por abolirse en el seno de una verdad superior capaz de reconciliarlas. Ese juego de espejos no es un simple artificio de la escritura; permite al narrador ocultarse en todo momento detrás de los seres imaginarios a los que presta su voz, llegando a veces incluso a delegarles sus poderes. Émulo aparente de los cronistas árabes a quienes la tradición endosaba la paternidad de las novelas de caballerías, Cide Hamete Benengeli es el más fascinante de esos dobles. Autor ficticio de quien el novelista se separa para juzgar la obra que está escribiendo, es al mismo tiempo el «puntualísimo historiador» altivo que desvela al lector su esfuerzo por captar a esos héroes en toda su plenitud. Por caminos imprevistos, Cervantes nos asocia de esta manera a su empresa y nos hace entrar en el acto de la creación literaria.

2. El regreso de los héroes

Al despedirse de sus héroes, después de haberlos devuelto a su pueblo, Cide Hamete había dejado entrever una continuación del relato de sus hazañas; pero, agregaba, era necesario encontrar los testimonios para autentificar esta «verdadera historia». Al resguardarse detrás de su héroe, Cervantes se reservaba poder elegir el momento oportuno para volver a la tarea; pero no sabemos cuándo se decidió.

Todo indica que la Segunda Parte del *Quijote* nació del éxito de la Primera. En 1605, la novela conquistó al público de la Península, como lo testimonian las cinco ediciones (tres fraudulentas) aparecidas en el año. Dos años más tarde se señaló su presencia en Perú, mientras que bailes y mascaradas, al ofrecer a los curiosos las figuras del caballero y de su escudero, ampliaron su audiencia más allá del círculo de los que sabían leer. En 1612, diez ediciones de la obra maestra, todas en castellano, circulaban por Europa, el mismo año en que Thomas Shelton publicó la primera traducción inglesa. En Francia, dos años más tarde, César Oudin seguirá su ejemplo. Cervantes, en esa fecha, pone punto final al manuscrito de las *Novelas ejemplares*; ya puede avanzar sin trabas. En julio de 1614, está a mitad de camino y termina el capítulo 36 de la segunda parte. A lo largo del verano, trabaja a marchas forzadas, impaciente por terminar.

En los últimos días de septiembre de 1614, un acontecimiento lo toma desprevenido: la aparición de una segunda parte del *Quijote* debida a la pluma del «licenciado Alonso Fernández de Avellaneda, natural de Tordesillas».

El hecho en sí no tenía nada de incongruente, en una época en que se hacía poco caso de la propiedad literaria y en la que prevalecía en las letras una concepción muy amplia de la imitación inventiva: basta recordar las continuaciones de *La Celestina*, del *Lazarillo* y de la *Diana*. Cervantes además se había declarado padrastro de su héroe; a lo largo del relato se había enmascarado en cronistas ficticios; había augurado nuevas aventuras: era tender un cable a un eventual émulo. No obstante, el autor del *Quijote* apócrifo no dejó de herir a aquel de quien se proclamaba continuador: al disimularse tras un seudónimo que aún hoy es difícil desentrañar; al multiplicar los ataques *ad hominem* en su prefacio y en el curso del relato; finalmente y sobre todo, al realizar una obra mediocre en la que don Quijote y Sancho, a medida que se desarrolla una intriga marcada por incidentes grotescos y repugnantes, reproducen mecánicamente comportamientos estereotipados, se cubren en todo momento de ridículo y oprobio y se encaminan finalmente hacia una degradación inexorable.

Recuérdese que Mateo Alemán había mezclado a Sayavedra, su plagiario, en las nuevas aventuras de Guzmán de Alfarache, antes de condenarlo a la locura y al suicidio (véase cap. II). Cervantes adoptará otra actitud: incorporar, por vías indirectas, la continuación de Avellaneda a la esencia misma de su propio relato.

> Don Quijote y Sancho, que proyectaban ir a Zaragoza, encuentran en una etapa a dos lectores de la continuación apócrifa que, desencantados por las tonterías que acaban de leer, someten la obra a su veredicto, provocando su indignación. Al ver que Avellaneda ha llevado a su héroe a Zaragoza, señor y criado renuncian a su proyecto y van directamente a Barcelona. En el camino de regreso, conocen a don Álvaro Tarfe, uno de los personajes inventados por el plagiario que, al medir el abismo que los separa de sus dobles, llega a la conclusión de que también él es juguete de los encantadores. Bajo el fuego cruzado del narrador y de sus criaturas, el *Quijote* apócrifo debe sin duda a Cervantes haber escapado de un olvido probable; pero nunca se recuperó de ese sutil contraataque.

Terminada en enero de 1615, la Segunda Parte auténtica aparecerá en noviembre del mismo año. «Cortada del mismo artífice y del mesmo paño que la primera», se presenta como el relato «dilatado» de las aventuras del ingenioso hidalgo: un relato llevado hasta su término que no es otro que la muerte del héroe. Al hacer esto, Cervantes superó las expectativas del público que, diez años antes, había saludado el nacimiento de don Quijote, llevando la novela a su perfección.

Lo que de entrada impresiona al lector de la Segunda Parte es la manera en que los dos protagonistas extienden el campo de sus descubrimientos. Su horizonte ya no se circunscribe a las llanuras de la Mancha: se amplía a Aragón y a los vastos dominios de sus anfitriones, el duque y la duquesa, luego al Mediterráneo, que contemplan desde Barcelona. Al mismo tiempo, el azar de los encuentros los pone en presencia de individuos de todas las condiciones: campesinos y pastores, pero también actores en gira, hidalgüelos de pueblo, grandes señores rodeados de la gente de su casa, caballeros ciudadanos. La aparición, en el seno de esta comedia humana, del morisco Ricote, que regresó clandestinamente a su patria, después que famoso lo hiciera el bandolero catalán Roque Guinart, contribuye a anclar la acción en la realidad cotidiana, asegurando el cruce de la aventura con la actualidad inmediata. Lejos de perderse en ese universo, don Quijote y Sancho constituyen, por el contrario, el eje alrededor del cual éste se ordena. Antes, la acción principal a menudo daba paso a acciones secundarias de las que los dos héroes no eran sino testigos o auditores. En adelante, Cervantes adopta otra arquitectura, para no dispersar la atención de su lector.

Sin renegar del artificio de los relatos interpolados, esta vez no ha querido en absoluto, declara, «ingerir novelas sueltas ni pegadizas, sino algunos episodios que lo pareciesen, nacidos de los mesmos sucesos que la verdad ofrece, y aun éstos, limitadamente y con solas las palabras que bastan a declararlos». Así justifica la inclusión de seis historias episódicas, subordinadas a la acción principal a la que se encuentran orgánicamente ligadas, gracias a la participación directa y decisiva de los dos héroes: a don Quijote apela doña Rodríguez, la dueña de la duquesa, para que obligue al seductor de su hija a casarse con la joven; a Sancho Panza, convertido en gobernador de Barataria, le corresponde devolver a su casa a la hija de Diego de la Llana que, para conocer mundo, se había escapado una buena noche de su casa vestida de hombre.

Protagonistas en el total sentido del término, don Quijote y Sancho manifiestan de tal manera su existencia, atentos a mostrarse en carne y hueso a los lectores de la Primera Parte que se cruzan en su camino y que sólo los conocen por el relato de sus aventuras.

Enfrentados en adelante con la representación que nos hemos formado de ellos, viven de la fama de su propia fama; pero quieren, con más razón, recusar las fábulas más o menos sospechosas que se propagan sobre ellos. Sin dejar ni por un instante de perseverar en su ser, se renuevan constantemente según las situaciones que afrontan y a las que deben adaptar su conducta. Si sucede así es porque don Quijote ya no tiene que inventar su propio mundo. Ya no transforma, bajo el imperio de la sinrazón, los molinos en gigantes o las ventas en castillos; en adelante son las circunstancias, o simplemente los hombres quienes fabrican un universo a la medida de sus hazañas o de sus deseos.

Sucede así que la aventura puede surgir por sí misma: el héroe, confiado en su estrella, va entonces resueltamente a su encuentro, desafiando a un león en su jaula o bajando a lo más profundo de la cueva de Montesinos para tener en ella extraordinarios encuentros. Muy a menudo, sin embargo, nace de la voluntad de algún demiurgo. Sancho es el primero que interviene: persuadiendo a su amo de la metamorfosis de Dulcinea, víctima de un encantador, logra ocultarle que nunca la vio y presentarle en su lugar a la primera campesina que aparece. Maese Pedro, al representar en un retablo de títeres los amores de Gaiferos y de Melisendra, atrapa a su vez a don Quijote en las redes de la ilusión cómica. El duque y la duquesa, con la ayuda de sus criados y vasallos, montan una gigantesca fantasmagoría cuyos momentos más fuertes son la aparición de Merlín y de Dulcinea, la aventura de Clavileño y el gobierno de Sancho en Barataria. Finalmente Sansón Carrasco, adoptando la apariencia del Caballero de la Blanca Luna, realiza un último engaño que le permite vencer a don Quijote en una estacada, obligándole así a deponer las armas y volver a su pueblo.

En ese mundo de apariencias, construido pieza a pieza, y que refleja deformándolo el mundo interior del caballero, los personajes más sanos de espíritu terminan por vacilar en el momento de señalar la frontera entre ser y parecer.

Teresa Panza, a pesar de su vigoroso sentido común, se maravilla de ver arrodillarse ante ella a un paje que lleva un collar ofrecido por la duquesa y una carta del gobernador Sancho, su esposo; y sus vecinos, aunque conocedores de las extravagancias de don Quijote, piden tocar al paje, para ver si es «embajador fantástico o hombre de carne y hueso». El lector cómplice, que se divierte con esa desazón, se siente menos seguro, por el contrario, cuando se entera por boca del caballero de las «cosas admirables» contempladas por él en la cueva de Montesinos. Don Quijote, en efecto, se pregunta si no ha soñado; Cide Hamete, por su lado, da a entender que se trata probablemente de una aventura apócrifa. Atrapado entre el héroe de ese desatino, del que cae por su peso que no podría mentir, y el cronista ficticio de sus hazañas, cuyo testimonio, por definición, es sospechoso, el lector oscila entre la ilusión y el artificio; de ahí el vértigo, observado por Borges, que lo lleva a preguntarse por momentos si él mismo no es también un ser de ficción.

No entra en la vocación de don Quijote disipar nuestras dudas. Por el contrario: cuando desafía a todos los fantasmas que han usurpado su nombre, el combate que sostiene, precedido por su fama, no es otro que aquel por el cual se inscribe la Primera Parte en el corazón de la Segunda, o si se prefiere, la novela conclusa en el seno de la novela que se está haciendo. Aunque se obstina en significar la vida, no deja de expresar la verdad de un ser imaginario, que sigue siendo hasta el final la de los libros. A esa misma ambigüedad debe la fascinación que ejerce.

Ambiguo en su estatuto, don Quijote no lo es menos en su relación con las cosas. A la vista de las respuestas circunspectas que opone a la indiscreción de las preguntas de sus admiradores, en particular todas las que tienen que ver con la dama de sus pensamientos, a veces se ha llegado a la conclusión de que el escudero contamina a su amo que, de alguna manera, se habría «sanchificado». Pero el caballero, fiel a sí mismo, nunca pone en duda el proyecto que lo anima y que es su razón de ser. Sancho, desengañado por su estancia en Barataria, renuncia a su gobierno y se despide de sus súbditos dejándoles «admirados, así de sus razones como de su determinación tan resoluta y tan discreta». Don Quijote, a la inversa, sigue convencido de haber resucitado la caballería andante, y todos se dedican a mantenerlo en esa convicción. Su regreso a sus penates, preludio de su regreso a la razón, es la consecuencia de la derrota que le inflige el Caballero de la Blanca Luna; procede pues, paradójicamente, de una última mistificación.

3. Del libro al mito

La trayectoria del caballero se nos presenta así marcada por una tensión de los contrarios, implicada, desde el comienzo, por su condición de «ingenioso», en el sentido en que se entendía en el siglo XVII, es decir de espíritu a la vez delirante y sutil. En la fractura que establece entre su designio y su destino residen, simultáneamente, la verdad y el misterio del personaje y, según la manera en que ese misterio es percibido, su capacidad de trascender la sucesión de los sentidos que produce para proyectarse hacia el mito.

Del testimonio de los contemporáneos de Cervantes se desprende que el éxito del *Quijote* en primer lugar fue el de una novela cómica, de una epopeya burlesca.

> Todos los espectáculos en los que participa el caballero subrayan a porfía sus extravagancias, a tono con las chanzas de su escudero. Todas las ficciones literarias que, en la España del siglo XVII, lo toman como héroe, hacen de él una triste figura, en el sentido en que el castellano empleaba antaño esa expresión, es decir, un personaje ridículo. Al componer un poema burlesco sobre el tema conmovedor del testamento de don Quijote, Quevedo no hará más que resumir el sentir de toda una época. En la Francia de Luis XIII, un Saint-Amant, un Sorel unen sus voces a ese concierto: el primero evoca las «más grotescas aventuras» del ingenioso hidalgo y lo pinta «en muy lamentable estado»; el segundo, autor de *Le berger extravagant*, trasladará las locuras quijotescas a la moda pastoril.

En el siglo XVIII surge un nuevo punto de vista. Es verdad que las malandanzas de don Quijote siguen haciendo reír; pero ese mundo poético forjado por él y que mantiene con el mundo real una relación problemática se carga con un significado condicionado por la decadencia del poderío español. Ese insensato que se endosa la armadura medieval para hacer de justiciero solitario y que se obstina en defender el ideal de una época caduca se convierte en el arquetipo de un país que no supo resolver sus contradicciones y mantener su papel hasta el final: el mismo que el arbitrista Martín de Cellórigo, cinco años antes de que Cervantes publicara su obra maestra, consideraba ya como «república de hombres encantados, que viven fuera del orden natural». Pero serán los románticos alemanes —en especial Ludwig Tieck, los hermanos Schlegel, Henrich Heine— los que darán el paso decisivo, desarrollando, a menudo con lirismo, una concepción nueva de la novela. Síntesis del drama y de la epopeya, la aventura quijotesca se convertirá en el símbolo del encuentro del Ser y del No-Ser: una odisea mítica donde se expresa la dualidad humana, y cuyo protagonista se perfila como el héroe de nuestro tiempo.

Nuestra propia lectura sigue siendo tributaria de esta trasfiguración, mientras que es cuestionada por toda una corriente de la crítica cervantina, que sólo quiere admitir como legítima la primera significación de la novela.

> La interpretación romántica, es verdad, ignora el propósito declarado del autor. Compartimos su indiferencia, a falta de captar toda la sal de una comicidad basada en la parodia: las fábulas caballerescas, modelo sobre el cual el ingenioso hidalgo modela su conducta, se han vuelto ajenas a nosotros. Al mismo tiempo, ya no miramos la locura como antes. Habituados a verla compartir la vida cotidiana, los hombres del Renacimiento se divertían sin avergonzarse con las extravagancias del loco. Con la generalización del manicomio y el encierro de los dementes, la locura se ha convertido en fuente de inquietud en una civilización separada de las fuentes de la cultura popular y que ya no participa del espíritu de Carnaval. A través de sus fracasos y de la incomprensión que encuentra, el héroe de Cervantes encarna en adelante un destino sentido como trágico, porque consagra la derrota del individuo, medida de todo y referencia suprema.

Este perfil doloroso que le damos a don Quijote no es arbitrario. No expresa simplemente el surgimiento de una sensibilidad nueva; corresponde, fundamentalmente, al carácter ambiguo de su relación con el mundo.

> El Caballero de la Triste Figura es sin duda ridículo cuando ordena a los galeotes que ha liberado que se presenten ante Dulcinea con sus cadenas. Pero su derrota no es menos patética, ya que aquellos a los que libera, víctimas de una condena inicua, huyen después de apedrear a su libertador. Por eso las dos lecturas del episodio, que se complementan en lugar de anularse.

Grandioso en su proyecto que lo sustrae del tiempo y del espacio, irrisorio en su fracaso que lo vuelve a reintegrar en él, don Quijote desborda sin cesar las interpretaciones a las que se lo ha querido reducir. Esta aptitud excepcional se explica más por el doble movimiento que lo resume que por el mensaje que se considera que transmite: cuanto más se empeña el caballero en enfrentarse al mundo, éste más se escamotea o se resiste, creando así la distancia entre lo real y su representación. Que esa distancia pueda percibirse alternativamente como trágica o cómica se debe a la manera en que ese movimiento se desarrolla ante nuestros ojos, a través de un personaje que se afirma a medida que se inventa. Hasta entonces, fuesen paladines, pastores o pícaros, los héroes de los relatos de ficción tenían cierto derecho a la palabra; pero no tenían de verdad la libertad de usarla. Cervantes, sin sustituirlos, deja que nos muestren, por la manera en que la usan, cómo reaccionan ante el acontecimiento. Es el primero que les otorgó este privilegio, mientras que el juego de los narradores le permite introducir a su lector en el seno de la ilusión novelesca. Ésa es la lección que ha retenido la novela moderna, consagrando al mismo tiempo a la obra maestra que le abrió el camino.

Los trabajos de Persiles y Sigismunda

Los trabajos de Persiles y Sigismunda ocupan un lugar especial en la producción cervantina. Testamento literario del autor del *Quijote* que veía en ella la coronación de su obra, esta novela póstuma es, de todos sus escritos, la más alejada de nuestra sensibilidad.

La idea de esta «historia septentrional», como precisa su subtítulo, se remonta probablemente al final del reinado de Felipe II. Por lo tanto, puede suponerse que Cervantes habla por boca del canónigo del *Quijote* de 1605, en el momento en que éste le confía haber redactado cien hojas de una novela de aventuras de un género nuevo y, al haberla sometido a los ignorantes y a los doctos, encontró en todos «una agradable aprobación». Pero el canónigo también confiesa haber renunciado a seguir adelante. Cervantes, por el contrario, después de una interrupción de varios años, volverá al trabajo, aguijoneado sin duda por el malestar secreto que experimentó por deber su fama a las hazañas burlescas de un extravagante. A la vez que anunciaba varias veces la inminencia de su publicación, Cervantes, cuyas fuerzas declinaban, consagrará los ocho últimos meses de su vida a terminar la redacción del *Persiles*; escribirá la dedicatoria el 20 de abril de 1616, en su lecho de muerte, dos días antes de exhalar el último suspiro. El librero Villarroel, a quien su viuda confió el manuscrito, publicará la obra en enero de 1617.

«[...] el cual ha de ser o el más malo o el mejor que en nuestra lengua se haya compuesto, quiero decir de los de entretenimiento; y digo que me arrepiento de haber dicho *el más malo*, porque según la opinión de mis amigos, ha de llegar al estremo de verdad posible.»

Esto dice suficiente sobre el valor que su autor otorgaba al *Persiles*. La posteridad, por el contrario, no ratificó ese juicio. Pero, sin llegar a rehabilitar plenamente la novela, la crítica actual se ha formado una idea más exacta de sus defectos y de sus méritos. Hasta fecha reciente, en efecto, el *Persiles* fue víctima de un malentendido. Se vio en él una especie de sueño romántico al que se habría entregado senilmente Cervantes, renegando de sus convicciones para arrastrarnos, descaminado, a un universo poblado por figuras fantásticas y entretejido de episodios increíbles, tan inverosímiles como los de las fábulas caballerescas. Nada más discutible. El programa trazado por el canónigo del *Quijote* corresponde sin duda a los cánones de la novela de aventuras, de la que la novela de caballerías es heredera infiel; pero se trata de una novela «enmendada», podada de lo que tiene de impuro. Fiel a su línea de pensamiento, el autor del *Persiles* quiso aceptar el desafío de lo maravilloso verosímil, reemplazando las fantasías desenfrenadas de los libros de caballerías por una fantasía controlada, de acuerdo con el espíritu de la *Poética*, y donde lo extraordinario pudiera ser posible de un extremo al otro.

Existía un ejemplo para mostrarle el camino: la novela griega del siglo III de nuestra era.

Los humanistas del Renacimiento habían exhumado y traducido las obras maestras del género —*Teágenes y Clariclea* de Heliodoro y *Leucipe y Clitofonte* de Aquiles Tacio—, reencontrando así el arquetipo de la novela de aventuras (véase J. Canavaggio, *Historia de la literatura española. Siglo XVI*, cap. V, Barcelona, Ariel, 1994). Al aspirar, según su propia confesión, a «competir con Heliodoro», Cervantes pretendía adoptar su molde; no en la suma de los elementos que esos relatos toman de géneros anteriores (amores contrariados de los héroes; huida jalonada de obstáculos y de encuentros en un decorado tan vasto como variado), sino la disposición que nos proponen: una acumulación de acontecimientos fortuitos que irrumpen en la vida de los personajes y modifican sin cesar el curso de sus aventuras, sin afectar nunca a su ser o a sus sentimientos.

«Competir» con Heliodoro implicaba, seguramente, algo diferente de una imitación servil. Y esto es precisamente lo que surge de los «trabajos» de Persiles y de Sigismunda.

> Como en la novela griega, naufragios, capturas, prisiones, separaciones, reconocimientos marcan la progresión del relato. Pero la fuga anhelante de los amantes de *Las etiópicas* se metamorfosea en un peregrinaje que Sigismunda, por un voto misterioso, decide realizar en compañía de Persiles antes de casarse con él; este peregrinaje conduce a los dos héroes desde las regiones boreales hasta Roma. Condenados por su voto a una perfecta castidad, los dos jóvenes se hacen pasar por hermano y hermana con los respectivos nombres de Periandro y Auristela. Surgen numerosos obstáculos en su camino, que hacen aparecer ante ellos salvajes crueles, corsarios codiciosos y pretendientes libidinosos; pero logran superarlos porque descartan cualquier iniciativa que los aparte del camino recto.

Lo que Aristóteles llamaba lo «posible extraordinario» se abre entonces al lector por los dos caminos de acceso definidos por los comentaristas de la *Poética*. La vía del extrañamiento, en primer lugar, que sobre la inmensidad de los mares que bañan las islas nórdicas, hace surgir, apoyado en las cosmografías del tiempo, un mundo sorprendente, pero plausible, donde las brujas tienen cara de loba y los cazadores surcan la nieve en esquíes. El camino, igualmente, del azar y de la sorpresa, a medida que las pasiones que despiertan enfrentan a Periandro y Auristela con incidentes dramáticos donde son unas veces las víctimas y otras los testigos. Estas pruebas se duplican cuando arriban a tierra cristiana y llegan a Italia atravesando Portugal, España y Francia. Pero los héroes las soportan con constancia; confieren así al peregrinaje una significación trascendente: una búsqueda de absoluto que confirma, *in fine*, su unión sacramental, marcada por el sello de una felicidad que se confunde con su redención.

Como lo definió con justeza Juan Bautista Avalle-Arce, el *Persiles* es a la vez una novela, una idea de novela y, en la época en que nació, la suma de todos los posibles puntos de vista sobre el género novelesco. En todo caso es así como la saludaron sus primeros lectores: en España, donde será reeditada cinco veces en el mismo año de su publicación; en toda Europa, también, y sobre todo en Francia, donde la moda de las novelas de Mlle de Scudéry se inscribe en la estela de su éxito. Los méritos que aún hoy se le reconocen no son de los que dejan indiferente: la expansión de las figuras de lo insólito y de lo extraño; el vaivén de los narradores que hacen alternar sus voces, mezclando lo maravilloso «controlado» de la historia principal con los temas inesperados de lo maravilloso «salvaje»; la imbricación de las ficciones que segregan y el juego de las disonancias así obtenidas; el engaste de historias episódicas en las que el autor se nos aparece en plena posesión de su arte.

Sin embargo, permanece el hecho de que la concepción que nos hacemos actualmente del género novelesco, la cual encuentra en el *Quijote* su prototipo y su admirable aplicación, está en las antípodas de la que ejemplifica el *Persiles*. Implica, en efecto, que un personaje imaginario interioriza los acontecimientos con los que se mezcla y que se convierten en la trama de su existencia. Nada de esto sucede con Persiles y Sigismunda. Sean testigos o actores de las peripecias que jalonan su aventura, no las viven. Las pruebas que afrontan los confirman en su firmeza; pero no los afectan ni los modifican: inmutables, permanecen inacabados. De acuerdo con la *omnes sumus peregrini super terram* de la Biblia, su peregrinación se instituye como una alegoría de la vida humana que se eleva hasta la perfección; pero su destino nos es irremediablemente ajeno.

Que el autor del *Persiles* se haya comprometido en lo que aparece como un situación sin salida, testimonia el desarrollo que había tomado su reflexión estética y las presiones que terminó por hacer pesar en su creación, mientras que antes, ésta estaba subordinada al trabajo de la escritura y constantemente estimulada por él. Podríamos preguntarnos cómo habrían sido las obras que anunciaba aun en vísperas de su muerte: un poema —*El Bernardo*— sin duda inspirado en las hazañas de Bernardo del Carpio; una recopilación de novelas, *Las semanas del jardín*, y, finalmente, siempre prometida, la inevitable Segunda parte de *La Galatea*. ¿Habrían confirmado esta última orientación? Nadie lo sabe; pero, sin duda, no habrían modificado sensiblemente la imagen que nos formamos en la actualidad de Cervantes, la del autor del *Quijote* y de las *Novelas ejemplares*, tal como lo ha consagrado la posteridad.

JEAN CANAVAGGIO

CAPÍTULO IV

LOPE DE VEGA

El «Fénix de los ingenios»

Lope de Vega fue llamado Fénix por sus contemporáneos: tan cierto era que su escritura renacía con todos los géneros en los que se formaba y desarrollaba. Gigantesca y variada, su producción ocupa un lugar capital en la literatura del Siglo de Oro; y aunque sus comedias hubieran asegurado en lo esencial su gloria, su obra no dramática —poesía y prosas— equilibra perfectamente su teatro y muestra la coherencia de un mismo campo.

Significativamente, los biógrafos de Lope de Vega reconstruyen los episodios más oscuros de su vida a partir de su obra escrita, sobre todo de *La Dorotea.*

Nacido en Madrid el 25 de noviembre de 1562, Lope Félix de Vega Carpio se convirtió muy pronto en un niño precoz y brillante que, se dice, leía en latín y en castellano a los cinco años. Después de asistir al colegio de los teatinos, entró hacia 1576 al servicio del obispo de Ávila, y estudió en la Universidad de Alcalá. En 1583, participó en la expedición naval a las Azores; a su regreso a Madrid, conoció a Elena Osorio, hija de un actor, casada, y que, se dice, habría compartido sus favores entre Lope y Francisco Perronet de Granvela. En diciembre de 1587, Lope es acusado de hacer circular libelos injuriosos y difamatorios sobre la familia de Elena. Encarcelado, luego juzgado, es condenado a ocho años de exilio fuera de Madrid y a dos fuera de Castilla. El 8 de febrero de 1588, sale de la prisión para purgar su pena, rapta a doña Isabel de Urbina y Cortinas, se casa por poderes en mayo, y se embarca en Lisboa con la Armada Invencible, a la que acompaña durante un tiempo. Después del desastre, se establece en Valencia con su esposa, que muere en 1595, cuando se le levanta la pena de destierro. Lope vuelve a Madrid después de permanecer cinco años en Toledo y en Alba de Tormes, al servicio de la familia de Alba. Un nuevo proceso por concubinato perturba su regreso. Secretario del marqués de Sarria, publica *La Arcadia* y *La Dragontea* en 1598. Una querella literaria lo enfrenta con Góngora. Se casa con Juana de Guardo, con la que tiene un hijo, Carlos Félix, y dos hijas, y continúa una relación amorosa con Micaela de Luján (la Camila Lucinda de sus versos).

En 1599 aparece su *Isidro*, y en 1602, después de un viaje a Andalucía, publica *La hermosura de Angélica* y las *Rimas humanas*. En 1603 está de nuevo en Sevilla donde publica, en 1604, *El peregrino en su patria* y la primera parte de su obra dramática. Instalado en Toledo en 1605, conoce al duque de Sessa y continúa manteniendo dos hogares. Micaela tiene un hijo (Lope Félix) y una hija que tomará los hábitos. ¿Cuál será su destino? Se ignora.

En 1607, Lope está en Madrid como secretario del duque de Sessa (su correspondencia tiene un gran interés). Se orienta entonces hacia la vida religiosa, y en 1612 dedica su novela religiosa *Los pastores de Belén* a Carlos Félix, que muere poco después. En 1613, Juana de Guardo muere de parto. Lope de Vega se ordena sacerdote en 1614 y publica las *Rimas sacras*. En 1616, conoce a doña Marta de Nevares, la Amarilis de sus poemas y la Marcia Leonarda de sus novelas. La cuida cuando ella se queda ciega.

En 1621 y en 1623 aparecen *La Filomena* y *La Circe*, y en 1625, *Los triunfos divinos*. En 1627, el Papa nombra a Lope caballero de la orden de San Juan. Un año después, Marta enloquece. En 1629, publica *El laurel de Apolo*. Su vida se ensombrece con la muerte de Marta, en 1632, que fue también el año en que apareció su obra maestra, *La Dorotea*, seguida, en 1633, por la égloga *Amarilis*, dedicada a Marta de Nevares. En el año 1634 muere su hijo, Lope Félix, en un naufragio, y raptan a su hija Antonia Clara. Lope de Vega muere el 27 de agosto de 1635, y su protector, el duque de Sessa, organiza unos funerales extraordinarios que duran nueve días y reúnen en el duelo a dignatarios, nobles y al pueblo de Madrid. Diferentes *Elogios panegíricos* figuran al final de la *Fama póstuma* que le dedica Juan Pérez de Montalbán.

La coherencia de la obra de Lope de Vega se debe a dos factores: a su carácter ampliamente autobiográfico y a su lenguaje. La fuerza del factor autobiográfico permite estructurar esta producción en «ciclos»: ciclo de *Filis* (Elena Osorio), de *Belisa* (Isabel de Urbina), de *Camila Lucinda* (Micaela Luján); ciclo más severo de la crisis religiosa en torno a la muerte de Juana de Guardo y ciclo, finalmente, de *Marcia Leonarda/Amarilis* (Marta de Nevares). La transposición de lo vivido a la escritura pasa, en efecto, por la utilización de seudónimos a veces anagramáticos, verdaderos «nombres de escritura» y marcas de autenticidad autobiográfica: Lope se convierte en Belardo, Tomé de Burguillos, Zaide. Su presencia manifiesta tanto la especificidad del campo poético y dramático (mediante el disfraz onomástico) como su relación con la realidad.

También eficaz para conseguir la coherencia de la obra, el lenguaje poético, en un sentido amplio, constituye la materia común del teatro, de las rimas, de las églogas, de los poemas mitológicos, de las epopeyas —serias y burlescas—, de las prosas y de las novelas. No podría imaginarse una fecundidad tan prodigiosa sin el soporte de una materia verbal, metafórica y asociativa, perfectamente probada y estructurada por ritmos familiares, que funcionan como acordes musicales, y sin un repertorio adaptable de formas y sintaxis siempre semejantes y siempre renovadas. Nada más alejado de la escritura lopesca que la «naturalidad», la «espontaneidad» que a menudo se le atribuye. Pero es verdad que, a pesar de una dificultad a veces considerable y de un conceptismo subrayado por el mismo Gracián, esta escritura produce un auténtico efecto de naturalidad, debido, sin duda, a un dominio perfecto de la materia erudita, adornada, culta, y al placer que siente el lector ante esta abundancia de lenguaje, que satisface todos sus deseos de palabra y de habilidad poéticas. La generosidad verbal y retórica crea la ilusión de una lengua no aprendida, natural, mientras que el oficio está allí, en todas partes, y Lope, como lo había hecho Cervantes en 1614 con su *Viaje del Parnaso*, le rinde el más bello homenaje con el *Laurel de Apolo* (1629).

Este largo poema, compuesto de diez silvas donde alternan endecasílabos y heptasílabos, tiene aproximadamente seis mil quinientos versos. Referido a un doble canon (el deber agustiniano de amor a los rivales y enemigos, y la virtud de la admiración), el homenaje es insolente pero real. El poema marca el territorio inmenso de las lecturas y del saber de Lope y sella su inscripción en la comunidad de las letras. Habla, con su abundancia y su entusiasmo crítico, de la jubilación de un juez que también es parte, con una soberbia que no desmiente la inserción eufemística del mismo Lope en ese suntuoso desfile: «Mas ya Lope de Vega humilde llega.» El elogio, que concierne a unos trescientos poetas, es un verdadero «manual» bibliográfico en verso que se amplifica alrededor de un núcleo de ficción mitológico. En él, Lope no olvida a los fundadores de la métrica y de la poesía castellanas, ni a los que poetizan, gramáticos y teóricos del lenguaje, ni a los exégetas y comentaristas (agradece particularmente a Salcedo Coronel por haber permitido al *Polifemo* de Góngora hablar por fin en castellano); tampoco olvida a los poetas épicos y dramáticos, a los franceses (Ronsard), y a los pintores, y saluda, después de al divino Camoens, a las damas tan bellas como cultas, nuevas Safo de Salamanca. El poema culmina con un homenaje a la lengua española y al gran Felipe, rey de las Indias, que recompensa al mayor poeta español, para siempre desconocido.

Los poemas

La poesía de Lope de Vega conjuga las formas y los metros tradicionales, el conceptismo de los cancioneros (en especial del *Cancionero general* de 1511; véase J. Canavaggio, *Historia de la literatura española. Edad Media*, cap. VIII, Barcelona, Ariel, 1994) y las invenciones de la poesía culta del Renacimiento.

Aunque afirma que los metros y las estrofas importadas de Italia eran extranjeras y circunstanciales, Lope reconocía que habían enriquecido el Parnaso nacional. Sus versos más «populares» o los más tradicionales ofrecen siempre algún rasgo culto y clásico, y, si bien admira la pureza garcilasiana y la maestría de Herrera, condena (aunque cada tanto las aplica) las «metáforas de metáforas y todas esas transposiciones» (*Introducción a la justa poética de San Isidro*).

Las primeras obras líricas de Lope de Vega fueron romances, recogidos en colecciones aparecidas a finales del siglo XVI. El *Romancero general* (Luis Sánchez, Madrid, 1600) ofrece su compilación exhaustiva. En 1602 (Lope tiene cuarenta y dos años), aparecen sus *Rimas con doscientos sonetos*; ya en 1598, en *La Arcadia*, ofrece una serie de poemas intercalados en sus cinco libros, que usan todas las formas clásicas y aplican una expresión considerada maravillosamente límpida. El mismo año en que *La Dragontea*, ese notable libro lírico, tuvo una repercusión mediocre. En 1599, el *Isidro* muestra, a lo largo de sus quintillas, una poesía y una estética de lo cotidiano de notable modernidad. En 1602, Lope publica *La hermosura de Angélica con otras diversas rimas*, dedicadas a Juan de Arguijo; en 1604, y luego en 1609, se reeditan las *Rimas*, enriquecidas con numerosas piezas poéticas y sobre todo con el *Arte nuevo de hacer comedias*. En 1604, *El peregrino en su patria*, novela bizantina, incluye poemas, entre ellos la magnífica «Epístola» a Camila Lucinda. Los veintidós mil versos de *La Jerusalén conquistada*, publicada en 1609 y reeditada en 1611 y en 1619, sólo suscitan sarcasmos, sobre todo los de Góngora y de Juan de Jáuregui, mientras que entre 1612 y 1616 las nueve ediciones de *Pastores de Belén*, prosas y versos sacros, confirman el brillante éxito de esos relatos bíblicos acompañados de espléndidos villancicos. De 1612 son también los *Cuatro soliloquios de Lope de Vega* compuestos en expiación de sus pecados, en el momento en que Lope tomaba el hábito de terciario franciscano. La *Elegía* a Carlos Félix y las *Rimas sacras* (1612 y 1614) marcan años de duelo y de crisis religiosa. Los años 1616-1620 están perturbados por «la nueva poesía» y el gongorismo triunfante, pero, en 1620, Lope organiza las famosas justas poéticas por la beatificación de san Isidro y luego, en 1622, otros concursos por la canonización del santo. Publica además *La Filomena con otras diversas Rimas, Prosas y versos* y, en 1625, los *Triunfos divinos con otras rimas*, que le valen el elogio de Jáuregui. En 1627, *La Corona trágica* pone en verso (cinco mil) la historia de María Estuardo, mientras que el *Laurel de Apolo* se publicó en 1629. Después de la muerte de Marta de Nevares, Lope publicó en 1632 la égloga *Amarilis* y *La Dorotea*, una acción en prosa que es también el espacio de excepcionales engastes poéticos. Finalmente, en 1634, aparecen las *Rimas humanas y divinas del licenciado Tomé de Burguillos*, mientras que *La Gatomaquia*, poema épico burlesco, y la égloga *Filis* (que transpone el rapto de su hija) cerrarán la serie fecunda de su producción poética, justo antes de la muerte del Fénix, en 1635.

En su Prólogo a las *Rimas*, Lope asume la defensa de los romances, género que reelabora, y enriquece considerablemente su fondo abriéndolo a la modernidad.

> [...] no me puedo persuadir que desdigan de la autoridad de las *Rimas*, aunque se atreve a su facilidad la gente ignorante, porque no se obligan a la correspondión de las cadencias. Algunos quieren que sean la cartilla de los poetas; yo no lo siento así, antes bien los hallo capaces, no sólo de expresar y declarar cualquier concepto con fácil dulzura, pero de proseguir toda grave acción de numeroso poema. Y soy tan de veras español que, por ser en nuestro idioma natural este género, no me puedo persuadir que no sea digno de toda estimación.

La inscripción de su poesía en lo real personal no impide que realice su habitual efecto de distanciamiento, y los nombres de escritura condensan ritualmente en ella esa fusión de lo autobiográfico y de lo poético, tan perfecto que se convierte en el sello de la escritura lopesca. Uno de los romances más conocidos sigue cantando en las memorias:

> Hortelano era Belardo
> de las huertas de Valencia,
> que los trabajos obligan
> a lo que el hombre no piensa.

Más que una referencia a la vida rústica, las palabras *hortelano* y *huerta* se convierten en los catalizadores metafóricos de emblemas florales que designan una farmacopea, las edades de la vida y la transposición hortícola del destino de las mujeres.

La belleza de los romances hace de ellos verdaderas joyas, engastadas en las prosas y en las comedias. Transfiguran entonces lo real narrativo o poético, funcionando a la manera de un eco. Así sucede en la novela *Las fortunas de Diana*, con el romance «Entre dos álamos verdes»:

> Entre dos álamos verdes,
> que forman juntos un arco,
> por no despertar las aves,
> pasaba callando el Tajo.
> Juntar los troncos querían
> los enamorados brazos,
> pero el envidioso río
> no deja llegar los ramos.

El poema, al metaforizarlo, cifra el imposible encuentro de Diana y Celio, la noche en que debían huir juntos. Cantado por un pastor, refuerza así en verso la evocación del paisaje pastoril en el que se refugió Diana:

> Diana amaneció en un valle cortado por varias partes de un arroyo, que entre juncos y espadañas mostraba pedazos de agua, como si se hubiera quebrado algún espejo [...].

Las *letras para cantar* producen el mismo efecto. Intratextuales, emigran de la comedia a *La Dorotea*, como fragmentos «portátiles», transportables y adaptables, transformables según los contextos. Habiendo desaparecido su contexto original, su «sentido» se reduce a una estructura susceptible de inscribirse significativamente en conjuntos diferentes. Así el estribillo:

> Velador que el castillo velas,
> vélale bien y mira por ti,
> que, velando en él, me perdí

interviene en varias comedias (*Las almenas de Toro*, *El nacimiento de Cristo*, *El sol parado*) y en *La Dorotea*. La reutilización espectacular de esta estrofa no puede hacer olvidar otras coplas; así las seguidillas del Guadalquivir, presentes en *Servir a señor discreto*, y que Lorca armonizará tres siglos más tarde:

> Río de Sevilla
> ¡cuán bien pareces,
> con galeras blancas
> y ramos verdes!

Hay que señalar también villancicos muy hermosos incluidos en *Los pastores de Belén* y, en especial, aquel que glosa en su comienzo, como tantos poemas más, la canción «Las flores del romero / niña Isabel...»:

> Las pajas del pesebre,
> niño de Belén,
> hoy son flores y rosas,
> mañana serán hiel.

La lengua escrita de Lope de Vega acoge generosamente la vena popular y la adapta a sus propios límites. Con igual perfección, se desarrolla en creaciones cultas en las que los sonetos, como veremos, constituyen los más hermosos florones. Veamos dos ejemplos. El primero es uno de los admirables sonetos de los *mansos*. Compuestos y publicados entre 1588 y 1602, los tres sonetos transponen los amores tempestuosos de Lope y de Elena Osorio. En ellos, el poeta se convierte en cuidador de rebaños; su rival, en mayoral, y Elena, en el joven manso:

> Suelta mi manso, mayoral extraño,
> pues otro tienes de tu igual decoro,
> deja la prenda que en el alma adoro,
> perdida por tu bien y por mi daño.
>
> Ponle su esquila de labrado estaño,
> y no le engañen tus collares de oro;
> toma en albricias este blanco toro
> que a las primeras yerbas cumple un año.
>
> Si pides señas, tiene el vellocino
> pardo, encrespado, y los ojuelos tiene
> como durmiendo en regalado sueño.

Si piensas que no soy su dueño, Alcino,
suelta, y verásle si a mi choza viene,
que aún tienen sal las manos de su dueño.

Todas las correcciones que Lope hace a este soneto concurren a una distanciación y a una sublimación de lo real, de lo que sólo queda una emoción lacerante y ligera a la vez.

El segundo ejemplo es un soneto sacro que construye una notable inversión de la búsqueda amorosa de lo divino: el pecador, en él, pregunta a Cristo por qué busca así su amistad indigna, y por qué persevera en la espera de una respuesta que no llega. Ya no se trata aquí del amante abandonado, de la *queja de amor*, que deplora la dureza de la ingrata, sino del ingrato que confiesa su injusto desprecio. La «hermosura soberana» de Cristo reúne a todas las bellas insensibles de la tradición; y el amante desdeñado de los cancioneros amorosos, convertido a su vez en el ingrato del amor sagrado, es también redimido por la emotiva confesión de su alma:

¿Qué tengo yo, que mi amistad procuras?
¿Qué interés se te sigue, Jesús mío,
que a mi puerta cubierto de rocío
pasas las noches del invierno escuras?

¡Oh cuánto fueron mis entrañas duras,
pues no te abrí! ¡Qué extraño desvarío,
si de mi ingratitud el hielo frío
secó las llagas de tus plantas puras!

¡Cuántas veces el Ángel me decía:
«Alma, asómate agora a la ventana,
verás con cuanto amor llamar porfía»!

¡Y cuántas, hermosura soberana,
«Mañana le abriremos», respondía,
para lo mismo responder mañana!

También conviene recordar los tres cantos del poema mitológico *La Circe*, precedidos por un soneto a la hechicera, y subrayar, frente a la densidad de la reinterpretación gongorina de la fábula, el flujo generoso de los versos de Lope. En Góngora, todos los elementos del canto de Polifemo construyen una gigantesca hipérbole: la que gigantiza al gigante, haciendo de su inmenso cuerpo el árbol enorme cuya sombra abriga millares de cabras. Lope, en cambio, lo humaniza, lo vuelve celoso, injusto: se burla de su rival, imberbe y afeminado, lo amenaza, y su queja a veces tiene los acentos del don Fernando de *La Dorotea*.

En cuanto a la poesía épica de Lope de Vega, aún no ha llamado suficientemente la atención de la crítica, excepto *La Jerusalén conquistada*, *La hermosura de Angélica* y *La Gatomaquia*, cuyo carácter paródico se ha destacado. *La Filomena*, finalmente, es también un libro de misceláneas que abren dos cantos —el primero, mitológico; el segundo, autobiográfico— y que está enriquecido, entre otras composiciones, por una novela (*Las fortunas de Diana*) y un poema (*La Andrómeda*).

Si fuera necesario definir el lenguaje poético de Lope de Vega con una figura dominante, posiblemente lo que lo describiría más justamente sería la *amplificatio*, asociada a ese amor por la «claridad» entendida como ilustre limpidez de la lengua española, tan a menudo proclamada por el Fénix en sus epístolas y en sus prólogos. Amplificación fluida, explicitación ornamentada, culta, a veces difícil; placer tomado y dado en el despliegue de los fastos o de la sobriedad de una lengua literaria probada, rechazo de la condensación concebida como origen de cualquier oscuridad: frente a tanta riqueza y abundancia, ¿cómo no serían percibidas como los motores más eficaces de una emoción presente en todas partes la menor elipsis o la más rara discreción?

Las prosas

El poeta Lope de Vega es también un prosista capaz de abordar los géneros narrativos más variados.

Cronológicamente, *La Arcadia* (1598) abre la serie de los libros de misceláneas. Se trata de una novela pastoril muy culta, de cuya erudición se burla Cervantes en el «Prólogo» a la Primera Parte de su *Don Quijote*. En 1604, Lope despliega su maestría en el género novelesco con *El peregrino en su patria*, cuyo héroe se inscribe en el linaje de los peregrinos de amor, como el «peregrino» de las *Soledades* de Góngora (1613) o el «peregrino andante» del *Persiles* de Cervantes (publicado después de su muerte en 1616). Como había hecho en el tercer libro de *La Arcadia* (con la égloga de Montano y Lucindo), Lope introdujo cuatro obras dramáticas en *El peregrino*, que sostienen los cuatro libros de la ficción.

De las cuatro novelas a Marcia Leonarda, publicadas respectivamente en *La Filomena* (1621) y en *La Circe* (1624), puede decirse que compiten con las *Novelas ejemplares* de Cervantes. Menos conocido, *El triunfo de la fe en los reinos del Japón* (1615) debe volver a colocarse en el contexto de las primeras misiones católicas en Extremo Oriente. Además de la lista de los mártires de la fe, en él es de destacar el elogio que hace Lope de la inteligencia y de la extraordinaria memoria de los japoneses, y de su habilidad para escribir tanto en prosa como en verso.

En cuanto a *La Dorotea*, es considerada la obra maestra de toda la producción lopesca, de la que constituye el alfa y la omega. Es, en efecto, una de las últimas que compuso (1632), pero también, al parecer, una de las primeras. Una versión original, anterior a 1588, se habría escrito en pleno ardor del «asunto» Elena Osorio. Esta versión nunca se encontró; pero en *Belardo el furioso*, una pieza contemporánea del caso (1586-1595), reencontramos las raíces de *La Dorotea*.

1. Las *Novelas a Marcia Leonarda*

Las *Novelas a Marcia Leonarda*, si nos atenemos a la configuración de *La Filomena* y *La Circe*, presentan un primer interés: el de ser novelas interpoladas, engastadas en los libros de misceláneas, como si la poesía fuera allí el estuche de una prosa cuya excelencia y diversidad superan la masa versificada y sirven de recreación.

La Filomena está dedicada a la ilustrísima doña Leonor Pimentel, pero la prosa novelesca de *Las Fortunas de Diana* —al desembocar genéticamente la poesía en la prosa— ordena el círculo de las dedicatorias alrededor de Marcia Leonarda (Marta de Nevares), instigadora de una nueva forma de escritura, todavía no practicada por Lope:

> [...] porque mandarme que escriba una novela ha sido novedad para mí, que aunque es verdad que en el *Arcadia* y *Peregrino* hay alguna parte de este género y estilo, más usado de italianos y franceses que de españoles, con todo eso, es grande la diferencia y más humilde el modo.

Después de recordar las caballerías, los novelistas italianos y Cervantes, a quien reconocía gracia y estilo, Lope aceptará el desafío: él, que ha tenido inventiva para mil comedias, la tendrá también para una novela original, no traducida ni imitada. *Las fortunas de Diana*, que en muchos puntos se parece a lo que se escribía en materia de novelas, se diferencian por el hecho de que están escritas *para* pero también *a*, Marta de Nevares y que la dedicatoria es frecuentemente evocada en el curso de la narración.

La desdicha por la honra, *La prudente venganza* y *Guzmán el Bravo* se engarzan en *La Circe*. Lope cuestiona allí la escritura novelesca, a tal punto que ésta sólo encuentra su pleno desarrollo si está alimentada de poesía y de teatro:

> Demás que yo he pensado que tienen las novelas los mismos preceptos que las comedias, cuyo fin es haber dado su autor contento y gusto al pueblo, aunque se ahorque el arte; y esto, aunque va dicho al descuido, fue opinión de Aristóteles.
>
> Y si vuestra merced no supiere quién es este hombre, desde hoy quede advertida de que no supo latín, porque habló en la lengua que le enseñaron sus padres, y pienso que era en Grecia.

La calidad de las novelas lopescas, su autonomía semántica y arquitectónica explican el hecho de que, en general, se hayan publicado fuera de las recopilaciones donde estaban originariamente y que interesen a la crítica como *corpus* independiente. Se les reconocía originalidad, erudición, facilidad más allá de la eficacia tónica de las intervenciones que Lope dirige a Marcia Leonarda. En ellas la escritura se revela en la fuerza del detalle, en el dominio de la pluma que fija un gesto, capta una expresión, establece la intriga en dos réplicas, y manifiesta que la relación con lo real pasa constantemente por el canal de la transposición estética (poética, musical o pictórica) explícitamente señalada por comparaciones.

La más estructurada de las novelas, *La prudente venganza*, permite observar que la escritura construye en ella un equilibrio sutil —garante de su calidad— entre el flujo narrativo del relato de ficción y el metarrelato, vector de un autodistanciamiento que muy a menudo pasa por la irrupción del estilo epistolar, dirigido a Marcia Leonarda. Así la doble voz de la apertura de la novela, ese dialogismo que, simultáneamente, deja oír el relato y el juicio que tiene el narrador sobre la escritura del relato:

> En la opulenta Sevilla, ciudad que no conociera ventaja a la gran Tebas [...], Lisardo, caballero mozo, bien nacido, bien proporcionado, bien entendido y bienquisto, y con todos estos bienes y los que le había dejado un padre [...], servía y afectuosamente amaba a Laura...

Las *Novelas a Marcia Leonarda* son, por su carácter inhabitual, una excepción de la escritura, valorizada por los conjuntos de misceláneas que las encierran y cuya musa parece haber sido siempre la omnipresente Marta de Nevares.

2. *La Dorotea*

En cuanto a la obra maestra de Lope, *La Dorotea*, en la que Gerarda tiene a veces los acentos de Celestina (véase J. Canavaggio, *Historia de la literatura española. Edad Media*, Barcelona, Ariel, 1994), está totalmente cifrada en algunas líneas:

> Habló con celos, respondí sin amor; fuese corrida y quedé vengado; y más cuando vi las lagrimillas, ya perlas, que pedían favor a las pestañas para que no las dejasen caer al rostro, ya no jazmines, ya no claveles.

Producto de una doble referencia, constantemente exhibida, a la escritura y la biografía lopesca, instituye, entre lo real-escrito y lo real-vivido, un vaivén permanente, generador de una tensión que se resuelve en la escritura. Nada más alejado de cualquier modelo autobiográfico que *La Dorotea*, a menos que ésta constituya uno en sí mismo y muy original. Porque la «acción en prosa» consagra el conjunto de una obra a la que edifica un verdadero monumento «autobiográfico». Dialogada como en el teatro, orquestada como una tragedia por coros, no deja de ser prospectiva y retrospectiva, como una novela en la que cartas, billetes y fragmentos de discurso epistolar, romances y sonetos, canciones y proverbios se intercalan entre las réplicas, o son a su vez réplicas. *La Dorotea*, al inscribir en su trama los versos de un autor llamado sucesivamente *un poeta*, Tomé de Burguillos, Belardo o Lope, es el más bello homenaje que un escritor pueda rendirse a sí mismo: una «autografía» que, muy pronto, ha sido considerada una verdadera autobiografía.

Uno de los rasgos notables de *La Dorotea* es que, por una u otra razón, sus héroes, seres de escritura, también están relacionados con la escritura: citen o reciten poemas, comenten y critiquen la literatura, o escriban ellos mismos.

> Gerarda, la madre alcahueta encargada de relacionar a Dorotea con don Bela, es una retórica temible, que une lo antiguo con lo moderno, desgrana con perfecta oportunidad todos los proverbios, se expresa en latín y tiene como autoridad las Escrituras; ha leído a Garcilaso, y su oración fúnebre la consagra como profesora de amor y Séneca de las relaciones amorosas. Celia, la criada de Dorotea, es una crítica literaria aguda y culta. Comparte esta competencia con Felipa, la hija de Gerarda, que la reemplaza como confidente de Dorotea. Si Celia habla del Betis (es decir, del Guadalquivir), es para evocar su destino poético; en cuanto a Felipa, establece la diferencia

entre prosa y verso, planteando así la escritura en la escritura de *La Dorotea*, y reafirma en términos de *imprimatur* el comentario de don Fernando a un *romance piscatorio* que acaba de cantar:

FERNANDO:... Y este pescador llorava la más hermosa muger que tuvo la ribera donde nació, más firme, más constante y de más limpia fe y costumbres.

FELIPA: Parece aprobación de libro.

Los tres amigos de don Fernando, Julio (el confidente y el preceptor), Ludovico (el poeta) y César (el poeta y el astrólogo) —de nombres prestigiosos, no trivializados por la comedia lopesca— leen o recitan sus propias composiciones, y comentan las de los otros. En particular, se ocupan durante tres largas escenas del acto IV de comentar un soneto culto y burlesco.

El lugar, casi desmesurado en la economía de la obra, que se otorga a estos comentarios es, en sí mismo, un índice de sentido que invita a leer la ruptura amorosa que desune a Dorotea y don Fernando tanto como figura de la ruptura entre Lope y Elena Osorio, que como espléndida compensación poética, dramática y narrativa. Superando el etiquetado de los héroes de *La Dorotea* con el nombre de los seres reales que transponen, es más justo decir que, en grados diferentes, todos representan —alcahuetas, criadas, amante rico, amante pobre, Dorotea— un aspecto de la personalidad de Lope, individuo y escritor.

Estos personajes tienen tres significados: héroes de la ficción, están dotados de un lenguaje rico en tradiciones de escritura; figuras de lo real autobiográfico, enuncian propósitos señalados por marcas que contribuyen a hacerlos surgir; jueces, de la obra particular de la que son los héroes y de todo el monumento, difractan como en series de rayos el haz múltiple de la escritura lopesca.

No es fortuito que en la cúspide de la pirámide de personajes, la tríada amorosa y conflictiva compuesta por don Fernando (etiquetado Lope de Vega), don Bela (identificado tanto con don Francisco Perrenot de Granvela como con don Tomás Perrenot de Granvela) y Dorotea (Elena Osorio) sea objeto de una sola imagen, culta y científica, que asocia lo óptico con la filosofía y la mecánica del amor:

LUDOVICO: De suerte, Julio, que el sol es Dorotea, el espejo el indiano, y don Fernando la materia opuesta.

Tampoco es indiferente que la seducción —erizada de celos y de rivalidad— que ejercen los tres personajes unos sobre otros pase en principio por la literatura y la poesía: los tres escriben, admiran recíprocamente sus escritos, y romances, sonetos y billetes circulan entre ellos y se responden.

Este juego de ecos supera el marco de la «acción en prosa» y afecta singularmente a la onomástica, cuya importancia en el *corpus* de la comedia lopesca ha sido subrayada por la crítica. El nombre del rival de don Fernando, don Bela, resulta muy probablemente de un cruce anagramático entre nombres de lo real-vivido y de lo real-poético y, con más precisión, entre el nombre del rival real de Lope por Elena y el seudónimo poético del mismo Lope.

En dos ocasiones, por lo menos, el texto de *La Dorotea* señala la homonimia Bela/Vela (acto III, escena 7 y acto V, escena 2), sacando de esta manera a la luz la transposición poética del nombre de los hermanos Granvela, uno de los cuales habría eclipsado a Lope: «DON BELA: ¿Qué cantaba Dorotea? GERARDA: Velador que el castillo velas [...] ¿Qué te parece cómo alude a tu nombre? Pues ella ha hecho las coplas.» Don Bela es poeta y seduce a Dorotea tanto por esto como por su fortuna. En realidad, su fortuna seduce en principio a las «dobles» de Dorotea, y sobre todo a su madre, cuyo nombre es el anagrama perfecto del suyo propio: Teodora. Don Bela es, pues, poeta rico; y don Fernando, poeta pobre: son la transposición lopesca (el texto lo indica explícitamente) de los cuentos «del rico y del pobre», especulares e intercambiables. Y si se identifica a don Fernando con Lope, don Bela no puede escapar a la misma identificación. Su nombre es único en toda la producción dramática y poética del Fénix y, sólo él hace el contrapeso a las aproximadamente setenta presencias del nombre *Belardo*, y a los *Vela* o *don Vela* de la comedia. Por otra parte, *don Bela* es el anagrama casi perfecto (salvo en una r) de *Belardo*, y el anagrama del gerundio *velando* de la copla. En cuanto a *Belardo*, también es el anagrama de *velador*.

De *Belardo* a *don Bela*, pasando por *velando*, *velador* y *Granvela*, el disfraz anagramático pone en el mismo nivel lo real-vivido y lo real-poético, y hace del personaje de don Bela el más hermoso ejemplo de fantasma autobiográfico: un Lope poeta, es verdad, pero rico, y preferido al Lope pobre, y sin embargo, un rival no viable porque está fantaseado, asesinado de manera infamante al final de la acción en prosa, por revancha o expiación. En cuanto a Dorotea, es, ciertamente, transposición de Elena, pero también de Isabel, de Juana, de Marta y, más allá, sin duda, de todas las damas del teatro de Lope y de sus novelas. Su belleza, su elegancia, su erudición y el movimiento de las pasiones que la animan hacen de ella una suma poética que renueva absolutamente la larga tradición de la que emana, y a la que insufla la modernidad de sus modelos vivos.

Con *La Dorotea*, Lope se inscribe en el límite impreciso del teatro y de la novela.

El 6 de marzo de 1625, un decreto prohibió la publicación de comedias, de novelas y de otros libros de ese género. El historiador Jaime Moll llegó a la conclusión de que para eludir la prohibición Lope buscó y encontró una solución digna de él: escribir una obra que no fuese ni comedia, ni novela: una «acción en prosa», su obra maestra.

Pero, más allá del artificio de la transgresión, Lope, trascendiendo deliberadamente la distinción de géneros, renueva una confusión fecunda que había instituido *La Celestina* y que ésta en su época no podía evitar. Al fusionar escritura en prosa y estructura dramática, poesía, comedia y tragedia, «la acción en prosa» rinde un nuevo homenaje a las formas de las que surgió y a las innovaciones más recientes de la historia de la literatura española.

El teatro

La gloria del Fénix resplandece con lo que se ha podido llamar la invención de un teatro nacional. El surgimiento de ese teatro —como lo prueba el trabajo de J. Canavaggio en el cap. VIII del tomo de esta historia correspondiente al siglo XVI— se produce en un terreno preparado, en un momento en que existen todas las condiciones para promover su nacimiento y desarrollo.

Este desarrollo es antes que nada el de la *comedia nueva*, aunque los dramaturgos del Siglo de Oro, empezando por Lope de Vega, cultivan también el auto sacramental y el entremés, géneros considerados menores (véase cap. V). Con el nombre de *comedia nueva* —así llamada por sus defensores, para oponerla al «arte antiguo», etiqueta con la que reagrupan de manera desordenada las obras y las formas del siglo precedente— se designa una amplia producción que los historiadores articulan generalmente en dos grandes ciclos. El primero (1590-1630) reúne lo esencial de las piezas de Lope y de sus epígonos (Guillén de Castro, Mira de Amescua, Vélez de

Guevara. Ruiz de Alarcón y Tirso de Molina). El segundo (1630-1680) comprende las de Calderón y de sus émulos (Rojas Zorrilla y Agustín Moreto, en especial). La escritura calderoniana es, de alguna manera, la sistematización de algunos rasgos de la de Lope, cuya permanencia y transformación asegura.

Hacia 1585, en el momento en que Lope de Vega se dispone a escribir sus primeras obras, Madrid tenía tres repertorios principales. A los espectáculos representados en ocasión de las celebraciones religiosas, o en el marco de las fiestas de palacio, se agregaron las representaciones regulares de los teatros urbanos.

La creación de los *corrales*, cuya aparición y descripción de su disposición interna (véase J. Canavaggio, *Historia de la literatura española. Siglo XVI*, Barcelona, Ariel, 1994) se ha recordado anteriormente, precede en poco al comienzo de la carrera dramática de Lope de Vega y acompaña su extraordinario desarrollo. Esos teatros permitirían a las cofradías religiosas a las que pertenecían hacer obras de beneficencia y mantener hospitales y hospicios, gracias al alquiler que les pagaban las compañías de comediantes. A comienzos del siglo XVII sólo hay doce compañías oficiales subvencionadas, y la vida de los *cómicos de la legua* se considera dura y miserable. Las piezas a menudo se escriben en colaboración. Lope de Vega, por su parte, obtendrá tal éxito que se le atribuirán abusivamente comedias que no escribió. Pero no se es impunemente «monstruo de naturaleza» y pródigo en fecundidad dramática. Dramaturgos y comediantes estaban por lo general muy unidos. Lope de Vega en especial calibraba a su público a través de las relaciones que mantenía con actrices que hacía célebres: Elena Osorio, hija del comediante Jerónimo Velázquez y mujer del actor Cristóbal Calderón; Micaela de Luján, comedianta y mujer de comediante, que dará a Lope siete hijos; Jerónima de Burgos, para quien el poeta compondrá *La dama boba*.

La existencia de un público variado, heterogéneo, no es ajena a la creación de un «género nacional», aunque ese género esté lejos de poder ser llamado «popular». Para apreciar la acogida que le reserva ese público, hay que recordar la economía general de un espectáculo cuyo programa, cualquiera que fuera su éxito, nunca se mantiene largo tiempo en cartel. Con sus tres actos o «jornadas» y sus tres mil versos, la comedia propiamente dicha es, por decirlo así, la pieza principal; pero no es la única que integra el espectáculo.

A manera de entrante, un prólogo en verso —la loa— permite al autor anunciar el tema de su comedia, a la vez que calma la impaciencia de los espectadores turbulentos cuya benevolencia debe ganarse. En forma de *entremés*, el intermedio en un acto se inserta entre las dos primeras jornadas. Entre la segunda y la tercera, un *baile* cantado cubre a su vez el entreacto. Finalmente, después del desenlace, los comediantes reaparecen en escena para saludar al auditorio, en ocasión de una mascarada en verso llamado *mojiganga*. La representación dura así casi tres horas, multiplicando las formas de la ilusión cómica en una relación entre realidad y ficción diferente de la que conocemos en la actualidad.

Es también nítida la distancia entre la escena moderna, heredera muy a menudo de la «caja cerrada» a la italiana, y la escena del corral tal como se generalizó en el último cuarto del siglo XVI, y como se ha descrito antes. Su presentación, muy sobria, va a la par, al menos en lo que se refiere a las comedias de intriga —las comedias de capa y espada—, con una puesta en escena de gran simplicidad.

A través de los años, se observa sin duda una intensificación de los efectos musicales y sonoros mencionados en las didascalias. En un grado menor que los sortilegios de la escritura y la música del verso, contribuyen a hacer de la comedia, para retomar la hermosa imagen de Tirso de Molina, un verdadero «banquete de los sentidos». Pero la «maquinaria» durante mucho tiempo quedará restringida a los tornos y a las grúas móviles designadas con el término genérico de *tramoya*. Lope de Vega terminará, por otra parte, por irritarse del favor creciente que logra entre los ignorantes y denunciará sin gran éxito ese abuso. De hecho habrá que esperar hasta 1622 para ver la instauración, dentro de las residencias reales, de un teatro de gran espectáculo financiado por Felipe IV, concebido por técnicos llegados de Italia, y cuyo repertorio, en su momento, Calderón alimentará ampliamente.

La aceptación de la comedia parece haberse debido, en gran parte, más que al despliegue de una puesta en escena fastuosa, al talento de los actores, cuyo verbo y gesto explotan los recursos de un texto destinado tanto al oído como a la vista. Pero, por desgracia, carecemos de informaciones precisas sobre el arte de esos comediantes.

Sin duda hay que tener en cuenta todo lo que podía imponerles actitudes más mesuradas que las que les otorgamos espontáneamente: la exigüidad del escenario sobre el que evolucionaban, las ricas vestimentas que los envaraban, las limitaciones específicas de una retórica y de una versificación codificadas. También nos sentimos tentados a asociar a los principales papeles, si no una parte de improvisación, al menos una vivacidad característica de la comedia de intriga: al galán, listo para desenvainar la espada; a la dama, pronta a librarse de la dueña que la vigila vistiendo casaca y jubón; al gracioso, cuyas ocurrencias y bufonadas tienden a hacer reír a la sala.

Dicho esto, no puede atribuirse sólo a los actores el éxito de la obra de Lope. Si éstas lograron los favores del público, en principio es porque su autor supo forjar una verdadera herramienta dramática, definir una estrategia de la puesta en escena, conjugar una suma de procedimientos de lenguaje y de espectáculo que, por primera vez, dramatizan el lenguaje poético, animan las situaciones, someten el texto a la viva representación teatral.

El teatro de Lope de Vega, si bien es deudor de la tragedia clásica, las églogas pastoriles, las farsas y las alegorías, los intermedios burlescos y la poesía culta, los romances y las coplas populares, encontró igualmente un ejemplo para meditar en la escuela dramática valenciana (Tárrega, Aguilar), que supo incorporar a la comedia naciente los logros de la comedia italiana. Uno de los más ilustres representantes, Guillén de Castro, el autor de *Las mocedades del Cid*, que servirán de modelo a Corneille, se convertirá en amigo y alumno del Fénix.

Es esta capacidad para «dramatizar» lo que constituye el genio teatral de Lope. Fue el primero en saber construir un lenguaje susceptible de fusionar, en una estructura dramática verdadera, dramaturgia y poesía, elementos cultos y elementos populares; el primero que supo fundir, en una interacción fecunda, valores individuales y valores colectivos, apoyándose constantemente en su conocimiento íntimo de las relaciones entre teatro y público.

La actualidad o la modernidad del teatro de Lope se debe a la actualización que supo realizar, en el momento en que componía sus comedias, de todos los «temas» —bíblicos, históricos, legendarios y mitológicos, y también novelescos— que aseguran su estructuración semántica. Es este punto de vista español, esta captación de la materia dramatizable en función de un «particular histórico» reconocible para todos —y que, veremos, no por eso excluye el «universal poético»— lo que da al teatro de Lope su auténtico carácter nacional.

1. La fórmula

Si bien los dramaturgos del siglo XVII abren el camino que lleva a la *comedia nueva*, a Lope de Vega le corresponde el mérito de haber fijado sus cánones: tres jornadas, una versificación polimétrica, la presencia obligada de un criado cómico, o *gracioso*, hasta en las piezas que él llama «tragedias», y una intriga secundaria, paralela a la principal y que termina por cruzarse con ella.

> Entre su primera obra, *Los hechos de Garcilaso*, que tiene cuatro actos y aún no es una verdadera comedia, y las de madurez, Lope encontró en Valencia fórmulas sobre las que meditó: en Cristóbal de Virués, la condensación dinámica de los tres actos; y en el canónigo Francisco Tárrega, los elementos de dramaturgia y poéticos de un lenguaje y de una organización dramática más eficaces. El «Discurso XLV» de la *Agudeza y arte de ingenio*, de Baltasar Gracián, establece, además, una filiación directa de Tárrega con Lope en la introducción de lo cómico, de la ocurrencia.

En todas partes, en todos los registros y en todos los niveles de la jerarquía sociodramática, aun entre los dioses o los reyes de las tragedias más serias, Lope hace entrar irreverentemente la risa en el teatro, al igual que los encantadores cervantinos hacen soplar en todo el *Don Quijote*, y hasta en su creador, un viento de alegría y de locura. La Francia del siglo XVII despreció esta fantasía. Escuchemos a Saint-Évremond:

> Como toda la galantería de los españoles viene de los moros, permanece un cierto gusto de África, ajeno a otras naciones y demasiado extraordinario para poder acomodarse a la justeza de las reglas. (*Obras*, Londres, 1711, III, p. 48.)

Y veamos también lo que dice Chapelain, buen conocedor de la literatura de la Península y, sin embargo, censor altanero del Fénix:

> Se ha querido excusar de su barbarie con el gusto del pueblo que le pagaba, y al que hubiera desagradado, de haberlo querido entretener con obras regulares, pretendiendo, por otra parte, que conocía bastante Aristóteles y sus preceptos para seguirlos, si la razón no hubiera sido en ellos una mercancía de contrabando [...]. Como si no viéramos claramente por sus producciones que ignoraba todos los principios del arte del teatro y que había seguido el uso de los de su país, creyéndolo bueno y el único camino por

> donde debía marchar el poeta para satisfacer plenamente las obligaciones de su oficio [...]. Se inclinaba por el desarreglo. (*Cartas*, París, II, pp. 57, 225 y 334.)

Nada es menos cierto: la risa no es aquí prenda de ligereza y desorden. Si sus propias coacciones le hicieron producir al teatro francés clásico obras maestras sublimes, otras reglas, que parecen trastornar los preceptos, introducen en la comedia española una aparente libertad; pero ésta es sólo una libertad con condiciones, con la condición de comprender que hubiera sido imposible, aun para un prodigio como Lope de Vega, escribir una obra por día si no hubiese creado un mecanismo bien rodado, perfectamente engrasado. Ésta es la mecánica que defiende y describe —verdadera máquina de producir piezas de teatro— en su *Arte nuevo de hacer comedias en este tiempo*.

> Con toda probabilidad compuesto entre 1604 y 1609, el *Arte nuevo* fue publicado en 1609 con las *Rimas*. Todas las controversias sobre este tema tienen por objeto saber si Lope era o no aristotélico. Algunos afirman su total insumisión a los preceptos; otros subrayan el carácter irónico de esta palinodia académica; otros, finalmente, han llegado a la conclusión de que es una pieza oratoria *in laudem*: una lección de retórica que habría tomado la forma de una oda de Horacio y, bajo un aspecto agradable, otorgaría más atención de lo dicho a las reglas de la *Poética*, pero a partir de la interpretación bastante libre que dan de ella los teóricos y los escritores del Siglo de Oro.

De hecho, de la lectura del *Arte nuevo* surge que su autor reivindica claramente un perfecto dominio de las reglas, que aprendió desde los diez años, y muy poco conocidas, por lo que él afirma, por sus contemporáneos (vv. 17 a 48). Esta reivindicación acompaña, sin embargo, la afirmación celebradora y la conciencia triunfante de una «invención». Lope de Vega sabe que ha descubierto una fórmula innovadora, una «receta» eficaz de escritura dramática, que gusta y que funciona. Lo prueban las cuatrocientas ochenta y tres comedias que dice haber compuesto y hecho representar con igual éxito (vv. 367-369).

Da *grosso modo* la fórmula, que viste con todo tipo de calificativos modestos y embarazosos frente a los doctos preceptos de los académicos. Pero el tono es el de una alegría insolente frente a un éxito inaudito.

Lope afirma que sus propias leyes de la dramaturgia están simplemente adaptadas al gusto vulgar. En realidad, un erudito como él sabe pertinentemente que el público no dicta leyes de escritura, y sobre todo no al descubridor de una nueva dramaturgia. Pero lo que también había comprendido el Fénix es que una pieza de teatro no es sólo un poema dramático, o una trama de lenguaje: le falta el nervio de la eficacia «activa» de la representación, el dinamismo de la puesta en escena.

Como todos los creadores a los que hoy se llama «mediáticos», tiene el genio de construir comedias «reversibles» en el sentido en que puede serlo un tapiz: del derecho —la superestructura que se dibuja y se perfila en la escena— aparecen como en relieve las figuras mayores, una geometría ligera, pero bien estilizada, que muestra las líneas de fuerza dinámicas de la comedia; del revés —la complejidad del entrelazamiento de la urdimbre y de la trama que sólo aparece en la lectura— se revela la literalidad del lenguaje total, que viste las estructuras axiales de palabras, de ritmos, de estrofas o de poemas, sometidos al desdoblamiento dialogístico, a la precipitación de las réplicas o al flujo de las grandes tiradas.

Ningún arte crea más ilusión que el teatro, y la ilusión de lo real antes que cualquier otra. La comedia debe, pues, «imitar» las acciones humanas y «pintar» las costumbres del siglo. También en esto, el teórico Lope de Vega sabe, como cualquier artista verdaderamente «moderno», que cada época segrega, en función de sus descubrimientos científicos y técnicos, de su ideología, de sus estructuras económicas, sociales o políticas, sus medios específicos de expresión estética, alimentados de tradición, ciertamente, pero también nuevos.

A la idea preconcebida de la modernidad que enraiza las comedias en la experiencia contemporánea —cualquiera que sea el tema elegido, mitológico, bíblico o histórico (el «tema» es sólo un desencadenante de lenguaje y de dramaturgia)—, se agrega el imperativo de la imitación verbal. Ésta no concierne, evidentemente, a la expresión real de los reyes, los galanes, damas o servidores (vv. 269-293). Concierne a su estilización, su semiotización, por medio de elementos repetidos —por lo tanto, eficaces—, tomados simultáneamente de la tradición literaria y del uso contemporáneo. Lo que un rey de teatro debe «imitar» es lo que Lope llama la «gravedad real» —un comportamiento escénico codificado—, y el viejo tendrá «una modestia sentenciosa», mientras que la dama tendrá la compostura natural que debe ser la suya.

La verosimilitud es, pues, una cuestión de respeto de las convenciones adoptadas, pero el *Arte nuevo* no explica totalmente la preceptiva (conjunto de preceptos) que construye pragmáticamente el teatro de Lope de Vega. Por ejemplo, un fragmento conocido del *Arte* (vv. 305-318) asigna un papel preciso a cada tipo de estrofa. Ahora bien, la práctica lopesca no emplea obligatoriamente las décimas en las querellas amorosas, ni los romances en los relatos, ni las redondillas en los discursos amorosos. Sin embargo, es significativo que Lope haya, al menos en intención, fijado el valor semántico de la herramienta métrica. Otorga así un lugar destacado al material verbal y poético, cuyas estructuras están sometidas a una ley invariable de variabilidad controlada. Por otra parte, el *Arte nuevo* cuestiona el mismo nombre de *comedia* (vv. 77-140): se llama *comedia* a cualquier obra de ficción, incluso narrativa y no dramática; por el contrario, el nombre de tragedia se aplica a los temas tomados de la historia.

En lo que concierne a «la vil quimera del monstruo cómico» (v. 150), exige un tema que puede muy bien prescindir de reyes, donde lo trágico y lo cómico mezclados (vv. 174-180) engendran el placer nacido de la variedad. Las reglas de las tres unidades se reducen a una sola: la unidad de acción; la comedia lopesca, al explotar hasta el límite la fuerza teatral de la ilusión y la labilidad metamórfica del espacio escénico, no se pliega a la unidad de tiempo ni a la unidad de lugar.

Está de acuerdo, finalmente, en que el dramaturgo redacte primero su tema en prosa (el argumento) y lo reparta en tres actos que abarquen cada uno una jornada entera. Se ha visto que, durante las representaciones, la obra estaba precedida por una loa, transportable de comedia en comedia, y a menudo consagrada a la ciudad donde se representaba la pieza; las tres jornadas estaban separadas por intermedios cómicos y danzas, lo que daba en total un espectáculo copioso y variado. El *Arte nuevo*, por otra parte, prevé el aburrimiento y la fatiga del público: invita a estructurar firmemente la intriga. El primer acto la plantea, el segundo la anuda, el tercero la desata, pero sobre todo no antes del final de la obra, porque el público abandonaría el corral.

Al igual que toda la literatura que, en los siglos XVI y XVII, es considerada algo grave y serio, la comedia muestra sus intenciones didácticas y morales, reivindicando así la función catártica que se le reconoce ampliamente al arte.

2. El universo dramático

La amplitud del teatro de Lope es legendaria: de las mil quinientas comedias que se le atribuyeron, el propio Lope reconoció mil, algunas de ellas escritas en un día. En la actualidad se conservan unas cuatrocientas, que componen un *corpus* considerable, de las cuales más de trescientas son rigurosamente auténticas. Su diversidad también es notable. Lope recurre a todos los medios en el momento de concebir el argumento.

La literatura culta le proporciona un repertorio ilimitado de pre-textos. Así el *Orlando furioso* le aporta el entramado y el título de su *Belardo el furioso*, comedia pastoril y autobiográfica; *La Arcadia* traslada a la escena la novela pastoril que el mismo Lope había compuesto y titulado *La Arcadia*. *El marqués de Mantua* saca su anécdota de los romances de la muerte de Valdovinos, matado a traición y que expira en los brazos del marqués de Mantua, su pariente. La historia nacional, auténtica o legendaria, es también para él un fondo precioso: *Los hechos de Garcilaso*, *El nuevo mundo descubierto por Colón*, *La Corona merecida*, *El conde Fernán González*, *El caballero de Olmedo*, *Las almenas de Toro*, por ejemplo. La Biblia y la hagiografía alimentan, asimismo, la inspiración de muchas comedias, de las que se destacan algunos títulos: *La hermosa Ester*, *Los trabajos de Jacob*, *La historia de Tobías*, *Barlaán y Josafat*, *San Isidro labrador de Madrid*, etc. La dramaturgia lopesca pone en escena célebres conflictos entre campesinos y comendadores, resueltos por la autoridad real: *Peribáñez y el comendador de Ocaña*, *Fuenteovejuna*, *El mejor alcalde, el rey*, o historias trágicas: *El castigo sin venganza*. Algún campesino poderoso puede prosperar provisionalmente fuera de la soberanía del rey de Francia, y es *El villano en su rincón*. La historia romana, así como la historia extranjera, proporcionan el argumento de *Roma abrasada* o de *La imperial de Otón*. La mitología está representada con las amazonas (*Las mujeres sin hombres*) y las desventuras amorosas de Venus (*Adonis y Venus*). Pero las más hermosas comedias de Lope son las llamadas de costumbres o de capa y espada: *El acero de Madrid*, *La discreta enamorada*, *La dama boba*, *Las bizarrías de Belisa*, *Servir a señor discreto*; una espléndida intriga amorosa en palacio: *El perro del hortelano;* comedias aristocráticas de pueblo: *Al pasar del arroyo* o *La moza de cántaro*. Esta lista, apenas indicativa, ya señala la aparente dispersión de los centros de interés y la diversificación de las comedias: en realidad, están armadas por las mismas estructuras, sustentadas por el mismo tejido verbal, ritmadas con los mismos metros, dinamizadas por los mismos conflictos.

La cronología de esta impresionante serie de obras se superpone muy exactamente a toda la vida de escritor de Lope. De 1579 (o 1583) con *Los hechos de Garcilaso* a 1634 con *Las bizarrías de Belisa*, las alrededor de cuatrocientas comedias conservadas se reparten regularmente en cincuenta y cinco años de creación literaria. La cronología de las piezas, difícil de fijar, ha sido objeto de un trabajo fundamental, basado en el análisis de la métrica. Griswold Morley y Courtney Bruerton hacen de la morfología estrófica y métrica y de su evolución los indicios más seguros para fechar las comedias y, sobre todo, para su autentificación.

Entre las conclusiones más generales, se retiene que la utilización constante de la redondilla octosilábica (*abba*), de un extremo a otro de su producción teatral, constituye el «grado cero» de la escritura estrófica, y el módulo o la unidad de medida métrica. La quintilla, por el contrario, de importancia notable antes de 1604, disminuye bruscamente después de 1620, mientras que la décima llega, hacia 1633, a suplantar a la redondilla. El romance, cuya progresión es continua a partir de 1604, constituye más o menos la mitad de las comedias de la última época (1626-1635), pero la silva (endecasílabos/heptasílabos) es rara, y su escasez se opone a la estabilidad de las octavas endecasílabas y a la notable permanencia de los sonetos: desde 1598, todas las piezas de Lope ofrecen al menos cuatro sonetos de tipo *ABBA*, *ABBA*, *CDC*, *DCD*. El tecnicismo de estas conclusiones —hay que aceptarlo— sólo es igual al del oficio del dramaturgo. La materia de la dramaturgia y las palabras que la sustentan, en principio, están vaciadas en esos moldes rítmicos, métricos y estróficos constantes, cuya alternancia es la propia condición de la escritura teatral.

Una poética, que podríamos llamar «sociodramática», preside la constitución de esquemas que estructuran mecánica y constantemente el universo de los personajes dramáticos. Uno de esos esquemas consiste en una bipolarización ciudad/campo, en la que cada término se subdivide en dos «niveles» y en dos registros, siendo el mundo urbano globalmente dominante respecto del universo rural.

En la ciudad, se distingue el nivel superior y el registro serio de los galanes y de las damas, y el nivel inferior con el registro cómico de los criados y criadas. En el ambiente rural, los campesinos ricos y honorables —serios— pueden acceder a la dignidad y al lenguaje de los galanes y de los padres urbanos, mientras que los bobos de pueblo, torpes y cómicos, constituyen su contrapunto, y responden con su malicia palurda a las ocurrencias de los criados de las ciudades. El personaje del hidalgo ocupa una incómoda posición liminar entre la aristocracia y el campesinado teatrales; pero su título es una palabra que atraviesa todas las capas y está asociada al honor, resorte dramático importante: en los duelos en las calles, *hidalgo* es un vocativo insultante; aplicado a ricos villanos, les confiere nobleza de corazón y honor; el hidalgo de pueblo, finalmente, sigue siendo un hidalgüelo pretencioso y mediocre, siempre maltratado por los nobles y los campesinos. En su universo sociodramático intervienen también soldados y capitanes, religiosos, indianos o estudiantes.

Al nivel superior del grupo urbano corresponde generalmente un hablar cortés y poético, que a veces toma sus distancias respecto de sus coacciones, pero que está empapado de un saber que produce un *hablar discreto*, el bien hablar del hombre honrado. Los criados y criadas tienen también su habla, cuyo eje convencionalmente es el de las preocupaciones —casi siempre ajenas a los galanes y las damas— de la comida y el dinero. Este lenguaje, tan semiotizado como el primero, se llama *hablar necio*, aunque chisporrotea en sutilezas y juegos de palabras, cuando es manejado por *la figura del donaire*, invención lopesca de un tipo de criado ingenioso, gracioso, activo en la intriga y motor de rebotes y equívocos dramáticos. Porque toda la comedia se basa en la pareja amo-criado, figura dual inseparable, cuyo primer término condensa rasgos y lenguaje del galán «noble» (en el sentido amplio), y el segundo, todos los del antihéroe encargado, a través de la comicidad, de enunciar a menudo los preceptos de la escritura dramática y de denunciarlos.

En un contraste perfectamente ritualizado, los toscos ingenuos son provistos por la comedia del *sayagués*. Este hablar campesino estereotipado, falso dialecto mecánicamente caracterizado, permite, con la cobertura de patrañas lingüísticas (reducidas y repetidas), hacer alusiones maliciosas y «críticas», muy ritualizadas también éstas. Cuando el campesino se llama Belardo, las falsas equivocaciones adquieren totalmente otra resonancia.

En la cúspide de la pirámide, el rey y, a menudo, la pareja real castigan a los comendadores abusivos, dan la medida de toda cortesía, y restablecen el orden en todas partes. Siendo esto así, considerando el conjunto de la *Comedia* como un inmenso texto único, se observa que las coacciones existen como estructuras subyacentes generativas, y se manifiestan en una alternancia y una variación perfectamente controladas y semiotizadas de los pronombres y fórmulas de cortesía que, en función de una poética, regulan el ordenamiento de los diálogos y las relaciones interlocutivas.

Esta arquitectura sociodramática bipolar se inscribe en una estructuración común a todas las comedias. La intriga, en efecto, está construida sobre el mismo esquema ternario: posición/enlaces y retornos variados/desenlace y vuelta al orden. De esto se desprende un recorte o una duplicación de la acción en lo que se ha llamado «intriga principal» e «intriga secundaria», a las que conviene agregar siempre el contrapunto simétrico del nivel inferior. La doble intriga galanes-damas se ve así multiplicada por una doble intriga criados-criadas, y esos juegos de espejos complementarios y contrastantes constituyen la especificidad y la virtud de la dramaturgia lopista. La regla general de la *Comedia* consiste, pues, en tejer redes de intrigas en principio paralelas, que se anudan luego en el centro de las obras, siguiendo el ordenamiento bien reglamentado de una coreografía dramática, que intercambia los compañeros de las parejas y los fija definitivamente al final de las comedias.

Una de las piezas más innovadoras de Lope, *El acero de Madrid* (1606-1612), instituye entre las parejas nobles y las parejas criados-criadas una pareja intermediaria, mediana, semiburlesca, semiseria, de lenguaje híbrido, que abre el camino a un teatro ulterior llamado «burgués». Para permitir a Lisardo y a Belisa encontrarse en el Prado o en Atocha, Riselo, amigo de Lisardo (y que, como todos los amigos de teatro, se le parece en todo), abandona a su dama (Marcela) para cortejar burlescamente a la vieja dueña excitada de Belisa, Teodora, mientras que el criado Beltrán se dedica a seducir a la sirvienta Leonor. Beltrán, a raíz del cual llega el escándalo, es quien verdaderamente dirige el juego de la obra: falso médico, prescribe a Belisa (que sufre de opilación) que tome todas las mañanas un cuenco de agua ferrosa en la que se ha sumergido un trozo de acero calentado al rojo, y que luego vaya a *pasear el acero* al Prado o a Atocha. Todo terminará con una serie de matrimonios, y Teodora tomará los hábitos.

En *La discreta enamorada* (1606-1608), la heroína, Fenisa, no tiene confidente, mientras que su galán, Lucindo, tiene un criado, Hernando. Éste, verdadero eje de la intriga, es la *figura del donaire*, cuya malicia responde a la ingeniosidad de la *discreta.* Fenisa logra desviar la pasión senil que siente por ella el padre de Lucindo, a su propia madre, Belisa, también ella presa de un interés desplazado por Lucindo. Es fácil imaginar lo cómico de las situaciones en las que Fenisa, que el Capitán considera ya como su esposa, se convierte en la «madre», por matrimonio, de su novio, y en la suegra de su propia madre, que se ve casada con el joven Lucindo.

La comedia que enreda más espectacularmente el sistema de las intrigas paralelas es *El perro del hortelano.* También es, si se puede emplear el anacronismo, la más «democrática» o, al menos, la que subvierte más a sabiendas el orden sociodramático, y es, sin discusión, una de las más «poéticas» del conjunto. En esta comedia aristocrática, la condesa Diana de Belflor (que representa aquí al perro del hortelano) está rodeada por un cortejo numeroso: Teodoro, su secretario; Octavio, su mayordomo; Fabio, su galán; Marcela, Dorotea y Anarda, sus damas. Diana está enamorada de Teodoro, que es sensible a los encantos de Marcela, pero está irresistiblemente seducido por la condesa, a pesar, y sin duda a causa de la distancia jerárquica y de la intimidad que le da su condición de secretario todopoderoso pero sumiso.

Por cierto, no es ajeno a la obra el que Lope de Vega haya sido él mismo secretario del duque de Sessa, cuyas emociones compartió y al que ocasionalmente sirvió de mediador; su correspondencia, por otra parte, es del mayor interés. La ambivalencia de la relación entre Teodoro y Diana trasciende, sin embargo, esta referencia a lo vivido para suscitar intercambios plenos de ecos literarios y tan eficaces en el plano dramático como ricos en intertextualidad. Pero el mayor interés de *El perro del hortelano* se debe, por cierto, a una dosificación sutil entre la farsa y la elegancia, entre la intuición de los resortes de la pasión y la mecánica del interés por el otro: una mecánica mezclada de violencia y crueldad, porque está desencadenada por la insatisfacción o por la voluntad de poderío. Los protagonistas, simpáticos y «malos» a la vez, semejan a compuestos inestables y detonantes, emotivos y risibles, marionetas sublimes de una obra que a veces ha sido definida como un poema elegíaco distanciado, irónico, después de la muerte de Juana de Guardo y del muy joven Carlos. Tristán, el confidente de Teodoro, termina por dotar al secretario de Diana de un falso ilustre nacimiento. Nadie se engaña con este golpe teatral, sobre todo la condesa, y las últimas escenas de la obra sacan a la luz los azares del «juego» y la reversibilidad de las relaciones teatrales.

Entre las comedias que llevan a la escena a campesinos y gente de pueblo hay que recordar *Peribáñez*. El comendador de Ocaña quiere fascinar a la esposa de su héroe, Casilda, mientras envía a Peribáñez a la guerra. Éste, cuando corteja a Casilda o cuando se despide de ella, usa el lenguaje de los galanes, y sus versos tienen acentos que recuerdan los más hermosos romances. En cuanto a *Fuenteovejuna*, la obra ha sido aureolada por un valor simbólico de rebelión popular. Todo el pueblo, en efecto, es el que mata a su señor, el indigno comendador. Bajo tortura, cada uno de los campesinos, hasta el bobo, responderá a la pregunta «¿Quién mató al comendador?»: «Fuenteovejuna, señor.» Y no por azar fue esta comedia una de las primeras en ser montadas y representadas por el teatro ambulante de García Lorca, *La Barraca*, en la época de la República española. De ahí a concluir que Lope de Vega pudo ser un dramaturgo prerrevolucionario hay mucha distancia, pero la ideología de la comedia —¿y cómo hubiera podido ser de otra manera?— sigue siendo monárquica: sólo la pareja real podrá indultar al pueblo de Fuenteovejuna. Por cierto, Juan Labrador, el héroe de *El villano en su rincón*, se las ingenia para prosperar insolentemente en su dominio, creyéndose allí fuera del alcance del esplendor solar del rey; pero muy pronto debe aceptar la evidencia: sólo el monarca puede regir la armonía de la existencia de sus súbditos:

REY: Vasallo que no se mira
en el rey, está muy cierto
que sin concierto ha vivido,
y que vive descompuesto.
Mira al rey, Juan Labrador;
que no hay rincón tan pequeño,
adonde no alcance el sol.
Rey es el sol.

(Acto III.)

De *El caballero de Olmedo*, finalmente, Francisco Rico escribe que:

«El pie forzado lo daba el cantar:

Esta noche le mataron
al Caballero,
la gala de Medina,
la flor de Olmedo.»

He aquí una tragicomedia de la que podría decirse, en efecto, que es la amplificación dramática, la puesta en escena y el cumplimiento trágico de la copla. Una estructura poética, en este caso, doblega la arquitectura de la pieza, y el lector de hoy, guiado por el hilo de Ariadna de los pies forzados, espera su aparición progresiva, a través de las escenas y de los actos, mientras se hace más palpable la angustia. En el momento en que la copla, por fin, es cantada íntegramente, se cumple el destino de don Alonso:

ALONSO: Allí cantan. ¿Quién será?
Mas será algún labrador
que camina a su labor.
Lejos parece que está;
pero acercándose va.
Pues ¡cómo! lleva instrumento,
y no es rústico el acento,
sino sonoro y süave.
¡Qué mal la música sabe
si está triste el pensamiento!

(Canten desde lejos en el vestuario, y véngase acercando la voz, como que camina:)

Que de noche le mataron
al caballero,
la gala de Medina,
y la flor de Olmedo.

ALONSO: ¡Cielos! ¿Qué estoy escuchando?

Y en seguida después, habiéndole tendido una emboscada, su rival don Rodrigo y sus hombres matan cobardemente al Caballero de Olmedo, dividido entre dos ciudades, Medina y Olmedo, y dos amores, la bella Inés de Medina y sus padres en Olmedo.

Es evidente que un conjunto tan gigantesco y tan magníficamente orquestado ha creado, verdaderamente, un teatro español nuevo, y ha asegurado las condiciones para su perpetuación por los epígonos, a veces prestigiosos, de Lope de Vega.

Hablábamos, al comienzo de esta descripción, del «ciclo de Lope de Vega»: la expresión, por cierto, es justa, en la densidad de la perspectiva. Como toda fórmula, borra la verdad de las dramaturgias y de los textos de los seguidores de Lope y, sobre todo, del más impresionante de todos ellos: Tirso de Molina, que afirma varias veces su adhesión a las preceptos de la *comedia nueva* y construye un universo dramático de un espesor y una complejidad singulares. Sin embargo, hay que considerar que la práctica lopesca ha suscitado entusiasmos, vocaciones y exploraciones nuevas del lenguaje teatral. Lo que equivale a decir que ha creado, alimentado y difundido un género específicamente español cuya originalidad merece reconocimiento fuera de las fronteras nacionales.

De esta rápida presentación de la obra múltiple del Fénix se llega a la conclusión de que el teatro es su manifestación más eficazmente espectacular. Ya se sabe que toda escritura, toda literatura oscila entre dos polos retóricos: *brevitas* y *amplificatio*. Y la escritura lopesca está unida a la *amplificatio*. La llamada generación de 1927 se dividió entre esos dos polos: suntuosamente saludó y reactualizó a Lope, prodigioso y abundante, al mismo tiempo que resucitaba a Góngora, denso y breve. Reunió así, en un mismo homenaje, tres siglos después de las querellas que los habían enfrentado, dos faros de la poesía española del Siglo de Oro.

NADINE LY

CAPÍTULO V

LA PRIMERA EXPANSIÓN DEL TEATRO

El triunfo de la *primera comedia*

De hecho para saludar el advenimiento de la nueva fórmula teatral, de esa *comedia nueva* en la forma que toma en esa primera fase de su historia (hasta 1625) y que se designará, para mayor comodidad, con el nombre de *primera comedia*, es necesario hablar de triunfo. Ésta, en efecto, se impone muy pronto a todos a pesar de una oposición muy fuerte manifestada a su respecto, tanto en el plano ético como en el estético. Porque, desde los primeros años del siglo XVII, y más intensamente en el curso de la segunda década, se desencadenan, centradas en la herencia de santo Tomás y de Aristóteles, dos controversias, en las que sus adversarios cuestionan la legitimidad moral y la validez artística del nuevo modelo teatral, que sus partidarios defienden encarnizadamente.

1. LA CONTROVERSIA ÉTICA, O SANTO TOMÁS REVISITADO

De esta amplia polémica —forma específica, en la España de Felipe III, del debate permanente entre los antiguos y los modernos—, la primera parte concierne a la licitud de la cosa teatral, considerada bajo uno u otro de sus aspectos o en su conjunto (instituciones, textos, actores, representaciones...). El enfrentamiento, en la actualidad se sabe mejor, no se reduce a un choque frontal de *teatrófobos*, que serían exclusivamente gente de Iglesia, alzándose contra *teatrófilos*, que pertenecerían sólo al mundo laico. Tampoco se trata de una oposición pura y simple entre un poder monárquico ansioso de censura y los desórdenes de un pueblo solamente ávido de placeres. Lejos de esta visión maniquea, hay que insistir, por el contrario, en la existencia de al menos tres «partidos» que, a partir de la base de una común convicción sobre los poderes del teatro y sobre las relaciones de éste con el sermón, se distinguen por su interpretación diferente de la doctrina tomista respecto de la legitimidad de la diversión. Así, toda la estrategia de los teatrófobos, como Juan de Jesús María, en 1620, consistirá en neutralizar la legitimidad teórica de los espectáculos, reconocida por santo Tomás, mostrando la ilegitimidad práctica de la forma histórica que toman en ese comienzo del siglo XVII. Al hacer esto, niegan la necesidad de una diversión «moderna», que rechazan, por miedo al cambio y por refugio, muy poco político, en un bloqueo atemporal. Es un error que no comete el «partido de los reformadores». Sus adeptos no son, por cierto, los últimos en condenar la inmoralidad de los teatros; pero, conscientes de que no puede dejarse indeterminado el campo de la «recreación», proponen programas, muy variados, de «reforma de la comedia», como, entre otros, el de Jaime Ferrer (1613), o los *Diálogos de las comedias*, anónimo de 1620. Programas castradores, evidentemente, y cuya fuente común se encuentra, en definitiva, en una concepción restrictiva de la recepción de la obra teatral. Esta última, de la que desconocen ampliamente su naturaleza de objeto de ficción, debe ser, según ellos, depurada, para que no ejerza mala influencia en un público al que se ve como receptor pasivo e incapaz de cualquier trabajo interpretativo. En esto reside la diferencia esencial que opone a los reformadores y al «tercer partido», el de los defensores resueltos del teatro moderno, como el erudito Cascales (1613) o el jurista Barreda (1618), o también la «Villa de Madrid» (el consejo municipal madrileño, 1598), el sacerdote Luis Alfonso Carvallo (1600), el licenciado Francisco Ortiz (1614) o el escritor Alonso Jerónimo de Salas Barbadillo (1621). Todos están convencidos de la capacidad del espectador, auténtico «teólogo de sí mismo», para decodificar el mensaje, por naturaleza ambivalente, contenido en el objeto teatral, que es así devuelto a una plena legitimidad; y todos se convierten en abogados declarados de la utilidad política, social, moral y hasta pedagógica de la comedia, a la que confieren una función irremplazable de ejemplaridad así como un papel indispensable en la necesaria organización del ocio.

2. La controversia estética, o Aristóteles revisado

A partir de cierto momento en su argumentación, los sagaces defensores de la moralidad del teatro no pueden dejar de abordar los temas de la otra polémica que marca ese primer cuarto de siglo, y en la que participan activamente literatos y poetas dramáticos. Éstos, a diferencia de los autores del siglo XVII francés (teóricos o dramaturgos), casi no cultivan el tratado razonado; dan más bien preferencia a la expresión fragmentaria de un pensamiento muy a menudo forjado en el fuego de la acción. Pero esto no impide que, más allá de esa diseminación de textos y circunstancias, se afirme una estrategia basada, no sin alguna impertinencia, en un desvío sistemático de la herencia aristotélica.

Aristóteles contra Aristóteles: ésa podría ser, en efecto, la fórmula del manejo socarrón de los preceptos del Estagirita al que se entregan, en este período de afirmación del nuevo teatro, sus defensores, enfrentados sin cesar a los ataques de los doctos y académicos partidarios de las reglas clásicas. Saben muy bien hacer suyas algunas nociones aristotélicas, como el placer del espectador o la imitación de la naturaleza, pero es para reivindicar aún más la libertad de la que debe gozar el nuevo instrumento teatral frente a cualquier academicismo rigorista y anquilosado. Los tiempos modernos lo exigen: la *comedia nueva*, por cumplir una función sin precedentes de comunicabilidad respecto del público, supondrá una fuerte relativización del concepto de naturaleza, devuelto a una plena historicidad. Más aún, se constituirá como el lugar de invención de un mundo nuevo, es decir, como un instrumento privilegiado para emprender la necesaria exploración de las tierras desconocidas abiertas a la experimentación, por la sociedad, de situaciones y conductas todavía no actualizadas.

Nace así una verdadera carta de los derechos de la ficción moderna, magníficamente sintetizada por Barreda en la *Invectiva a las comedias que prohibió Trajano y apología por las nuestras* (1618), o también en las célebres páginas de *Los cigarrales de Toledo* (texto escrito en 1621), donde Tirso de Molina responde a los reproches de inmoralidad y de inverosimilitud hechos, después de su representación, a una de sus obras maestras, *El vergonzoso en palacio* (1612-1615):

> Pedante hubo que afirmó merecer castigo el poeta que, contra la verdad de los anales portugueses, había hecho pastor al duque de Coimbra don Pedro [...], cuyas hijas pintó tan desenvueltas que, contra las leyes de su honestidad, hicieron teatro de su poco recato la inmunidad de su jardín. ¡Como si la licencia de Apolo se estrechase a la recolección histórica y no pudiese fabricar, sobre cimientos de personas verdaderas, arquitecturas del ingenio fingidas![1]

1. Tirso de Molina, *Cigarrales de Toledo* (publicado en 1624), citado en Federico Sánchez Escribano y Alberto Porqueras Mayo, *Preceptiva dramática española del Renacimiento y el barroco*, Madrid, Gredos, 1972, 2.ª ed., p. 208.

Soberbia declaración de los privilegios de la ficción. Por cierto —bien lo demostró Nadine Ly—, la primacía acordada al gusto y la reconocida libertad de invención no significan en absoluto ausencia de dimensión de enseñanza y abandono de toda norma (véase *supra*, cap. IV). Pero cuando llegue la hora de formular los principales elementos-consejos del flexible código estético de la *comedia nueva*, ya no será Aristóteles el que se opondrá a Aristóteles: será un cierto Aristóteles, abogado del placer, que se prolongará en un cierto Horacio, campeón de la utilidad, para definir un nuevo arte poético basado en las nociones de verosimilitud y decoro.

Al comienzo —y contra los sostenedores del aristotelismo académico y su «realismo» histórico (la intangible verdad de la historia)—, la verosimilitud se definirá solamente como obligación de coherencia artística interna, con lo que esto supone, por una parte, de plena autonomía respecto de toda verdad preestablecida (sea ésta histórica, estética o aun ética), y con lo que esto implica, por otra parte, como respuesta, juzgada suficiente, a los imperativos entonces en segundo lugar del decoro. Éste, a su vez —y contra las limitaciones pregonadas por los neoaristotélicos en nombre de su «idealismo» moral—, será concebida como un código que favorezca la credibilidad de la ficción, y no como un instrumento de discriminación que obedezca a las exigencias de una verdad moral extrapoética.

En esto reside lo esencial, en esa concepción resueltamente moderna de la autonomía que su status específico confiere a la obra de arte respecto de toda verdad preexistente. En la cumbre de esta poética, el dramaturgo aparece entonces como «inventor de lo que nadie imaginó»; y ese semidiós cuya encarnación más alta representa Lope de Vega es exaltado por Alfonso Sánchez de Moratalla:

> ¿Qué te importa, gran Lope, la comedia antigua, a ti que has dado a nuestra época mucho más que de lo que pudieron hacer en su época Menandro, Aristófanes...? Todos son unánimes: lo que dice Lope es lo mejor y debe ser tenido por regla y norma del poema [...] La multitud ha reconocido su imperio [...] y con toda razón reina entre los poetas [...] Pertenece al príncipe hacer las leyes y no recibirlas [...] En todas partes a aquello que hay de mejor se le atribuye el nombre de Lope ¿y quisieran que no pudiera él establecer un nuevo arte poético? Es la naturaleza misma la que lo exige, como lo exigen las circunstancias de nuestra época o, finalmente, las cosas mismas.[2]

2. Alfonso Sánchez de Moratalla, *Expostulatio Spongiae* (1618): «*Sed quid ad te, Magne Lupe, comoedia vetus, qui meliora multo saeculo nostro tradideris quam Menandri, Aristophanes...? Nemo discrepat; omnes uno ore id optimum quod Lupus dixerit, id pro lege normaque poematis... Detulit illi sceptrum plebs... iure ergo regnat inter poetas... Ius regi est iura dare, non accipere... At Lupus rebus omnibus, quae meliores esse probantur, nomen imposuit suum, et habent, et hunc dubitas novem poeseos artem posse condere? Id modo flagitat natura, postulat saeculi conditio, res denique poscunt*», en Margaret Newels, *Los géneros dramáticos en las poéticas del Siglo de Oro*, Londres, Tamesis, 1974, pp. 184-191.

No nos dejemos extraviar, sin embargo, por los vibrantes acentos de ese *carmen triunfale* en honor a la soberanía del autor de *Fuenteovejuna*. Porque, sin que esto disminuya en nada el rango ni el papel de este último, conviene recordar el énfasis panfletario de ese panegírico, y volver a situar su ardor político en la verdad de un contexto más justo. Lope, en efecto, si bien sigue siendo el elemento más considerable, no debe ocultarnos el bosque de dramaturgos que, en el espacio y en el tiempo, han contribuido a la invención múltiple y al desarrollo de la *comedia nueva*: los nombres de los más importantes se encontrarán a continuación clasificados según el orden cronológico de su nacimiento: Guillén de Castro (1569-1635), Antonio Mira de Amescua (1574-1644), Luis Vélez de Guevara (1579-1644), Juan Ruiz de Alarcón (1581-1639), sin olvidar, por su lugar especial de *alter ego* del Fénix, al gran Tirso de Molina (1579-1648).

Los artífices del éxito

1. Guillén de Castro

Es la misma historia la que indica que debe empezarse por la evocación rápida de la trayectoria reveladora de este dramaturgo «periférico». Originario de Valencia, capital de una de las tres provincias que formaban en la época el conjunto oriental o Corona de Aragón, Guillén de Castro pertenece en un principio al grupo de los valencianos (micer Andrés Rey de Artieda, 1544-1613; Cristóbal de Virués, 1550-1609; el canónigo Tárrega, 1553-1602; Gaspar de Aguilar, 1561-1623), que establecerán con Lope de Vega fructíferos, complejos y decisivos intercambios para lo que se llama la «génesis del teatro barroco».

> Nacido en una familia de la pequeña nobleza, Guillén sigue la tradicional carrera de soldado y de servidor del Estado, a la vez que ocupa sus ocios con el cultivo de las letras. Miembro de la famosa academia de los Nocturnos —«Secreto» es su seudónimo en ella—, compone poemas de circunstancias, conoce tal vez a Lope en 1590 y participa con seguridad con él, en 1599, en las fiestas celebradas en Valencia en honor del matrimonio de Felipe III con Margarita de Austria. En 1608, publica por primera vez dos de sus obras, y luego, en 1618 y 1625, dos recopilaciones (*Primera parte* y *Segunda parte*), cuyos veinticuatro títulos constituyen la base de su *corpus* teatral.

Conjunto reducido —si se compara con las producciones enormes de un Lope o de un Tirso—, bastó para asegurar al dramaturgo español del Cid una forma perdurable, en razón a la singularidad de un recorrido donde una serie de experiencias modernas se ve integrada en el seno de una visión del mundo nostálgica, lo que determina una dramaturgia muy original.

De ahí que se dé preferencia, para la presentación de su obra, a un modo cronológico, que muestre las etapas de un itinerario. La primera de ellas se inscribe, geográfica, cultural y dramatúrgicamente, en el contexto valenciano.

> Por una parte, están, en la línea de las tragedias senequistas de Virués, unas obras como *El amor constante* (antes de 1599), *Progne y Filomena* (1608-1612), o *El caballero bobo* (antes de 1605), con sus personajes atípicos y el desencadenamiento de una violencia sanguinaria que sirve para suscitar el horror melodramático apreciado por los trágicos de la generación de 1580. Por otra parte, están las comedias, como *Los malcasados de Valencia* (entre 1595 y 1604), donde se aprovechan las innovaciones del autor de *El prado de Valencia* (hacia 1589), ese canónigo Tárrega, considerado por Rinaldo Froldi como el inventor de la primerísima forma de comedia española (con el amor como tema fundador de una acción construida sobre una doble intriga, la presencia del sentimiento del honor, la concepción del papel del galán, la aceleración conferida al ritmo dramático, el primer esbozo del criado cómico, etc.).

Pero 1589 es también la fecha del exilio en Valencia del madrileño Lope, de un Lope que aprende allí más que enseña, y que sabe captar, para darles la fuerza de una fórmula dramática de extrema eficacia, las formas nuevas de la tradición local. Desgajando definitivamente el teatro de la tradición de corte, todavía muy presente en Tárrega, Lope, más atento al público, reorienta la síntesis ya realizada por ese valenciano entre dignidad literaria y vitalidad escénica; le da nueva dimensión a una producción que había sabido asimilar plenamente la literatura y crearse, simultáneamente, un lenguaje propio, y concreta el sistema de la *comedia nueva*, tal como la ha descrito Nadine Ly. De ahí que cuando, en 1599, vuelve a la ciudad del Turia, influya profundamente sobre la evolución de Guillén de Castro.

> Éste inicia entonces su período más fecundo, con el pleno desarrollo de los temas tomados del Romancero (*Las mocedades del Cid, Primera y Segunda Parte de las hazañas del Cid*, hacia 1610-1615; *El conde Alarcos* 1600-1602), o de la mitología (*Dido y Eneas*, hacia 1613-1615), o, final-

mente, de Cervantes (*El curioso impertinente*, 1605-1606; *Don Quijote de la Mancha*, 1605-1608; *La fuerza de la sangre*, 1613-1614), inscribiéndose estas dos últimas recreaciones de modelos cervantinos en la perspectiva cómica a la que pertenece la obra consagrada al grotesco figurón del *Narciso en su opinión* (1612-1615).

La instalación del poeta en Madrid, después de 1619, ya no modificará sensiblemente su inspiración, cuya vena se agota hacia 1625, cuando se cierra la fase inicial de la historia de la *comedia nueva*. Porque los tiempos han cambiado, y Guillén ya no tiene su lugar, él, que a través de las vicisitudes de su trayectoria particular, no dejó de reafirmar, con su voz única en el concierto de los nuevos dramaturgos, los fundamentos de una utopía en adelante caduca.

Su universo dramático, en efecto, se constituye como el lugar de una exploración sistemática de figuras engendradas por el sueño, nostálgico y paradójico, de una posible adaptación de la amplitud de los valores antiguos en el marco mezquino de la historia presente. Se trata, en otros términos, de un sueño de actualización del ideal feudal —utopía que encarnará el caballero moderno— ya sea proyectado en el horizonte muy ampliamente abierto de una Castilla tomada en el período radiante de los inicios de la Reconquista (el Cid), ya vuelta a colocar en la atmósfera más confinada de un palacio (*El perfecto caballero*, 1610-1615).

Por eso, ese teatro de la primera generación del siglo XVII es, en amplia medida, un teatro de historia, cuando ya encuentran su pleno cumplimiento las tentativas de los trágicos de 1580 de hacer abordar la historia a las orillas del teatro. Pero ahora el interrogante sobre el destino de España se ha hecho más urgente, y el teatro, directamente articulado sobre un público ávido de respuestas, ha abandonado el círculo restringido de los eruditos. Los poetas dramáticos, en adelante, deben forjar modelos para la comunidad, es decir, formalizar los debates, presentar sus implicaciones y proponer, en el plano de lo imaginario, esbozos de soluciones. En lo que a Guillén se refiere, no sólo se interrogará sobre el porvenir de la España de su época y pondrá en escena elevadas discusiones políticas en las que se enfrenten, como en *Las mocedades*, el partido de la paz y el partido de la guerra; no sólo volverá insistentemente sobre el problema, a la vez tradicional y de actualidad, del tiranicidio, desde *El conde Alarcos* hasta *Cuánto se estima el honor* (hacia 1623); sino que se dedicará también, y más, a las condiciones y modalidades requeridas para el nacimiento del caballero moderno, a los obstáculos que encuentra y a los fracasos que sufre su construcción, cuando el ideal surgido de otra época choca demasiado fuerte con las realidades del tiempo presente.

De ahí que la obra de Guillén —cuando abandona las alturas de una heroicidad mítica basada en una historia modernizada y quiere abordar la complejidad de las relaciones de una casi contemporaneidad o de una real cotidianidad— tropiece con la contradicción mayor existente entre la primacía medieval de la amistad y la promoción moderna del amor, como se puede ver, después de la tragedia de *El curioso impertinente*, en la comedia de *Los malcasados de Valencia*. La primera obra consagraba el triunfo del amor frente a las perversiones de una concepción anacrónica de la amistad; la segunda, comedia del honor conyugal,[3] nos descubre, sobre la base del fracaso de las dos parejas de casados que son sus protagonistas, el sueño de un mundo liberado de la guerra y del amor. Aquí se conjura de modo agradable una angustia profunda del universo guillenista, donde otras angustias se ven análogamente conjuradas por la risa.

Queda que esta muy fuerte coherencia de su universo dramático es la que explica la forma duradera lograda por su creador (Guillén, en el siglo XVII, recibió los elegios de Cervantes y de Lope), al igual que la singular fortuna —a través de la recreación, sin medida común, es verdad, del francés Pierre Corneille— de su obra maestra todavía impregnada de ideal épico.

2. Tirso de Molina

Dimensión de epopeya que no está ausente, ya se ha dado a entender, en las producciones dramáticas contemporáneas: la de Lope, por supuesto, pero más aún la de Tirso de Molina, cuya obra más célebre, *El burlador de Sevilla* (antes de 1620), podría leerse, bajo ciertos aspectos, como la antítesis perfecta de *Las mocedades del Cid*. Conviene, sin embargo, recordar que la atribución a Tirso de esta primera «versión» del mito de don Juan —al igual, por otra parte, que la de otra obra maestra, el drama teológico *El condenado por desconfiado* (antes de 1625)—, sigue siendo discutible. Y, de hecho, esas dudas contribuyen al aura de misterio que ha rodeado hasta nuestros días la carrera dramática de este monje llamado Gabriel Téllez.

Nacido en Madrid en 1579, entró en 1600 de novicio en la orden de la Merced e inició una vida religiosa más que itinerante. Se encuentra la huella de su paso por muy numerosas ciudades del reino de Castilla, con etapas

3. En cuanto tal, constituye sin duda la variante más profundizada de esas experiencias dramáticas que intentaron, a partir del tema común de la carencia marital, tanto Lope (*Las ferias de Madrid*, 1588; *El castigo del discreto*; *La bella malmaridada*, 1596) como el mismo Guillén (*El vicio en los extremos*, hacia 1623).

principales en Sevilla, donde se embarca para una estancia de dos años en Santo Domingo (1616-1618), y en Madrid, donde tuvo sus más intensas horas de gloria literaria (1620-1625). Pero un edicto de 1625 exilia —al menos ése es el motivo oficial— a este religioso un poco escandaloso, autor de piezas profanas y fuente de malos ejemplos. Simultáneamente se le prohíbe escribir para la escena, interdicción que parece no haber transgredido, o muy poco: durante el último tercio de su vida se conocen de él sólo una comedia (*La huerta de Juan Fernández*, 1626) y dramas épicos (una trilogía de circunstancias consagrada a la familia de los Pizarro, 1629 y *Las quinas de Portugal*, 1638), mientras que aparecen (1627, 1634, 1635 y 1636) cinco *partes* de sus obras. Tirso dramaturgo desaparece, pues, y Gabriel Téllez, después de una carrera monástica bien colmada, muere en Almazán en 1648.

Aunque el poeta declara, en la dedicatoria de su *Tercera Parte*, tener en su activo más de cuatrocientas obras, lo que nos queda del teatro de Tirso —unas ochenta comedias y seis autos sacramentales escritos entre 1610 y 1620— no alcanza de ninguna manera la amplitud textual ni la amplitud cronológica de la obra de Lope (cuatrocientas unidades en más de medio siglo) o de la de Calderón (ciento ochenta unidades en seis décadas). Pero esta relativa concentración en el número y en el tiempo no debe hacer creer en alguna inferioridad o secundariedad del maestro Tirso de Molina, que a menudo sabe superar en Lope a un maestro que venera y, a la vez, abrirle el camino a Calderón. Y eso porque Tirso, situado en la bisagra de dos generaciones —la de los iniciadores y la de los continuadores—, se caracteriza por la extrema acuidad de su conciencia estética. Ésta no sólo se expresa en brillantes fragmentos teóricos diseminados en sus misceláneas en prosa (*Los cigarrales de Toledo*, 1624; *Deleitar aprovechando*, 1635), en su *Historia de la orden de la Merced* (redactada entre 1632 y 1639) o aun en las dedicatorias de las *partes* de sus obras. También se manifiesta en el curso de sus comedias, cuando diálogos o escenas de teatro en el teatro (las de *El vergonzoso en palacio* son las más célebres) nos hacen conocer a un Tirso gran conocedor de la naturaleza de la ilusión cómica y maestro soberano del juego teatral: cualidades que le permitirán ser, innegablemente, el primero de los autores cómicos del teatro español.

El campo trágico

No es que haya que subestimar la importancia de la treintena de unidades de su producción trágica, que se reparten entre dramas bíblicos (*La venganza de Tamar*, antes de 1624), dramas hagiográficos (*La dama del olivar*, 1614-1615; la trilogía de *La santa Juana*, 1613-1614; *El mayor desengaño*, hacia 1618), dramas históricos (*La prudencia en la mujer*, 1620-1623) o seudohistóricos (*Escarmientos para el cuerdo*, ¿1624?). Pero sigue siendo cierto que se comprueba, en esas tragedias formales, cierta brevedad, por no decir cierta fugacidad del elemento trágico.

El mejor ejemplo de esto es, sin duda, *La venganza de Tamar*, centrada en el drama de la pasión incestuosa de Amón, hijo de David, por su media hermana. Basta comparar esta obra con su refundición calderoniana (*Los cabellos de Absalón*) para percibir el espacio reducido (los dos tercios del tercero y último acto) que en ella ocupa el conflicto propiamente trágico, a su vez desactivada en el final lacrimoso de esta «lastimosa tragedia», donde la primacía que se otorga al amor permite llegar a la irrealizable reconciliación de las dos instancias, sin embargo presentadas como incompatibles, del perdón y el castigo.

En esta aquiescencia repetida a un «orden cristiano» en el que Serge Maurel ha querido ver el rasgo característico del universo dramático tirsiano, Tirso no se encuentra sólo en las antípodas de lo que será la tragicidad calderoniana, ajena a toda transigencia. Manifiesta igualmente, a partir de un cuestionamiento similar sobre la actitud del Buen Padre ante las faltas del Hijo, todo lo que lo separa de la visión lopesca.

Lejos del autor de *Los cabellos de Absalón*, Tirso también lo está del autor de *El castigo sin venganza* (1631), ese sublime canto del cisne lopesco, donde vuelve a encontrarse, simbólicamente, la figura de David. Aparece en ella el duque de Ferrara, poco preocupado por amar a Casandra, su reciente y muy seductora esposa, muy pronto engañado por Federico, su joven hijo bastardo. Pero ese padre ofendido, cuando recibe en el tercer acto la denuncia anónima del adulterio incestuoso, ya no es el calavera del comienzo de la pieza. Como David arrepentido de haber robado a Betsabé, ha renunciado a sus pecados de juventud y ha sabido responder al llamamiento del Papa, que lo invitaba a participar en la defensa de la Iglesia. De esa expedición vuelve metamorfoseado. Penetrado de una verdadera santidad laica, tendrá la fuerza, en el desenlace, de adecuarse a las leyes del honor —castigo del padre y no venganza del marido—, que no son más que las leyes sagradas de la Providencia.

Sin embargo, más que el contenido de esta decisión terminal, importa la exacta naturaleza de lo que está en el origen de su palingenesia. Su fuente primera es el «valor» del personaje, cuya autorregeneración sólo se debe a la excelencia de la sangre de quien sabe volver a escuchar la historia y dejar actuar en él una *virtud* adormecida durante un momento. Lo cual, al mismo tiempo, nos revela el fundamento de ese teatro de la inmanencia, que es el teatro de Lope, frente a un teatro de la trascendencia, como es el de Tirso.

Es, por lo menos, lo que confirma la orientación singular que da el dramaturgo mercedario a sus dramas campesinos, subgénero dramático sin equivalente en la historia del teatro europeo del siglo XVII. Frente a las tragedias rústicas de Lope (*Fuenteovejuna*, 1612-1614; *Peribáñez*, 1605-1608; *El mejor alcalde, el rey*, 1620-1623), las obras campesinas de Tirso se caracterizan antes que nada por una elusión sistemática de lo trágico contenido en el conflicto que opone, en esas «comedias de comendador», a arcaicos feudales con sus «vasallos» tiranizados. En *La dama del olivar*, como en *La santa Juana*, el antifeudalismo lopesco está emasculado, y el problema de la mala conducta de los señores remitido a una solución religiosa. De los dramas de la venganza popular, donde se pone el acento en el instrumento humano del castigo (pueblo y monarcas), se ha pasado a obras hagiográficas, donde prima la intervención divina que impone el perdón final. Lo que, dramatúrgicamente, se traduce en una considerable alteración de la pintura de las relaciones amorosas que se tejen entre los personajes. Así, frente a la inmanencia del amor englobante y ascensional del mundo campesino según Lope, los «milagros» con componente rural de Tirso, donde el amor muy a menudo toma el camino descendente de las apariciones celestiales, constituyen un lugar privilegiado para hacer oír la palabra trascendente de una divinidad de ninguna manera oculta y cuyos mensajes siempre son audibles.

Siempre audibles, pero no siempre percibidos. Así dan prueba de una imperdonable sordera los dos protagonistas de las dos obras maestras complementarias atribuidas, con mucha verosimilitud, a Tirso: *El condenado por desconfiado* (Paulo, el ermitaño de Nápoles) y *El burlador de Sevilla* (don Juan, el condenado por exceso de confianza).

A diferencia del Cid de Guillén, capaz de prestar atención a los discursos proféticos del leproso colocado providencialmente en el camino de sus expediciones militares, pero al igual que el caballero de Olmedo de Lope, sordo a la canción premonitoria del campesino con el que se cruza en su viaje, el Paulo de Tirso, «hijo de nadie» convertido en virtuoso anacoreta, revela una real falta de aptitud para percibir o entrever los signos enviados, en su bondad, por el único Padre que ha elegido y bajo cuya maldición termina por caer ineluctablemente. Su recorrido negativo —la historia de una condenación eterna— se construye, en realidad, como una inversión del recorrido de los protagonistas de las comedias de santos, de las que Tirso nos recuerda oportunamente el esquema contrastado en el seno mismo de la obra. Frente al rigorismo poblado de visiones funestas y mezclado con accesos de tristeza pavorosa del ermitaño napolitano, se yergue, en efecto, la figura del hijo de Anareto, Enrico, formidable bandido que nunca reniega de su amor y respeto por la persona de su padre. Así es como, en el desenlace, se cumplirá el paso clásico, en el teatro hagiográfico, de su condición de proscrito a la de personaje santificado. Paulo, en el momento de hundirse en el tormento, maldecía a sus progenitores anónimos; Enrico, en cambio, recibirá la recompensa del que ha sabido unir las dos virtudes mayores del héroe dramático de la *primera comedia*: una piedad filial indefectible y un «valor» sin fallo, positivamente reorientados, en el último momento, hacia la conquista del Cielo.

Precisamente, esta reorientación es la que no logrará cumplir el demasiado seductor y muy valeroso don Juan Tenorio, heredero de los héroes de la Reconquista. Pero ésta, justamente, y a diferencia de la Castilla abierta a la gesta del Cid, se presenta ya como terminada. La paz que le sucede —símbolo, para los contemporáneos de Tirso, de la tregua de los Doce Años (1609-1621)— priva, pues, al joven don Juan de la escena natural en la que podría expresarse todo el alcance de su «valor».

Por eso busca alguna compensación en la multiplicación de sus conquistas amorosas, que en Tirso no son fruto de pulsiones inventoras de una nueva modalidad del héroe, sino más bien maniobras para satisfacer, sobre las ruinas del honor ajeno, un «erostratismo» desprovisto de cualquier dimensión ética. Pero el poeta ofrece a su personaje la ocasión de rescatarse. Coloca en su camino a un adversario a la altura de su valor, el comendador Gonzalo de Ulloa, embajador de Castilla ante el rey de Portugal, de regreso de una misión en Lisboa.

Lo que el viejo guerrero ha visto en aquel lugar es, abierta a la reinversión positiva de una valentía hasta entonces mal empleada, la eventualidad de una nueva aventura épica, inducida por el desplazamiento del eje de la historia desde el mar Mediterráneo hacia el Océano, cuando se inicia, después de las reconquistas antiguas, la era de las conquistas futuras a partir de Lisboa, capital moderna del mar de Portugal. Pero el bloqueo anacrónico de don Juan impide que se adapte a los imperativos de los tiempos modernos. Feudal retrasado cuyo arcaísmo no va nunca más allá del culto renaciente al puro «valor-*virtù*», sabe —con innegable grandeza, fuente de una fascinación fundadora del futuro mito— erguirse ante la estatua del convidado de piedra; pero permanece sordo a los mensajes repetidos de ese enviado del Cielo y muere réprobo, al final de un enfrentamiento donde la burla de escarnio del Burlador sale vencida por la contraburla sin engaño del justiciero divino.

El campo cómico

Noción central, en sus dos dimensiones complementarias de escarnio y engaño, para la inteligencia de la comitragedia del *Burlador*, la burla desempeña igualmente un papel fundamental en la elaboración del universo cómico tirsiano donde, sobre un fondo de audacia e invención, triunfa sin complejo la risa.

Las comedias cómicas de Tirso se distribuyen bastante fácilmente en diferentes subgéneros hoy bien definidos.

> Están, primero, las comedias de capa y espada, comedias urbanas y contemporáneas, que tienen como tema específico los amores de los miembros de la nobleza media o inferior, de donde salen la mayoría de sus protagonistas. Éstas son *Marta la piadosa* (1615), *Don Gil de las calzas verdes* (1615), *El amor médico* (1619-1621), o también *No hay peor sordo*, *Los balcones de Madrid* (1624; ¿segunda redacción en 1632?), *La celosa de sí misma* (1620-1621)... Luego vienen, menos abiertamente lúdicras, las comedias palaciegas, que tienen por marco cortes extranjeras (Italia, Alemania, Bohemia, Francia, Portugal) donde evolucionan, en momentos de una historia siempre imprecisa, miembros de la alta nobleza totalmente consagrados al éxito de sus aventuras amorosas. Son, por ejemplo, *El melancólico* (1623), *Ventura te dé Dios, hijo* (1615), o *Amar por razón de estado*. Y hay, finalmente, las comedias palatinas, que desaparecerán en cuanto se termine la *primera comedia*. De la categoría precedente, conservan el marco espacio-temporal; pero de ella se diferencian, en el plano sociodramático, por la mezcla que ofrecen entre protagonistas que pertenecen, por una parte, a la alta nobleza y, por otra, a categorías subalternas (secretarios, rústicos...), viéndose sometida esta infinita distancia social, en el curso de las intrigas más variadas, a un proceso más o menos pronunciado de disolución. Subgénero a veces difícilmente aislable a partir de los únicos criterios que acabamos de enunciar, se caracteriza además por una tonalidad cómica francamente frívola o burlesca, signo de la naturaleza hiperlúdicra de esas obras de burlas, entre las que se recordarán: *El vergonzoso en palacio*, *El castigo del penséque* (¿1613?), *Quien calla otorga* (1622-1623), *El celoso prudente* (antes de 1621).

El teatro cómico del monje mercedario aperece, pues, como el teatro del triunfo de la burla. Lo prueba, para citar un solo ejemplo, la deslumbrante composición elaborada por Tirso a partir del motivo, omnipresente en la *comedia nueva*, de la mujer con disfraz varonil: quiero hablar de *Don Gil de las calzas verdes*, sin duda modelo de un género en el que la fantasía tiene libre curso y donde lo domina todo el artificio. Allí se ve a Juana, abandonada por su amante, lanzarse en su búsqueda y, para recuperarlo, adoptar un número excepcional de máscaras e identidades diferentes. Hasta tal punto que será ella la única que podrá orientarse en el laberinto nacido de las vicisitudes, a veces imprevisibles, que conocen sus transpersonajes, manipulados por ella, en sus diferentes niveles de teatralización, con magnífica destreza, garantía de su victoria final.

Éxito revelador de esta conciencia lúdicra y estética cuya extrema acuidad en Tirso ya ha sido señalada; pero éxito fácil, en la medida en que, una vez dominado el primer abatimiento en el que pudo hundirla la herida del amor, los obstáculos que encuentra pertenecen exclusivamente al mundo exterior. No sucede lo mismo cuando el fallo es interior. Tal es el caso de Melchor, el héroe de *La celosa de sí misma*. Seducido, a su llegada a Madrid, por una belleza desconocida, este caballero leonés ignora que no es otra que su prometida. Dominado por el recuerdo de la fulgurante aparición de una mano, no reconoce en Magdalena, la joven que le está destinada, el anónimo objeto de su pasión. Empieza entonces, entre la mano de la bella desconocida y la mano de la novia conocida, un ballet de figuras cada vez más complejas. En él se descubre el «valor» imaginativo de Melchor, que nunca renuncia a su deber de interpretación de los signos a cual más interferido por sus implacables perseguidoras. Y termina por triunfar, gracias a la integridad y a la pertinencia de su facultad imaginativa, gracias a «esa capacidad de ver que le conduce desde la iluminación primera hasta la iluminación última»[4] y le permite restaurar la evidencia inicial, harto tiempo sometida a las amenazas de la labilidad de las apariencias.

Aquí nos encontramos, de manera más general, frente a la orientación específica según la cual se cumple, en los personajes de Tirso, la actividad de la función imaginativa, frente al tropismo dominante que informa su poética de la mirada. Utilizando una breve fórmula, podría decirse que en Lope —el Lope de *Amar sin saber a quién* (1620-1622) o de *El acero de Madrid*— la mirada es más bien prospectiva: la imaginación es allí prefiguración y presciencia; es cognición premonitoria y su tarea consiste en la conquista del mundo por venir, cuando la realidad termine por corresponderse con las utopías de la ficción. En Tirso, por el contrario, la mirada es más bien retrospectiva: las capacidades de la imaginación siguen en él un proceso de reconocimiento, y su empresa es la reconquista de la iluminación original, por un instante ocultada en un universo falsificado por efímeros magos.

4. Jean Starobinski, «Sur Corneille», en *L'Œil vivant. Essai (Corneille, Racine, Rousseau, Stendhal)*, París, Gallimard, 1961, p. 43.

Esta oposición entre un poeta de la creencia, colmado de indefectible confianza (Lope), y un poeta de la memoria, inclinado a una optimista desconfianza (Tirso), se vuelve a encontrar muy naturalmente en la categoría cómica más fascinante de la *primera comedia*: la de las comedias palatinas. Las dos obras maestras de este subgénero son innegablemente *El perro del hortelano* y *El vergonzoso en palacio*, perfectas ilustraciones de la *concordia discors* que existe entre teatro lopesco y teatro tirsiano. Comedias del casamiento desigual, ambas exploran la noción de vergüenza, tanto en su dimensión femenina (pudor e impudor), como en su dimensión masculina (inhibición y audacia).

> En la pieza de Tirso, se contemplan los complejos amores entre Magdalena, hija del duque de Avero, y Mireno, campesino llegado a la corte y muy pronto promovido al cargo de secretario de dicha dama. La diferencia considerable de sus condiciones, generadora de tensiones particulares, los pone en la obligación —contra la tentación siempre presente de un rechazo de los peligros de la enajenación amorosa— de inventar nuevos modos de hablar. Mediante el uso de técnicas del decir sin decir y la utilización del lenguaje del cuerpo, adquieren progresivamente el dominio de los signos y llegan a vencer los bloqueos nacidos de un excesivo pudor o engendrados por un injusto temor. Liberados finalmente de su avariciosa aprensión a perderse, resultan dignos de la recompensa final: la hija del duque de Avero puede desposarse con Mireno, que ignoraba ser hijo del duque de Coimbra, y se beneficia de la recuperación retrospectiva de su título, en exacta oposición con la promoción prospectiva de Teodoro en *El perro del hortelano*.

Con la lectura de este breve panorama del teatro tirsiano, se mide la profunda incomprensión de la que pudo ser objeto desde que, separado de las raíces vivas de la *comedia nueva*, fue recuperado, después de dos siglos de olvido, por la crítica del siglo XIX. Tirso se convirtió entonces en uno de los pocos dramaturgos del Siglo de Oro reconocidos como capaces de profundidad psicológica, el único digno de ser comparado, en esta perspectiva, con los autores dramáticos franceses o con Shakespeare. Habrá que esperar al final del siglo XX para que, liberado del doble prejuicio que hacía de su teatro un teatro «de caracteres» aunque con una paradójica dimensión de inmoralidad, la producción dramática del monje de la Merced sea considerada en toda su coherencia de universo de fantasía de gran validez artística. Es lo que habían comprendido inmediatamente los autores de la *segunda comedia*, siempre dispuestos a hacer refundiciones de obras tirsianas (como lo harían, también, muchos escritores del siglo XIX), mientras que se desarrollaba continuamente el mito de don Juan. En la actualidad, las representaciones de las obras de Tirso —sobre todo de sus comedias cómicas, —provocantes de la embiagrez de la risa— alcanzan regularmente el más grande de los éxitos.

3. Dramaturgos periféricos

En la estela del «monstruo de naturaleza» se sitúan, en ese comienzo del siglo XVII, una pléyade de escritores teatrales de segunda o tercera fila, de los que daremos sólo una lista muy incompleta, establecida según el orden cronológico de sus fechas de nacimiento:

— Antonio Mira de Amescua (Guadix, 1574-1644);
— Luis Vélez de Guevara (Écija, 1579-1644);
— Andrés de Claramonte (Murcia, ¿1580?-1626);
— Juan Ruiz de Alarcón (México, ¿1581?-1639);
— Alonso Castillo Solórzano (Tordesillas, 1584-1648);
— Diego Jiménez de Enciso (Sevilla, 1585-1634);
— Antonio Hurtado de Mendoza (Castro Urdiales, 1586-1644);
— Luis Belmonte Bermúdez (Sevilla, ¿1587?-1650);
— Felipe Godínez (Sevilla, 1588-1637).

Se observará, en esta corta enumeración, el origen no madrileño de los autores citados, aunque es cierto que algunos de ellos hicieron toda o parte de su carrera dramática en Madrid, donde pudieron conocer a otros discípulos de Lope de Vega, nacidos en la capital: Alonso Jerónimo de Salas Barbadillo (1581-1635), Juan Pérez de Montalbán (1602-1638), o Jerónimo de Villaizán (1604-1633)... Queda que esta localización periférica inicial no carece de significación; traduce (olvidado durante mucho tiempo por una crítica obnubilada por la imagen de una *comedia nueva* monolítica) un fenómeno ahora mucho mejor conocido: el de la intensa vida teatral de las provincias de los diferentes reinos de España en la época de los madrileños Lope, Tirso o Calderón. De esto dan testimonio, en la actualidad, la multiplicación de estudios sobre los diferentes lugares teatrales peninsulares, como los teatros de Sevilla (verdadera metrópoli teatral, de 1590 a 1630, con sus muy numerosos corrales), de Valencia (con su famosa Casa de la Olivera), de Oviedo (con la construcción tardía de la Casa de Comedias), o también de Pamplona, Tudela, Córdoba, Almagro, León, Lisboa o Alcalá de Henares.

Juan Ruiz de Alarcón

Es, sin duda, el más periférico de los autores incluidos en el «ciclo de Lope de Vega», y lo es desde un triple punto de vista, geográfico, biográfico y dramatúrgico.

> Nacido en México donde permaneció hasta los veinte años y adonde volvió entre 1608 y 1613, era ante todo un letrado, que ocupó cargos administrativos y para quien la literatura parece haber sido sólo un largo paréntesis en una carrera consagrada, en lo esencial, al servicio del Estado. Este paréntesis se abre y se cierra en Madrid, entre 1613 y 1625, con la producción de dos docenas de obras que constituyen un *corpus* en muchos aspectos *estrecho*.

Estrecho, en efecto, parece el adjetivo más adecuado para caracterizar el universo dramático de Alarcón. En su vertiente trágica, numéricamente menor, se vuelven a encontrar los rasgos de la «destragedización» característica de la *primera comedia*. Pero aquí los procesos se llevan al límite, porque no corren nunca un riesgo trágico los protagonistas de esas obras en que nunca se ponen realmente en juego los fundamentos éticos, políticos, míticos o religiosos de la sociedad y del individuo. Es el caso de los dramas «políticos», que a veces se califican de «comedias de privanza» (dramas centrados en las relaciones entre el privado y el príncipe), subgénero abordado por el conjunto de los dramaturgos de la *comedia nueva*... En Alarcón, a decir verdad, ninguna de las cuatro comedias así designadas —*Ganar amigos* (¿1620-1621?); *Los favores del mundo* (1616-1617), *La amistad castigada* (1621), y *Los pechos privilegiados* (1619-1622)— se constituye como una verdadera tragedia del «poder injusto»:[5] ésta, por el contrario, se ve constantemente desactivada por el predominio absoluto conferido a las nociones de lealtad y de amistad, que cumplen, en cierta manera, la función de una benevolente y muy laica providencia de corte.

En esta perspectiva se comprenderá que, a pesar de interesantes tentativas trágicas como *El Anticristo* (1623) o *El tejedor de Segovia* (1619-1621), el ámbito privilegiado de expresión de este dramaturgo sea el campo cómico, al que de hecho pertenece la gran mayoría de su producción. Se trata principalmente de comedias urbanas como, entre las más célebres, *La verdad sospechosa* y *Las paredes oyen* (1616-1617). Estas comedias de enredo, de tono moralizador y ricas en efectos satíricos, tienen como tesis el vicio muy carac-

5. La expresión es de Francisco Ruiz Ramón, en *Historia del teatro español (desde sus orígenes hasta 1900)*, Madrid, Alianza Editorial, 1967, p. 194.

terizado de un protagonista, mentiroso en el primer caso y maldiciente en el segundo. A pesar de las vacilaciones de la crítica más reciente, la suerte que se les reserva en el desenlace no deja lugar a dudas. Sus defectos, aunque no mortales, no por eso dejan de ser pecados mayores, ya que son totalmente contrarios a las virtudes fundamentales del caballero ideal, la lealtad y la amistad. Por lo cual, nuestros dos fabuladores son desestimados en última instancia, obligado el uno a desposarse con quien no ama, y dejado sin esposa el otro.

Dos dramaturgos andaluces

Digamos, con más exactitud, dos poetas que «subieron» de Andalucía, entonces provincia del reino de Castilla: Luis Vélez de Guevara, nacido en Écija, cerca de Sevilla, y Antonio Mira de Amescua, nacido en Guadix, cerca de Granada.

Luis Vélez de Guevara

A decir verdad conviene no exagerar la repercusión de su origen provinciano. En efecto, lo esencial de la carrera de Vélez se desarrolla en Madrid: se instala allí a la edad de treinta años, para seguir al conde de Saldaña, uno de los numerosos señores a los que dedica su vida de funcionario de la nobleza de corte. Allí hace sus primeras armas de poeta, luego de autor dramático y produce un importante conjunto de obras —se le atribuyen hasta cuatrocientas—, de las que nos quedan en la actualidad un centenar, con la particularidad de una ausencia casi total de comedias urbanas y domésticas.

Caso raro si se considera la práctica de una inmensa mayoría de dramaturgos de producción multiforme, la especialización de Vélez en la tonalidad heroica se debe probablemente a la frecuentación continua de los círculos de la alta nobleza, de la que llegó a ser poeta oficial. De ahí su preferencia por los temas históricos o histórico-legendarios (*Reinar después de morir,* antes de 1635), o por los tomados del Romancero (*La serrana de la Vera*, 1613; *La niña de Gómez Arias*, 1608-1611).

Las atraviesa un motivo que determina la intensidad patética y lírica (con aprovechamiento frecuente de poesías tradicionales) de la producción trágica de Vélez: se trata del tema de la mujer entregada al abandono amoroso, como Inés de Castro, la «reina muerta» sacrificada en el altar de la razón de Estado; o bien como Gila, la montañesa demasiado ingenua y demasiado ambiciosa, pero que no se resigna. Para poder aplicar una venganza implacable y desmesurada, llega a hacerse bandolera destructora de todos los hombres que se ponen a su alcance y merece el castigo supremo que le reservan, con toda justicia poética, los Reyes Católicos, a cuya altura imaginó por un momento que podía alzarse.

En cambio, estos mismos príncipes, en *La luna de la sierra* (1613), se empeñarán en salvar a Pascuala, heroína campesina raptada por lascivos señores. A diferencia de la Casilda de *Peribáñez* —cuyos esquemas estructurantes Vélez retoma pero desvía considerablemente— Pascuala, en efecto, es abandonada por un marido que pronto pierde los bríos, y debe su salvación a la intervención real, única capaz de paliar ese fracaso del amor bucólico a lo Lope y, a la vez, de preservar, a lo Tirso, la casta noble, colocada a la sombra protectora de un desenlace recuperador.

Vemos una vez más, pues, a un autor de la *primera comedia* elegir la edulcoración de una tensión trágica inicial. Tensión que, paralelamente, no llegará más allá de la vibración patética, en otros dramas de Vélez, donde se oponen personajes paternales y personajes filiales... Tanto es así que, en la atmósfera filoaristocrática y áulica del mundo de Vélez, la virtud noble siempre supera los signos del destino (*Virtudes vencen señales*, 1615-1622). Para esto debe, como en algunas de las seudocomedias del autor, recurrir a las burlas; ésa es la estratagema que permite a un galán fantasma recuperar a su amada amenazada por la excesiva pasión de un monarca tiránico (*El diablo está en Cantillana*, 1626).

Antonio Mira de Amescua

La exigüidad del campo cómico es uno de los rasgos que comparten Vélez de Guevara y Mira de Amescua, «meridionales» ambos y muertos ambos en 1644. Pero aquí se acaban sus semejanzas.

Porque Mira, hijo ilegítimo, es ordenado sacerdote a los veinticinco años y conocerá primero la vida relativamente itinerante a la que le obligan sus cargos eclesiásticos. Sólo en 1616 cederá a la fascinación de la Villa y Corte, donde ya había estado entre 1606 y 1610 y donde residirá hasta 1632.

En Madrid, pues, escribirá la totalidad de su obra —unas cincuenta y tres comedias y catorce autos sacramentales—, en la que destacan, indiscutiblemente, las producciones hagiográficas o comedias de santos. Ese subgénero, extremadamente popular, fue cultivado, si se exceptúa a Guillén de Castro y a Alarcón (que tampoco escribirán verdaderos dramas campesinos), por todos los dramaturgos de la época, desde los más importantes a los más modestos. Citemos como ejemplos *El rufián dichoso* de Cervantes,

Lo fingido verdadero de Lope, la trilogía de *La santa Juana* de Tirso, *La devoción de la cruz* de Calderón, *San Franco de Siena* de Moreto, etc. Y recordemos la definición que da Jean Canavaggio a partir del modelo elaborado por el Fénix:

> [Evoluciona] alrededor del protagonista —santo o bienaventurado— toda una serie de estereotipos: en el plano terrenal, el padre, símbolo de la autoridad, pero también de un afecto nunca desmentido; la dama, encarnación de las tentaciones de la carne; el criado que, confidente y cómplice de una vida pecadora, muy a menudo sigue a su amo a la hora de la conversión; el pobre, que permite que se ejerza la caridad del verdadero cristiano; el monje ambientador, que exalta las virtudes del héroe a la manera del coro antiguo; en el plano sobrenatural, son de uso obligado las alegorías, manifestaciones del poder divino o de los poderes malignos, y las apariciones, demoníacas o sagradas, que, independientemente de su valor puramente espectacular, posibilitan el paso entre el mundo de acá y el más allá.[6]

Mira, en *El esclavo del demonio* (antes de 1612), como más tarde Calderón en *El mágico prodigioso*, cruza los rasgos del subgénero con la temática del personaje que vende su alma al diablo para obtener la satisfacción de sus más queridos deseos.

> Un santo ermitaño, fray Gil de Coimbra, se dedica a convencer a don Diego, su amigo, de que no comprometa el honor de Lisarda. Pero, de pronto, la mano de Dios parece abandonarlo («Soltóme Dios de su mano», es el verso *leitmotiv* de la obra), y conoce la tentación. Viola a la joven y la arrastra a una vida de bandolero sin piedad. Su deseo, sin embargo, no se ha saciado, y para obtener los favores de la virtuosa hermana de Lisarda, firma un pacto con el Demonio y se hace su esclavo. Pero su nuevo amo no es más que un ilusionista; el cuerpo que Gil cree abrazar es sólo un esqueleto. Entonces el arrepentimiento se apodera de él, como se había apoderado de Lisarda, rebelde a cualquier alienación. Y los dos se entregan a la única verdadera obediencia, ella como esclava de su padre, él como esclavo de Dios. Ahí se encuentran, pues, injertados en el esquema fáustico, todos los tópicos del teatro hagiográfico, ordenados en un drama teológico en el que el espectador aprende que no hay más Fortuna que Dios.

6. *Cervantès dramaturge. Un théâtre à naître*, París, PUF, 1977, pp. 199-200.

En realidad, Mira, sea su asunto religioso o profano, trata obsesivamente un único y mismo tema: el muy barroco de la inconstancia o de la versatilidad de la Fortuna. Hay los dramas bíblicos (*Los prodigios de la vara y capitán de Israel; El arpa de David*), los personajes de Moisés y David que conocen las vicisitudes incesantes y contrarias de la condición de privados. Hay los dramas históricos (historia de España o historia extranjera), con los itinerarios cruzados y contrastados de los juguetes de la Fortuna que son los amigos Porcellos y don Vela (*No hay dicha ni desdicha hasta la muerte*), o bien los avatares de los héroes de obras con títulos reveladores: *La próspera fortuna...* y *La adversa fortuna...*, o bien las tribulaciones de los protagonistas de *La rueda de la fortuna* (antes de 1615), dramatización de la historia de Heraclio, a veces considerada como la fuente de Corneille y hasta de Calderón.

Esta última filiación no es inverosímil ni fortuita. Porque en Mira se observa, a pesar de una fidelidad de conjunto al modelo lopesco, algunas tendencias anunciadoras de una evolución hacia la *segunda comedia*. Lo evidencia el nuevo sesgo que le da —como lo dará el Calderón de *Afectos de odio y amor*— a la comedia palatina tan apreciada por Lope o Tirso. En *Galán, valiente y discreto*, ya no se encuentra huella de su audaz inventiva; toda problemática social ha desaparecido de esta mera comedia palaciega, llena de justas, juegos académicos, proezas cortesanas y otros torneos, para que pueda el héroe afirmarse como «galán, valiente y discreto».

Digamos para concluir que el teatro de Vélez y el de Mira, después de su considerable éxito en el siglo XVII, sufrieron ambos un largo eclipse. La rehabilitación de la obra dramática del primero, más conocido por su novela *El diablo cojuelo* (1641), sólo empezó verdaderamente con el siglo XX, mientras que la del segundo apenas se está iniciando. Pero tanto para el uno como para el otro, la edición fidedigna de sus textos será su mejor garantía: en la actualidad se ha emprendido de manera un poco dispersa para Vélez y de manera mucho más sistemática para Mira, gracias al trabajo del Aula-Biblioteca Mira de Amescua de Granada.

4. Géneros periféricos

Dejemos las cosas claras. Hablar para el auto sacramental, o para el entremés, de genéros periféricos no significa que sean géneros de menor valor estético. Si son dependientes o «menores», es en razón a su corta extensión (un acto único) y, también, en virtud de su situación de vasallaje respecto de la Comedia, esa «reina de los festejos», para retomar una expresión de Antonio de Solís en su loa a la obra titulada *Las Amazonas*.[7]

El «teatro de devoción»

Todavía es necesario precisar, cuando se aborda el campo sacramental, el exacto contenido de esta dependencia, que sería más justo llamar interdependencia. Por un lado, el auto, mucho antes de adquirir su configuración definitiva —el auto sacramental, alegórico y eucarístico según Calderón—, desempeña un papel central en la organización económica de la actividad teatral en el Siglo de Oro. Al respecto, Marcel Bataillon ha mostrado luminosamente las implicaciones de los contratos que, para celebrar con toda la magnificencia deseable las festividades del año y, en especial, las del Corpus, los municipios establecían con ciertas compañías, que con esto se aseguraban una gran fama y la rentabilidad de su temporada. Pero, por otro lado, al unir su suerte al mundo del teatro profano, el auto —que, a partir de 1570-1580, los profesionales son los únicos en representar— se subordina, en cierto sentido, a la comedia, cuya evolución sigue muy de cerca. El «teatro de devoción» hace así suyas, significativamente, la práctica de la polimetría, una voluntad de estructuración dinámica de la acción y una búsqueda de los efectismos espectaculares. El auto se convierte, según la definición de Jean-Louis Flecniakoska, en «una comedia devota reducida a un acto y con gran aparatosidad escénica». Más aún, se observa el empleo cada vez más frecuente de la alegoría: ésta no se limita a la personificación de entidades abstractas (la Fe, la Esperanza, la Caridad...); se extiende al conjunto del sistema metafórico o simbólico de la obra y permite al auto aprovechar virtualmente todos los argumentos sacados de los textos sagrados, de las letras humanas o del espectáculo de la vida, en la prolongación de una ampliación que ya se notaba en las últimas piezas del *Códice de autos viejos* reunidos entre 1550 y 1590 (véase el cap. VIII del tomo correspondiente al siglo XVI de esta misma *Historia de la literatura española*). Así que, exactamente como la comedia, el auto, gracias a la alegorización, se convierte en *summa* temática de la literatura universal y de la vida contemporánea y se encuentra en condiciones de renovar indefinidamente los soportes de un amplio mensaje didáctico, cuya especialización eucarística se precisará con los años.

7. *Loa para la comedia de «Las Amazonas«*, ed. de Hannah E. Bergman, en *Ramillete de entremeses y bailes*, Madrid, Castalia, 1970, v. 2.

Mientras tanto, en el seno de un proceso de homogeneización al que conduce el impacto del «género pre- y coexistente» del que se nutre, el auto se caracteriza todavía, en amplia medida, por su diversidad. Multiforme, exaltará los méritos de la Iglesia, de los sacramentos, de la Virgen y de los santos; será eucarístico, mariano, hagiográfico o concebido para celebrar la Natividad... En otro plano, la participación múltiple, como autores de autos, de dramaturgos «profanos» de gran talento —Lope, Tirso, Mira...— explicará la variedad, y la desigualdad, de una producción que aún no goza, salvo excepción, de la autonomía estética que sabrá conquistar, en el mismo marco de su dependencia constitutiva, en la época de Calderón.

Así, Lope marcará el género con su impronta lírica, a costa, a menudo, del rigor alegórico. Sus autos más logrados (*La siega*, 1621; *El heredero del cielo*) son aquellos en los que, sobre la base de un simbolismo ya bien establecido (la parábola del buen sembrador en un caso, la de los viñadores en el otro), puede expandirse a gusto su vena poética, rústica o popular, que también podrá emplearse en recuperaciones directas de temas profanos (*La adúltera perdonada*, sobre el esquema de un drama de honor). Pero ya apuntan las carencias que afectarán a sus obras menos valederas, especialmente una cierta falta de unidad en la construcción alegórica. Hasta el punto que podría decirse, según Bruce Wardropper que, en la producción sacramental de Lope, la teología es sirvienta de la poesía, y no a la inversa, como será el caso en Calderón.

De ahí las bellezas, pero también los límites de las que Lope llamaba «Comedias/a honor y gloria del pan, [...] /porque su alabanza sea/ confusión de la herejía/ y gloria de la fe nuestra».[8] Otros no llegarán a vencer estos límites: ni Tirso de Molina, del que sólo dos de sus cinco autos formales alcanzan, de manera inhábil, un verdadero status alegórico (*El colmenero divino*, antes de 1615; *Los hermanos parecidos*, 1615); ni Vélez de Guevara (*La abadesa del cielo*; *Auto de la mesa redonda*); ni siquiera Mira de Amescua, a pesar de la abundancia de su producción (catorce autos, entre ellos *Pedro Telonario*, elaborado a partir de la leyenda hagiográfica de un rico avaro de Alejandría).

Sólo logrará alzarse al nivel del Fénix, y luego superarlo, la singular figura de José de Valdivielso (Toledo ¿1560?-Madrid 1638), único autor de su época en no escribir más que «teatro de devoción» y que publica en Toledo, en 1622, *Doce autos sacramentales y dos comedias divinas*. Con Lope comparte el gusto por la expresión poética, los juegos y danzas tradi-

8. Citado en B. Wardropper, *Introducción al teatro religioso del Siglo de Oro. Evolución del auto sacramental antes de Calderón*, Salamanca, Anaya, 1967, 2.ª ed., pp. 27 y 28.

cionales o el uso intensivo de elementos heredados directamente de la comedia. Pero mucho mejor que Lope sabe liberarse de los moldes y elaborar, para una escritura específica del drama eucarístico, fórmulas originales y de una perfecta eficacia. Lo ilustran las obras maestras que son *El hospital de los locos* (1602), *El peregrino* y *La amistad en el peligro*, características por su explotación sistemática de elementos bíblicos, por la concentración de su acción dramática y, además de todo, por la coherencia sin fallos de una armazón alegórica de una rica complejidad y de una real autonomía. La poesía dramática ya no perjudica al mensaje doctrinal; es, en su plenitud, la mejor servidora del mismo.

El «teatro breve»

Pero, en aquella época, la emoción religiosa no es la única manera de participación de los fieles espectadores en las festividades —en el pleno sentido del término—, para las que se compone ese «teatro de devoción». En él la risa ocupa un lugar destacado. No sólo porque, en la línea del teatro religioso del siglo anterior, se inscribe en la estructura del auto (citemos a los graciosos de las obras de Valdivielso), sino sobre todo porque no hay representación devota sin el encuadramiento cómico de piezas cortas, que también existe, con un papel análogo, en cualquier representación profana.

Lo que los historiadores llaman a veces, a falta de algo mejor, «teatro breve» o «teatro menor» aparece entonces, en el siglo XVII, en la doble dimensión de su total dependencia. Dependencia práctica, por una parte, ya que, salvo excepción (las folías de entremeses del período de Carnaval), nunca está representado separada o aisladamente; y dependencia teórica, por otra parte, ya que sólo fue concebido para incorporarse a un espectáculo de conjunto donde dominan los géneros, entonces «mayores», de la comedia o del auto. Frente a la autonomía de representación y de concepción que caracterizaba a las comedias antiguas de la prehistoria de la comedia (los autos, pasos y farsas del siglo precedente), el teatro corto, en sus diferentes modalidades (loa, entremés, jácara, baile o *mojiganga*), se define, pues, en el siglo siguiente, como un género *recuperado* o, si se prefiere, *integrado*.

En primer lugar, ideológicamente. En la medida en que su única función es servir de interludio —contrapunto cómico de la pieza devota o diversión en el seno de la pieza profana—, ese teatro, integralmente elaborado *sub specie recreationis*, no tiene ese alcance subversivo o contestatario que le quiere atribuir cierta crítica reciente, que se olvida demasiado de las convenciones que rigen su escritura.

Y, luego, formalmente. En ese primer cuarto del siglo XVII se asiste, en efecto, a una doble evolución. Por un lado, está el abandono progresivo de la prosa «a la antigua» —todavía ampliamente dominante en esas comedias antiguas que son los entremeses cervantinos— en beneficio del «verso moderno», es decir la adopción y la adaptación del sistema polimétrico de la comedia. El paso se cumple lentamente, desde el jalón aislado de la microcomedia burlesca de *Melisendra* (1600-1604) hasta el triunfo, por así decirlo, completo, de las formas versificadas a partir de *El ingenioso entremés del examinador miser Palomo* (1617), de Antonio Hurtado de Mendoza. Y, por otro lado, se desarrolla una categoría de entremeses concebidos como revistas satíricas, como desfiles de *figuras*, que se distinguen todas por su ridícula inadaptación a las exigencias de los tiempos modernos.

> El entremés de *Miser Palomo*, desde este punto de vista, puede ser considerado un modelo del género. No tanto porque en sus dos partes (el examinador, en la segunda, se convierte en Doctor Dieta, curador de las pasiones del alma) desfila ante nuestros ojos una agradable teoría de personajes, unos más extravagantes que otros. Sino, más bien, porque en el movimiento de esos retratos en cadena, se afirma una clara tendencia a un irrealismo negador de cualquier verdadero alcance moral. Lejos de cierta intención de corregir las costumbres, que estaba acompañada, en las mejores comedias antiguas, por cierta preocupación por la profundidad en la caracterización de los personajes y cierta coherencia en la construcción dramática, los «nuevos entremeses» se contentan, muy a menudo, con ser sólo series de caricaturas; por eso la búsqueda de un rasgo estilizado y divertido predomina sobre la verdad de fantoches que invaden la escena sin otro principio de articulación que el de una acumulación de motivos grotescos. El entremés se ha convertido en catálogo, y la acción —o su ausencia— en simple pretexto para una proliferación de ingeniosidades y para un festival de agudezas, ritmados por el modo epigramático de las combinaciones de versos endecasílabos.

Lo cual significa que la risa que puede nacer de esas adiciones de proezas ingeniosas y de hallazgos verbales sólo puede ser una risa superficial. Incapaz de alcanzar la conjuración de los miedos primarios que aseguraban la fuerza cómica permanente de los entremeses primitivos más logrados, el nuevo entremés no es más que un divertido «desfile de moda», donde lo cómico surge del solo y mecánico contraste entre las normas históricas y los graciosos excesos nacidos de su no respeto. Fórmula sin duda históricamente necesaria ya que, al compartir la pretensión enciclopédica de la comedia y del auto, favoreció una considerable ampliación de los temas, de los personajes y de los ambientes representados en el «teatro breve», el entremés-desfile no deja de ser una fórmula muy limitada, que sólo la intervención de Francisco de Quevedo (1580-1645) permitiría superar.

Lo que ese gran escritor, poeta y prosista genial, aportó al «teatro breve» es, primero, en la línea de sus escritos satíricos, la fijación de ciertos tipos o situaciones, como la figura de Escarramán, personaje de rufián que, a partir de 1612, se convirtió en la fuente, en el teatro y fuera del teatro, de la moda de la jácara (poema o entremés consagrados al mundo del hampa). Es, sobre todo, la elaboración de una fórmula de mucho porvenir, con la ruptura decisiva del sutil equilibrio que, en su pintura de las chifladuras de la época, todavía mantenían sus contemporáneos entre convencionalismos de un seudo verismo y artificios de la broma. En Quevedo, el abandono de cualquier veleidad realista deja el campo libre a la expresión de la fantasía más descabellada. Ésta, por ejemplo, preside al desenlace grotesco de *La polilla de Madrid* (1624), o hace de la serie de máscaras insólitas de la segunda mitad de *Los refranes del viejo celoso* (sin fecha) una carnavalesca mojiganga. De esa manera, el poeta, a través de un importante conjunto de unas quince obras cortas, logra dar cuerpo a un universo burlesco muy alejado de la futilidad seudo satírica de los «desfiles» de moda; al mismo tiempo, vuelve a la dimensión terapéutica de la risa, cuando ésta permite conjurar angustias profundas, como la del honor conyugal, invertida en el doble entremés *Diego Moreno* (1604-1614), figura emblemática del marido cornudo y cosentido. El terreno ya está preparado para que establezca su imperio el «Pontífice del entremés», Luis Quiñones de Benavente, que compone sus primeros entremeses a partir de 1616.

MARC VITSE

CAPÍTULO VI

GÓNGORA Y LA POESÍA LÍRICA

Luis de Góngora y Argote (1561-1627) no sólo es, con Lope de Vega y Quevedo, uno de los tres mayores poetas de la España de su época. Es el poeta por excelencia. Por vivas que hayan sido las controversias que suscitó su obra en vida del poeta, por asombrosas que hayan podido ser las vicisitudes que sufrió en el curso de los siglos, su preeminencia se impone en adelante indiscutiblemente. Modelado por la cultura, alimentado por múltiples tradiciones, no por eso deja de ser el inventor de una «nueva poesía» que, por la virtud de un lenguaje de una plenitud absoluta, capta la esencia misma de las cosas y exalta el mundo recreándolo.

Esta aventura excepcional, con la distancia del tiempo, nos hace el efecto de una gravitación solitaria; y, sin embargo, se inscribe en un paisaje tan rico como variado. La España del siglo XVII cultivó la poesía con pasión, más allá del círculo de los profesionales de las letras. Pudo, a veces, dividirse entre admiradores y adversarios de esa «poesía nueva», de la que Góngora se había convertido en el símbolo; pero, como veremos, la abundante producción que nos ha dejado, y que estamos lejos de haber recorrido por entero, escapa a las clasificaciones y compartimentaciones que se le quiso imponer en otra época. A falta de captar su exacta medida, trataremos, llegado el momento, de distinguir sus principales rasgos a favor de una rápida mirada.

Luis de Góngora

Don Luis de Góngora y Argote nació en Córdoba, el 11 de julio de 1561, en una familia de caballeros cuya situación hacía poco había prospe-

> rado bastante. Por su padre, Francisco de Argote, jurista y hombre culto, cuya biblioteca reunía a un círculo de intelectuales, la familia estaba vinculada a los regidores locales: esos cargos (veinticuatrías) eran más o menos hereditarios, el hermano y los dos cuñados del poeta integraron, con los principales notables de la ciudad, el consejo municipal de Córdoba al igual que, más tarde, dos de sus sobrinos. Por su madre, Leonor de Góngora, la familia tenía, por otra parte, sólidas raíces en la Iglesia: el tío materno de don Luis, Francisco de Góngora, era racionero de la catedral de Córdoba. Las rentas sustanciales de esa ración permitieron al tío Francisco adquirir una casa en Córdoba y bienes en los alrededores: huertos, viñedos, olivares, tierras de labrantío, jardines... Si a esto se agrega una bodega aneja a su casa y las rentas en especie que aportaban los diezmos eclesiásticos (cereales, frutos, leña para la calefacción, aves, etc.), se entrevé ya el horizonte muy rural, aunque ciudadano, de la infancia de Góngora: su obra estará profundamente marcada por el mismo.

Para una familia, una dignidad eclesiástica de esta importancia representaba una fortuna que no podía dejar escapar. Así se explica que en 1575, con apenas catorce años, don Luis, llamado a suceder a su tío, ya esté tonsurado. Así se explica también que, a partir de esa fecha, lleva primero el apellido de su madre (Góngora), que es también el de su tío, antes que el de su padre (Argote): ésa era, debidamente consignada en actas notariales, la voluntad expresa del tío Francisco que, además, dotó generosamente al hermano y a las dos hermanas del poeta.

Diez años más tarde, en 1585, después de haber terminado sus estudios en Salamanca (donde estuvo entre 1576 y 1580) y de haber recibido las primeras órdenes mayores (aunque sin llegar al sacerdocio), el joven poeta sucedió a su tío en el cabildo de la catedral.

1. El poeta rebelde

En esa época Góngora ya ha escrito unas sesenta poesías, que empiezan a circular en forma de copias manuscritas: sonetos petrarquizantes, por una parte, romances populares y letrillas irreverentes, por la otra; todas esas poesías, incluso las primeras, escritas sin duda en Salamanca, se caracterizan por una densidad, una perfección formal y una soltura que, de entrada, las sitúan por encima de lo que se escribe generalmente en esa época; en el centro de su inspiración, el amor, platónico en los sonetos, a menudo picante y descarado en los romances y las canciones.

Si se las considera más de cerca, se ve cómo esa inspiración contradictoria refleja la evolución de una personalidad que poco a poco se afirma, y busca liberarse de las trabas del viejo ideal del amor cortesano, siempre dominante en las mentalidades, y siempre repetido en la literatura de la época: adoración platónica, esclavitud sin esperanza, resignación quejosa, evasión en el sueño... Aun si lo que escribe ya es impecable, Góngora todavía está en período de aprendizaje, y no sólo en el plano literario: es también su actitud ante la vida la que está precisándose en el curso de esos años.

Es conveniente señalar un error de perspectiva muy difundido. La crítica, en efecto, siempre se ha obstinado en privilegiar sólo los sonetos de ese período juvenil, sin tener en cuenta la cronología, ni el contrapunto que constituyen las poesías en metros tradicionales (romances, letrillas) del mismo período, ni, sobre todo, la influencia muy visible de los modelos italianos (Bernardo y Torquato Tasso, Francesco Maria Molza, Luigi Groto, Tansillo, Sannazaro, Ariosto), que traduce, a veces, literalmente, sin hablar, por supuesto, de la de Garcilaso: de ahí la imagen muy difundida de un Góngora impersonal, marmóreo, e incluso insensible, que se ha superpuesto a su obra, mientras que, tomada en su conjunto, no hay ninguna más sincera, más auténtica, más autobiográfica en el sentido profundo del término.

A pesar del carácter muy profano de su producción, tanto después como antes de 1585, no puede decirse que Góngora no se tome en serio las obligaciones de su carrera eclesiástica. Además, la estima de sus colegas del cabildo se manifiesta en las responsabilidades que éstos le confían: gestiones en el ayuntamiento (donde tiene sus influencias), organización de las fiestas del Corpus, control de las cuentas, etc. Pero es innegable que su profesión nunca encajará con él, aun cuando, mucho más tarde, a los cincuenta y seis años, deberá hacerse ordenar sacerdote para poder acceder a la dignidad de capellán de honor del rey.

También es verdad que, si su estado lo obliga a ir cada día —en un marco que los turistas modernos conocen bien—, en medio de las columnas de la antigua mezquita, al coro de la catedral para cantar las horas, las obligaciones son bastante leves, y se toleran hasta cien días de ausencia por año. Poco devoto, don Luis sigue llevando, en medio de sus sobrinos y sobrinas, una existencia sobre todo laica, aunque sin escándalo. En una investigación sobre la moralidad de los miembros del cabildo (racioneros y canónicos) que el obispo Pacheco hizo realizar en 1588-1589, se percibe un Góngora joven y alegre, amante de las corridas de toros, que frecuenta a los comediantes y escribe canciones profanas; nos enteramos también de que abandona frecuentemente su silla del coro durante los oficios para ir a charlar fuera, y que se demora a la salida en el «Arco de bendiciones», frente al patio de los naranjos, para hablar mal del prójimo con sus amigos del cabildo. Según el tono de su respuesta sobre estas acusaciones —breve declaración que es una obra maestra de humor y de gracia—, se lo siente poco contrito, seguro de haber infringido sólo muy ligeramente los límites permitidos.

El cabildo recurre a menudo a voluntarios para diferentes misiones lejanas. Es la ocasión para Góngora de salir frecuentemente de viaje, a lomo de mula, con los gastos pagados por la catedral y con la bendición de sus colegas, tanto para saludar a un obispo, como para activar un proceso del cabildo en Madrid, y, más veces, para realizar la investigación ritual sobre los ascendientes de los nuevos candidatos al cabildo (información de limpieza de sangre): al hojear su obra se encuentra la huella de esas múltiples peregrinaciones a través de la península, por otra parte testimoniadas por los documentos capitulares y notariales.

Tal es, a grandes rasgos, el fondo sobre el que hay que situar su obra: una profesión eclesiástica que él acepta sin rechistar, pero sobre la que tiene tendencia más bien a ironizar; tiempo libre que le permite frecuentar comediantes, músicos y artistas, estudiar, escribir también, pero raramente y sólo por placer; una vida independiente, confortable y muy provinciana, entrecortada por escapadas a través de España. Tanto se ha querido hacer de él un poeta «puro» y, de alguna manera, desencarnado, que es necesario insistir sobre este arraigo de su obra en la vivencia cotidiana y, de manera más amplia, en la España de su época.

No se trata de hacer aquí una lista exhaustiva de los viajes —para considerar sólo ese aspecto de su vida— que lo inspiraron. Bastarán algunos puntos de referencia:

1585-1586. Viaje a Granada. Romance «Ilustre ciudad famosa» y, en el camino de regreso, soneto a Córdoba («¡Oh excelso muro, oh torres coronadas!»). Durante ese mismo período, hizo también un viaje a Madrid, que alimentó su vena satírico-burlesca: «Ensíllenme el asno rucio», parodia de un romance en boga de Lope de Vega, y la letrilla satírica «Si las damas de la Corte».

1588. Nuevo viaje a Madrid. Ironiza sobre la liza siempre virgen que espera en vano a los lidiadores, y sobre el puente monumental que sólo espera un río: sonetos «Duélete desa puente, Manzanares» y «Téngoos, señora tela, gran mancilla».

1591. Una vez más Madrid y, de paso, Toledo con su ruinosa fortaleza de San Servando, que le inspira reflexiones poco patrióticas: romance «Castillo de San Cervantes».

1593. Salamanca, donde cae gravemente enfermo (soneto «Muerto me lloró el Tormes en su orilla») y, al regreso, la conventual Toledo, donde corteja a una monja muy salada: letrilla «Mandadero es el arquero».

Detengámonos más largamente en el viaje de 1603, literariamente uno de los más fecundos. Góngora sólo pasa por Madrid, ciudad provisoriamente privada de la corte, para descubrir Valladolid, nueva capital adonde la llegada de la corte ha creado insolubles problemas de urbanismo y alojamiento. Su numen satírico se desencadena contra el Esgueva, arroyuelo transformado en cloaca: los versos que escribe en esa ocasión le valen un sólido renombre de poeta escatológico, que a menudo le será recordado. Pero en el curso del mismo viaje, se acuerda también que, al salir de Madrid, una pueblerina rubia de ojos de esmeralda le hizo agradables proposiciones (aunque interesadas) y ésta es la fuente de una de sus más primorosas letrillas, «Una moza de Alcobendas». Y, sobre todo, a la ida, pasó por Cuenca, donde tenía que hacer una investigación por cuenta del cabildo, y allí se produjo el deslumbramiento: vio en la primavera, bajo las pinedas, montañesas de fiesta, y a ese espectáculo le debemos el célebre romance «En los pinares de Júcar»: el recuerdo de sus danzas, sus cantos, sus sonrisas —faldas verdes y azules entre los rayos tamizados del sol, castañuelas de pizarra entre dedos de marfil, blancos piñones que crujen bajo dientes blancos— lo perseguirá largo tiempo, para resurgir diez años más tarde en la primera Soledad. Aparecerá también en el mismo poema el recuerdo de las impresiones experimentadas en 1593, cuando, al volver todavía enfermo de Salamanca, perdió el camino y vagó por la noche (soneto «Descaminado, enfermo, peregrino»)...

Se entrevé, a través de estos ejemplos, cómo los viajes por la península alimentaron su obra, y no sólo en el plano anecdótico, sino sobre todo en el nivel de las emociones poéticas más fuertes y más duraderas. Puede decirse, simplificando un poco, que Córdoba y Madrid son los dos polos simbólicos, uno de atracción, el otro de repulsión, alrededor de los cuales se organiza esta visión gongorina de España. Al lado de Córdoba, habría que colocar las ciudades andaluzas queridas por el poeta (Sevilla y sobre todo Granada), así como Toledo donde, desde la época en que sus estudios lo llevaban cada año a Salamanca, hacía un alto en cada uno de sus viajes hacia el norte, y donde contaba con numerosos amigos y admiradores. Por el lado de Madrid, habría que poner a Valladolid, capital de 1600 a 1606, y todo lo relacionado con la corte y el poder central. Esto es lo que impresionó a sus contemporáneos, que primero vieron en él a un provinciano orgulloso de serlo y un poco provocativo: «el poeta andaluz», «el cordobés», en los escritos de la época, es él por antonomasia.

A primera vista puede tenerse la impresión de que esas sátiras contra las capitales (Madrid, Valladolid y más tarde Lisboa) siguen a flor de piel; no nos engañemos: más allá de las bromas sobre el lecho seco del Manzanares o sobre los hedores de Valladolid, hay un rechazo más general y más profundo, que llega mucho más lejos que simples impresiones turísticas. Este rechazo se manifiesta, por ejemplo, a propósito de las empresas militares o de las iniciativas políticas de la monarquía (expedición de la Armada Invencible en 1588, expulsión de los moriscos en 1609, expedición de Larache en 1610, de La Mamora en 1614), respecto de las cuales afecta una indiferencia que frisa la hostilidad, incluso si, a veces, sus relaciones, su situación lo obligan a entonar sin convicción un canto de triunfo. No es exacto hablar de oposición política (cosa impensable en la época), pero sí de un apoliticismo insolente que resalta en el concierto general de fervor patriótico en el que participan todos los otros poetas de la época.

Si se llega más lejos, encontramos esa misma actitud a propósito del clero, a costa del cual nunca pierde ocasión de divertirse, él, hombre de la Iglesia. Y es también el mismo tipo de reacción que expresa a propósito del amor caballeresco, del que siempre se burla (hasta el punto de que aún en la actualidad, su romance «Diez años vivió Belerma» pudo indignar al pudibundo Menéndez Pidal), o del amor petrarquizante, del que reniega después de haber creído en él, como se pudo ver anteriormente. En definitiva, lo que siempre se reencuentra es el mismo anticonformismo, la misma afirmación de sí, a veces agresiva y muy a menudo burlona.

Y es además lo que le reprochará el jesuita Pineda, al hacer el balance de su obra, en el informe que envió a las autoridades inquisitoriales poco después de la muerte del poeta:

> Habla con malediciencia, y pica a todos los estados de la república cristiana y, muy ordinario, de todos los estados religiosos y eclesiásticos en general, diciendo mal de clérigos y bonetes, de frailes, de monjas, de coronas, de jueces, de abogados, de la corte, de los títulos, de los casados, de las doncellas, poniendo en todos nota de vicios y pecados generalmente [...].
>
> Aunque este libro no sea del todo lascivo, mas porque el autor sólo tuvo su famosa eminencia en lo lascivo y picaril, verde y picante, por esta sola materia y título es leído y buscado, como si de esto solo escribiera, y así hace tanto daño [...].

> Se sigue ser derechamente contra las buenas costumbres del pueblo cristiano, y tanto más perjudicial, cuanto por ser en vulgar, y en verso y composición, y chistes y refrancillos ridículos, es más fácil de haber y más apetitoso de leer, y de acordarse y repetir, en conversación y fuera della, sus dichos, los doctos e indoctos, varones y mujeres, religiosos y monjas, y todos estados.

En este juicio —injusto, por cierto, y tanto más parcial por cuanto Pineda recordaba cierto soneto particularmente mordaz que Góngora le había lanzado en 1610—, se ve cómo se presentaba la obra del cordobés para los sectores más retrógados de la opinión: como la de un poeta irrespetuoso, libertino y subversivo. Es cierto que frente a la España «oficial» y devota, tal como comienza a petrificarse alrededor de 1600, Góngora aparecía como una prolongación del espíritu del Renacimiento, en lo que tiene de contestatario, de optimista y de pagano. Esto es sobre todo lo que lo diferencia de Lope de Vega o de Quevedo (dos madrileños: no por azar) y lo que permite emparentarlo, más allá de las diferencias de estilo, con Cervantes.

> El humanismo de la primera mitad del siglo XVI se continúa en su obra, y le inspira, entre otras cosas, esa condena vehemente del colonialismo español que sorprendió a los comentaristas antiguos y modernos de la primera *Soledad*, escandalizados por ver escarnecida la misión evangelizadora de España. Las tres carabelas de Cristóbal Colón, la conquista del Caribe y luego de los mares del sur, «cola escamada de Antárticas estrellas»; el paso del cabo de Buena Esperanza y las expediciones hasta «los reinos de la Aurora»; el descubrimiento del estrecho de Magallanes, «de fugitiva plata/la bisagra, aunque estrecha, abrazadora/de un Océano y otro, siempre uno»; la vuelta al mundo de Juan Sebastián Elcano; las islas lejanas del Pacífico, «la inmóvil flota/en aquel mar del Alba», todo esto es a la vez evocado en términos espléndidos en un denso paréntesis de ciento treinta y siete versos, y al mismo tiempo renegado, maldecido, atribuido a la detestable Codicia, y sólo a ella, como el poeta recuerda enérgicamente varias veces.

Y finalmente es el paganismo del Renacimiento el que se expresa, no sólo a través de su manera muy personal de integrar la mitología en los temas actuales, sino sobre todo en la exaltación inagotable de la mujer, de la belleza y del amor, tema al que permanecerá fiel desde el comienzo al final de su carrera poética.

2. LAS GRANDES OBRAS DE LA MADUREZ

Góngora nunca se preocupó por editar sus obras. Hasta llegó a perder, o no volver a encontrar, alguna estrofa que un amigo felizmente había conservado. Y sin embargo, a pesar del carácter confidencial de esta difusión, limitada al comienzo a un círculo de aficionados, la celebridad le llegó poco a poco, y hasta la popularidad. En esa España de fines del siglo XVI, todo el mundo es un poco poeta, la aristocracia todavía es culta y, muy pronto, sus versos refinados, cargados de alusiones sutiles y con segundas, encuentran un público de entendidos. La música, por otra parte, contribuye a popularizar sus canciones, que se retoman en el teatro o, «vueltas a lo divino», en las iglesias.

Tales son los canales por los que empieza a expandirse su obra: la difusión manuscrita, muy importante en la época, lo que explica que la poesía que puede así escapar de la censura, represente un papel crítico que la prosa no puede tener; y la transmisión oral, sobre todo por los textos musicales (letrillas y romances con estribillo), que por lo visto fue también muy importante, puesto que se han encontrado, en medio de todo lo que debió perderse, las partituras de veintiséis de sus poesías. Pero muy pronto se le agregaron los pequeños romanceros o romancerillos impresos, que se multiplicaron a partir sobre todo de 1589, y donde se encuentran, cada vez más frecuentemente, poesías de Góngora (sin hablar de las de sus imitadores anónimos que, generosamente, se le atribuyen). Estas diferentes recopilaciones se reunieron un poco más tarde en el gran *Romancero general* de 1600, reeditado y completado en 1604. Un año más tarde, en 1605, apareció otra recopilación colectiva de contenido menos popular, las *Flores de poetas ilustres* de Pedro Espinosa, donde la parte consagrada a Góngora es predominante: alrededor de los cuarenta años, aunque sus grandes obras todavía están por escribirse, este poeta indolente, que nunca corrió tras el éxito, tuvo una verdadera notoriedad y en adelante será considerado por sus contemporáneos el más grande poeta español.

Pero es también el momento en que el bienestar económico que ha tenido hasta ese momento empieza a resquebrajarse, y esto es lo que marcará en los años siguientes el giro decisivo de su carrera.

Su prosperidad declina, en principio, por razones de orden general que conciernen a toda España: la moneda se degrada, los precios suben, la producción agrícola (base de las rentas eclesiásticas) disminuye. Pero también hay razones personales para esta decadencia: don Luis, que siempre asumió el papel de «jefe de familia», cede una parte de sus rentas a dos sobrinos llamados a compartir más tarde su prebenda: Pedro de Góngora, que entrará en las órdenes, y Luis de Saavedra, que le sucederá en el cabildo. Las sobrinas crecen y hay que establecerlas: para casarlas dignamente (una familia de caballeros no se rebajaría a no hacerlo), hay que dotarlas; para hacerlas entrar en el convento, también hay que dotarlas... Además, el poeta tiene gustos dispendiosos y, como otros muchos aristócratas, es jugador.

A las preocupaciones materiales se agregan los pesares familiares, sobre todo la muerte, en 1605, del hijo mayor de su hermana, muerto a los veinte años en una riña y cuya desaparición parece haberlo afectado mucho. Su melancolía se transparenta en algunas poesías que escribió en 1607, en el curso de su viaje al sur de Andalucía, a Lepe, invitado por el marqués de Ayamonte. En 1609, en el curso de una larga estancia en Madrid, trata en vano de que se resuelva el proceso que su hermana había entablado contra el asesino de su hijo. Desalentado por la lentitud del procedimiento, por el fallo de los apoyos con los que contaba, por la vida absurda de la capital, no piensa más que en escapar y volver a Córdoba.

Los famosos tercetos que escribe en esa ocasión, «¡Mal haya el que en señores idolatra!», lo llevan a hacer un balance de su vida en forma de autocrítica: no es el primero, pero sí el más completo y más sincero. Se reprocha haber querido jugar a poeta de corte, haber creído en la palabra de los grandes, a veces haberlos adulado:

La lisonja, con todo, y la mentira
(modernas Musas del Aonio coro),
las cuerdas le rozaron a mi lira...

Evoca la finca en la que vive habitualmente en los alrededores de Córdoba, la huerta de don Marcos, y el murmullo de sus arroyos, que deben burlarse de él al enterarse de su fracaso. En un arrebato de dignidad, sacude el polvo de sus zapatos y reclama una mula para volver a Andalucía abandonando (para siempre, piensa) la vida agotadora y estéril de Madrid. Reencontrar su huerta, sólo vive de esa esperanza: el agua, la vegetación, los pájaros, el rocío en la hierba, las ramas encorvadas por los frutos, las peras, las manzanas, los alrededores de la fuente; ésos son los elementos de la verdadera felicidad. La dicha, si existe, está allí, a la sombra de los naranjos, en la «soledad»...

¡La Soledad! La palabra aparece por primera vez en su obra, y la pronuncia sin tristeza: porque la soledad no es el abandono del desamparado, ni la celda del anacoreta: es —un poco como el «desierto» de los clásicos franceses— la felicidad del pueblo recobrado, el retiro lejos de la confusión de la corte, el regreso sobre sí, el acceso a los placeres simples de la naturaleza, conjunto idílico que se parece algo a los sueños de nuestros contemporáneos en este final del siglo XX. Ése es, a las puertas mismas de Córdoba, el marco rústico en el que hay que imaginar a Góngora —liberado de sus obligaciones capitulares porque lo reemplaza su sobrino Saavedra— escribiendo, entre 1610 y 1614, sus obras mayores, cuando hasta entonces se había limitado a componer piezas cortas. Por primera vez toma en serio su oficio de poeta: de aficionado se convierte en escritor.

El teatro

Sus obras largas son primero dos comedias, *Las firmezas de Isabela* y *El doctor Carlino*... La primera, cuya acción se desarrolla en Toledo, es un homenaje a la ciudad imperial, cuyo marco, evocado con insistencia a lo largo de toda la obra, es magnificado al comienzo del tercer acto por un diálogo de un centenar de versos que hace pensar en el famoso cuadro de El Greco. Es también y sobre todo, hecho único en la época, una comedia burguesa, en el sentido en que los personajes que pone en escena son hombres de negocios de Toledo, Sevilla y Granada, cuyas operaciones mercantiles se evocan con precisión: hay que recordar que, en el teatro español, el comerciante, que aparece raramente y sólo en papeles secundarios, es generalmente un personaje interesado y despreciable, situado en las antípodas del héroe en un sistema de valores estructurado por la ideología aristocrática dominante. Con Góngora, por primera —y única— vez, el burgués aparece sin complejos en la comedia.

No menos original en el plano de la técnica narrativa, *Las firmezas de Isabela* defiende abiertamente lo contrario de las costumbres impuestas por Lope de Vega. Las unidades de lugar y de tiempo son respetadas con exactitud casi provocativa. Pero lo más notable es la habilidad con la que Góngora supo integrarlas en la misma intriga: el juego complicado de las falsas identidades, de las mentiras, de los equívocos y de las falsas confidencias a las que se asiste se debe al hecho de que los protagonistas se hallan de repente en la necesidad de desenredar sus intrigas sentimentales antes de la llegada inminente de sus padres, anunciada para esa misma noche. En el embrollo que engendra esta precipitación, el límite de las veinticuatro horas deja de ser una traba para convertirse en el motor de la intriga. La obra, por otra parte, está construida según normas opuestas a las costumbres teatrales, y no sólo a las de la época: mientras que el espectador de una obra de Lope o de Tirso (y otro tanto podría decirse de los clásicos franceses) tiene la impresión de ser llevado de la mano desde el comienzo y, después de la exposición de los datos iniciales, conducido hacia el desenlace gracias a una construcción minuciosamente calculada, Góngora se esfuerza, por el contrario, en dar la impresión de una realidad no elaborada, de la que el espectador se informa poco a poco, y que sólo comprende verdaderamente al final, cuando reúne todas las confidencias truncadas que pudo sorprender, destacando los indicios que ha observado, y, por supuesto, calando de parte a parte las mentiras que pudieron extraviarlo... Técnica muy moderna, cercana a la de ciertas novelas (policíacas o no) y de algunos filmes actuales.

Es indudable que Góngora, aficionado asiduo a las comedias, había reflexionado mucho sobre los problemas del teatro y que su obra representa, como todo lo que emprende, una revolución en relación con las normas en uso. Esta apreciación se confirma con el análisis de *El doctor Carlino* (1613) cuya técnica es totalmente semejante, aunque el registro sea muy diferente: de las relaciones de negocios que mezclan «caudales y corazones», pasamos a las artimañas de un falso médico, alrededor del cual gravita cierto número de individuos pasablemente corrompidos: Gerardo, jugador y libertino; Tancredo, rico y crédulo; su poco virtuosa esposa, la bella y codiciosa Lucrecia; don Tristán, rico anciano decrépito, Casilda, bonita persona de costumbres ligeras, cómplice de Carlino, que sirve a todos de alcahuete, etc. Pero en la misma inmoralidad de esos personajes es donde hay que buscar la originalidad de la obra. En suma, Góngora toma personajes tradicionales del entremés, y los modela y completa suficientemente para darles el espesor, la personalidad inherentes a personajes de comedia: una vez más un caso único en la historia del teatro español de la época. Si se agrega que la intriga a la que los lanza (inspirada en parte por el alegre cuento de Boccaccio que La Fontaine traduciría con el título «A mujer avara, galán timador») no puede ser más libre, y que el diálogo está atiborrado de juegos de palabras y de sobrentendidos muy verdes, se comprenderá el carácter paradójico de la empresa: porque lo que podía admitirse en el marco de una farsa corta (donde la exageración de lo burlesco y el esquematismo de las situaciones y de los personajes hacía tolerable lo que no lo hubiera sido en un registro serio) no tenía ninguna posibilidad de ser admitido en el nivel de la comedia. Esto es, sin duda, lo que explica que la obra esté incompleta: al darse cuenta de que nunca sería representada, Góngora renunció para nuestra gran desazón, a escribir el tercer acto.

Expresada en términos de retórica y de cánones literarios, la audacia de Góngora en *El doctor Carlino* consiste en haber abolido las fronteras que, tradicionalmente, separan los entremeses de la comedia: es exactamente el mismo tipo de transgresión, de confusión deliberada de los géneros, que se le reprochará a propósito de las *Soledades*.

El «Polifemo»

Pero antes de las *Soledades* y aun antes de *El doctor Carlino*, está el *Polifemo (Fábula de Polifemo y Galatea)*, poema de quinientos cuatro versos, compuesto durante el año 1612 y difundido en copias manuscritas a partir de 1613.

> La crítica reciente ha aportado una contribución considerable a la interpretación literal de esta obra ardua. Pero está comprometida en una sistematización discutible que exagera la oposición entre la feminidad frágil de Galatea y la fuerza brutal del Cíclope, para hacer de ese contraste entre «monstruosidad y belleza» (la fórmula es de Dámaso Alonso) la base de teorías sobre el barroco, su desmesura, sus tensiones internas, etc. Pero lo esencial del poema no reside, tal vez, en eso, porque Góngora introdujo en el esquema heredado de Ovidio (*Metamorfosis*, XIII, vv. 750-897) importantes modificaciones, que no están orientadas en el sentido de esa estética atormentada que se le atribuye. Su cíclope es moralmente mucho menos monstruoso que el de su modelo; por amor se humaniza y, si conserva su riqueza y su estatura, éstas adquieren otra significación, poética y sentimental: sus innumerables rebaños hacen pareja con sus sufrimientos, y si bien puede tocar el cielo con su dedo, es para escribir en él la inmensidad de su desdicha. Al obstinarse en hacer de ese poema el parangón del barroco, se subestima el gusto muy seguro de Góngora, que lo llevó a suprimir cantidad de detalles afectados o caricaturescos, así como la preocupación por la armonía arquitectónica que lo llevó a reestructurar el relato de Ovidio, a completarlo y a repartirlo en tres partes cuidadosamente equilibradas: el Cíclope y Sicilia; los amores de Acis y de Galatea; el canto de Polifemo. Sin querer otorgar a estas etiquetas más importancia de la que merecen, se podría demostrar sin dificultad que el poeta barroco es Ovidio, y que en el poema de Góngora, por el contrario, están todas las características que podrían permitir ver en él una gran obra «clásica». (Podría decirse lo mismo a propósito de su teatro: frente a Lope de Vega, paradójicamente, el «clásico» es él...)

Al examinar el poema, se ve qué pudo atraer a Góngora en este mito: primero, el relato de los amores de Acis y de Galatea, descuidado por Ovidio y sus seguidores. La seducción de la ninfa, larga escena intensa y muda, ocupa el panel central del tríptico: es una lenta sucesión de miradas, gestos, actitudes, un admirable ballet silencioso con el que Góngora expresa, con una delicadeza y una sutileza infinitas, las primeras emociones amorosas de una joven. Ese tema del amor que triunfa sobre la bella insensible está presente en todas partes en su obra: lo había tratado soberbiamente en 1600 en el *Romance de Angélica y Medoro* («En un pastoral albergue»), y lo volverá a retomar, en 1620 sobre todo en el *Romance de Hacén* («En la fuerza de Almería»). Amor triunfante, y también triunfo del amor, porque aquí la ficción mitológica, más apta para eludir las prohibiciones morales, le permite llevar la escena hasta su desenlace glorioso.

Con ese motivo central se unen tres temas secundarios, que la tradición unía al mito de Polifemo: la abundancia pastoril y rústica; la poesía de los ríos y fondos submarinos, que aureola la figura de Galatea; y finalmente, los naufragios y las navegaciones lejanas, tema unido a la leyenda del Cíclope por una tradición que, a través de la *Eneida*, se remonta hasta la *Odisea*.

> Desde el punto de vista formal, la *Fábula de Polifemo y Galatea* es, sin ninguna duda, la composición más brillante y más acabada de Góngora. Nadie, antes ni después, ha sabido manejar el endecasílabo como lo ha hecho él en este poema, explorando sus posibilidades, enriqueciendo las sonoridades y el ritmo, confiriéndole una expresividad incrementada; nadie como él ha tenido el arte de estructurar poderosamente una octava, de conseguir tal armonía con las dos rimas de los seis primeros versos y de superponerles un concepto inesperado en los dos últimos, que —proeza renovada en cada estrofa o casi— se agregan como una corona espléndida a lo que ya parecía inigualable. Para convercerse basta leer después de su «Fábula» algunas estrofas del «Polifemo» que Lope de Vega quiso incluir en el canto II de la Circe —en 1624, cuando arreciaba la polémica del «cultismo»—, con una intención polémica evidente: decir que la comparación es aplastante para Lope es poco...

Y, sin embargo, ese poema tan perfecto, tan definitivo, es un jalón —uno más— en la carrera poética de Góngora: un punto final, por cierto, pero también un nuevo punto de partida.

Las «Soledades»

El *Polifemo* lleva en germen las *Soledades*, redactadas a continuación dentro del mismo impulso, y en las que van a desarrollarse los tres temas secundarios del poema mitológico (poesía pastoril y rústica; rías y paisajes costeros; viajes, exploraciones lejanas), mientras que el tema central del *Polifemo*, el amor, pasa a segundo plano y sirve de contrapunto a este descubrimiento apasionado de la belleza de las cosas.

La primera *Soledad* comienza con la descripción de una tempestad, que arroja al pie de un acantilado abrupto a un náufrago que volverá a encontrarse —viajero maravillado como fue Góngora— a lo largo de los dos poemas. Es bello, noble, desgraciado en amor... Después de escalar la roca en el crepúsculo descubre, del lado de la tierra, un abismo sombrío donde brilla a lo lejos una luz:

> breve esplendor de mal distinta lumbre,
> farol de una cabaña
> que sobre el ferro está, en aquel incierto
> golfo de sombras anunciando el puerto

Penosamente llega a un fuego donde se calientan los cabreros, que lo acogen en su cabaña y le ofrecen leche, cecina y un abrigo para la noche. Al día siguiente contempla, al amanecer, el panorama que se distingue desde una roca cercana y luego, abandonando el mundo primitivo de los pastores, desciende por un sendero a la llanura, donde empiezan a reunirse mozas y mozos de los alrededores, invitados a una boda de pueblo. Éstos invitan al viajero a unírseles y, después de un largo itinerario campestre, llegan, a la caída de la noche, al pueblo de los futuros esposos en el momento en que empiezan fuegos artificiales, muy pronto seguidos de baile, en la plaza que iluminan las fogatas.

Al día siguiente por la mañana, el extranjero admira la decoración vegetal que durante la noche ha transformado en jardín el humilde pueblo. Terminada la ceremonia nupcial, una comida campestre reúne a todos los presentes; luego, el conjunto de invitados va al ejido donde hasta el atardecer se desarrollan juegos rústicos: lucha, salto de longitud y carrera. Y mientras aparece el lucero de la tarde, un cortejo acompaña a los recién casados a su nueva vivienda, donde una «casta Venus» ha preparado el lecho,

> que siendo Amor una deidad alada,
> bien previno la hija de la espuma
> a batallas de amor campo de pluma

La segunda *Soledad* empieza a la mañana siguiente, es decir al cuarto día del relato. En compañía de un grupo de pescadores que habían ido también a la boda, el extranjero llega a las orillas de una ancha ría. Se aleja en la barca de dos pescadores que, después de recoger sus redes, lo llevan hasta

> una pequeña isla donde viven con sus hermanas y su viejo padre, y en donde las actividades familiares (pesca, jardinería, ganadería, apicultura) ocupan toda la superficie. Después de recorrer la isla en compañía del viejo y de haber apreciado las modestas riquezas de la familia, el viajero es invitado a la comida al aire libre que han preparado las jóvenes.
>
> Al día siguiente, al alba, vuelve a partir en barca con los hijos del pescador, que siguen lentamente la costa. Muy pronto vislumbra un palacio de mármol que iluminan los rayos del sol naciente. Se ve salir de él a un grupo de cazadores a caballo, que llevan con ellos toda clase de aves rapaces utilizadas en cetrería, y el extranjero, desde la barca que se desplaza poco a poco, asiste a las diferentes fases de esa cacería. Luego los cazadores llegan a una pobre aldea costera...

La segunda *Soledad* no está terminada. Si se la juzga por sus dimensiones (novecientos setenta y nueve versos, frente mil noventa y uno de la primera), le debe faltar sólo un centenar de versos, que Góngora, que ya se había hecho rogar por sus amigos para redactar el último episodio, no se animó a escribir. Por otra parte, aunque lo hubiera hecho, el conjunto seguiría truncado porque, según los antiguos comentaristas, debía de haber cuatro *Soledades*, que corresponderían a cuatro aspectos de la naturaleza: el campo (montaña y llanura); los ríos; los bosques; el desierto.

También parece bastante verosímil que Góngora se reservaba ir precisando poco a poco la figura del enigmático viajero, como empezó a hacerlo en la segunda *Soledad.*

> Es lícito pensar que el esbozo de ese desenlace se encuentra en el romance «Cuatro o seis desnudos hombros», escrito en 1614, es decir en el momento preciso en que Góngora, marcando una pausa en la redacción de su poema, se complació tal vez en imaginar su final: en él se ve a un exiliado de amor que se parece como un hermano al de las *Soledades*; refugiado en un minúsculo arrecife al abrigo del viento, se consuela de sus penas cultivando flores en ese estrecho espacio, retiro coronado por un laurel y una palmera, hasta el día en que, después de nueve o diez meses de soledad, un mensaje de esperanza le anuncia que sus tormentos acaban de terminar... Tal podía ser, en efecto, la conclusión feliz que el poeta pensaba dar a los vagabundeos sentimentales de su peregrino, en esa cuarta *Soledad* que nunca se escribió, la del desierto (*Soledad del yermo*) donde se habría refugiado el viajero melancólico, convertido, como Amadís, en un ermitaño del amor.

De cualquier manera, y cuando el primer poema está todavía apenas en su verso ochocientos, los aficionados madrileños ya lo conocen: los que poseen una copia leen sus fragmentos en los salones; hay sorpresa, perplejidad; la mayoría se entusiasma, algunos reprueban, y muy rápidamente la primera *Soledad* se convierte en el mayor acontecimiento literario de la época.

El 11 de mayo de 1613, Góngora pide el parecer del prestigioso erudito Pedro de Valencia (que ya conocía el *Polifemo* gracias a Paravicino), mientras que el publicista Andrés de Almansa y Mendoza difunde el poema en la capital. El verano del mismo año, Alonso Fernández de Córdoba (Abad de Rute) tiene conocimiento de él en Granada. El primer comentario conocido, firmado por Manuel Ponce y dedicado al conde de Salinas (estadista y poeta), es de noviembre de 1613. Seguirán los de Díaz de Rivas, de Pellicer, de Salcedo Coronel y muchos más. Pero también empiezan a llover los ataques: en forma de cartas anónimas (como las dos inspiradas por Lope de Vega), de examen crítico, como el brillante panfleto de Juan de Jáuregui (*Antídoto contra la pestilente poesía de las «Soledades»*), redactado a partir de 1614, o de sátiras, como las que lanzará más tarde Quevedo (*Aguja de navegar cultos*, *La culta latiniparla*, etc.), y otras que se le atribuyen, donde alterna la parodia con las injurias y aun con las invectivas antisemitas. Los que se proclaman partidarios de la «claridad» y de la «tradición castellana» lanzan la palabra «culterano», forjada sobre «luterano», para denunciar el carácter herético de ese nuevo lenguaje. Por supuesto, los amigos de Góngora contestan; también él, por otra parte, con esa ironía superior que caracteriza sus sonetos satíricos («Con poca luz y menos disciplina», «Restituye a tu mudo horror divino», «Pisó las calles de Madrid el fiero», etc.). Florecen las apologías (Abad de Rute, Francisco de Amaya, Díaz de Rivas, Martín Vázquez Siruela, etc.). Nunca se terminarían de enumerar todos los textos de esta polémica, que se prolongará durante medio siglo: si se los reuniera, se vería que los dos mil versos de las *Soledades* (a las que hay que añadir el *Polifemo*, atacado en la misma ocasión) provocaron más de diez mil páginas de discusiones. Fárrago enorme, durante mucho tiempo despreciado en los siglos XVIII y XIX a causa de su carácter pedantesco, pero minuciosamente analizado por los gongoristas modernos, que no cesan de volver a él para buscar (¡todavía!) la clave de algún pasaje.

Es fácil ver que, en la mayoría de los casos, defensores y adversarios de Góngora, formados en la misma escuela, apelan a los mismos principios, por no decir a la misma escolástica. A las críticas de unos, que denuncian los latinismos, los hipérbatos, los acusativos griegos, la longitud y la complejidad de las frases, en una palabra, todo lo que a sus ojos es fuente de oscuridad, los otros responden llamando en su ayuda a Horacio y

Aristóteles, descubriendo el mismo neologismo en Garcilaso, haciendo pasar una metáfora nueva por una imitación de Virgilio, etc. Este debate puramente retórico tuvo por efecto orientar la crítica gongorina en una dirección estrechamente formalista: al limitarse al análisis del lenguaje, saca a la luz sobre todo, lo que en la pluma de los imitadores —¿y quién no imitará a Góngora?— se convertirá en procedimiento, y casi siempre deja escapar lo esencial, demasiado moderno para ser formulado en la terminología y según los criterios de la época. La crítica siguió el mismo camino hasta la actualidad, y por eso desembocó, basándose en el examen superficial de algunas perífrasis, en el concepto aberrante de huida de la realidad (Dámaso Alonso), mientras que por el contrario, ningún poeta antes de Góngora había buscado tan apasionadamente llegar —en pleno sentido del término— hasta el fondo de las cosas.

Las *Soledades*, en primer lugar, son la culminación de una historia personal, que es también la historia de una larga gestación poética, alimentada por todas las emociones que el autor pudo experimentar en el curso de sus viajes, y que ya elaboró, una y varias veces, en sus composiciones anteriores: al igual que el náufrago, sin duda, vagó en la noche, a su regreso de Salamanca, en 1593, en busca de una choza de pastor hacia la que lo guiaba el ladrido de un perro; al igual que él, a través de un velo de melancolía contempló las escenas de pesca en Lepe, donde llegó en 1607, con sus penas y preocupaciones; al igual que él, vio danzar a las montañesas en Cuenca en 1603, y debió hacer el mismo esfuerzo para desprenderse de importunos recuerdos mitológicos («ninfas de Diana» en 1603, «bacantes», «amazonas» en 1613) y verlas finalmente como campesinas.

Más allá de las circunstancias, las *Soledades* son la cristalización de innumerables sensaciones que Góngora pudo experimentar desde su infancia, al contacto de las cosas simples venidas de la tierra —frutos, trigo, vino, leche, miel, humildes objetos de la vida cotidiana—, que llegaban hasta él en forma de rentas eclesiásticas. En cada verso se siente el deseo de aprehender y de decir la íntima belleza de los seres y las cosas. Por primera vez, la poesía deja de ser un ejercicio fácil, de satisfacerse con formas y colores, de deslizarse por la superficie: con las *Soledades* intenta penetrar en el interior de las cosas, remontarse en su historia (hasta el árbol azotado por el viento antes de ser tabla sacudida por la tempestad; hasta la frescura del alba que vio ordeñar esa leche fría que el náufrago saborea en la noche), como en búsqueda de su esencia.

Esto es, en definitiva, lo que más le chocó a Jáuregui: lo que le indigna, en definitiva, es ver a Góngora gastar retórica para describir «gallos y gallinas, pan y manzanas, con otras semejantes raterías». Por cierto que la poesía rústica existía desde hacía mucho tiempo, pero en la sacrosanta jerarquía de los géneros, tan intangible como la jerarquía social que refleja, se encuentra confinada a la parte baja de la escala, a los metros cortos tradicionales, o reducida a una función ornamental secundaria. La gran falta de Góngora, a los ojos de Jáuregui, es haberla alzado —transgrediendo una vez más la frontera de los géneros— al nivel de los temas más elevados: «No le queda a Vm. qué decir cuando describa la muerte mísera del magno Pompeyo, o algún espectáculo semejante». Porque, aunque el metro adoptado por Góngora (la silva, libre alternancia de endecasílabos y heptasílabos) sea tradicionalmente considerado menos ambicioso que la octava de los poemas épicos, no por eso deja de implicar un estilo «noble», incluso «heroico», totalmente desplazado a los ojos del censor sevillano para hablar de esos «villanos», de «toda aquella caterva que baila, juega, canta y zapatea hasta caer». A fin de cuentas no podría expresarse de mejor forma el papel de vanguardia de las *Soledades*, que abren a la poesía nuevos territorios, hasta entonces considerados estéticamente indignos.

3. CORTESANO A PESAR SUYO

Si las obras de su cincuentena son como la coronación de su producción anterior, tal vez también se debe a que el poeta ve llegar el momento en que deberá dar vuelta a una página.

> Ese mundo provinciano en el que se sumergió con fervor, las ricas llanuras andaluzas contempladas al comienzo de la primera *Soledad*, los ríos de Huelva evocados en la segunda, las cosechas, los rebaños de cabras, el humo que se eleva por las tardes, siente que todo eso se le escapa: sus amigos, su fama, y sobre todo la necesidad de mejorar su situación material lo empujan a dejar Córdoba. En 1617, ya está decidido: ordenado sacerdote, tendrá acceso al palacio real como capellán de honor de Felipe III. Se instala en Madrid: allí podrá pedir (¡cuánta paciencia!) para él, para sus amigos de Córdoba, y sobre todo para su familia. Obtendrá así dos hábitos de Santiago (es decir, la admisión en una orden militar, primer paso de una brillante promoción social) para sus sobrinos.

Situadas en ese momento crucial de su vida, se ve mejor cómo las *Soledades* eran también un adiós a Córdoba, a la juventud y —confesión furtiva de la dedicatoria— a su «libertad de Fortuna perseguida».

Ésa es la contradicción mayor de su vida: ¡él, el provinciano burlón, el andaluz insumiso, va, como todo el mundo, a solicitar a la corte!

Entre 1617, fecha de su llegada, y 1626 (regreso, después de una congestión cerebral, a Córdoba, donde morirá al año siguiente), las obras dictadas por el convencionalismo social se multiplican: parabienes, ditirambos, crónicas mundanas rimadas... De ese conjunto surge el ambicioso «Panegírico del duque de Lerma», poema de seiscientos treinta y dos versos en octavas, que la desgracia del poderoso ministro (oficial a partir del 4 de octubre de 1618) no le permitió terminar. Góngora, sin embargo, no se desmiente totalmente: en la medida en que el período tratado (1598-1609) corresponde a una calma en los grandes enfrentamientos europeos, el duque de Lerma se convierte en príncipe de la paz, restaurador de la prosperidad, de manera que se expresan aquí también, bajo la solemnidad de la poesía de aparato, los gustos profundos del autor.

Además no ha perdido la inspiración ni la mano: de ese período madrileño datan algunas de sus sátiras más aceradas, el admirable romance de Hacén («En la fuerza de Almería») y, sobre todo, el romance de *Píramo y Tisbe* («La ciudad de Babilonia»), que constituye su tentativa más original y más atrevida, por la búsqueda de una promoción estética del burlesco susceptible de dar a la parodia su plena dignidad artística. Su dificultad y su carácter paradójico explican que ese romance de quinientos versos haya tenido derecho, unos años más tarde, a un comentario de unas cuatrocientas páginas, la *Ilustración y defensa de la Fábula de Píramo y Tisbe* de Cristóbal de Salazar Mardones, impreso en 1636.

La belleza, la mujer, siguen siendo el centro de su inspiración y, con la edad, el triunfo del amor se convierte en proclama feminista, afirmación del derecho de la mujer a la felicidad, como en el admirable romance «Guarda corderos, zagala», de 1621:

Guarda corderos, zagala,
zagala, no guardes fe...
La pureza del armiño
que tan celebrada es,
vístela con el pellico
y desnúdala con él...
No, pues, tu libre albedrío
lo tiranice interés,
ni amor que de singular
tenga más que de infiel.

Pero es finalmente su misma situación de cortesano la que le inspira —asombroso regreso de la paradoja— los más hermosos acentos de sus últimos años: poesías a la muerte trágica de sus protectores (Villamediana, asesinado; Rodrigo Calderón, ejecutado), donde se expresa un real desasosiego y, sobre todo, cinco sonetos de 1623 en los que, a través de su caso personal, se desvelan, con una lucidez que nadie ha igualado y una sinceridad que testimonia su correspondencia, la amargura del cortesano decepcionado, su martirio cotidiano y, al mismo tiempo, la esperanza insensata, suicida, que lo empuja al límite de su destino, como un jugador incapaz de retirarse. En esta visión trágica del hombre de corte se encuentra un Góngora envejecido, herido, arruinado, pero profundamente fiel a sí mismo. Esos diez años madrileños fueron tristes, sobre todo por las dificultades materiales que provocaron, pero no fueron estériles.

4. Destino de una obra

La obra poética de Góngora es excepcional desde todo punto de vista. Por su brevedad (quinientas poesías, veinticinco mil versos: cabe en un volumen), por su densidad y perfección, resalta sobre la abundancia y la facilidad a menudo prosaica de sus contemporáneos. Tiene además el privilegio único, gracias al culto de sus admiradores, y en particular de Antonio Chacón, de haber sido fechada con exactitud, pieza por pieza: se puede así, siguiéndola año por año, leer en ella el desarrollo de una existencia que se conoce, por otra parte, a través de numerosos documentos (actas capitulares o notariales, testimonios, correspondencia), y discernir su génesis, apreciando sus resonancias íntimas y su autenticidad profunda.

Y es igualmente excepcional por su destino. Muy pronto admirada por el público, sin embargo, en su mayor parte permaneció inédita en vida del autor, a pesar de la insistencia de sus amigos y del mismo Olivares: habrá que esperar a su muerte para ver aparecer, en 1627, la primera edición de Juan López de Vicuña, recogida enseguida por la Inquisición, que censura cuarenta y cinco composiciones consideradas paganas, obscenas o subversivas. Se imprimen en el mismo momento los comentarios de los grandes poemas, calcados de los que los humanistas consagraron a los autores clásicos de la Antigüedad: en el panteón de las letras, Góngora en adelante está puesto entre los más grandes. Todo el mundo se pone a escribir a su manera, y no sólo en verso: también los predicadores gongorizan, con Paravicino a la cabeza; un poco más tarde, su presencia subterránea es visible en cada página de la obra en prosa de Baltasar Gracián, sobre todo en *El criticón* (1651-1657).

> Luego, en el siglo XVIII (con ser el de las «luces»...) empieza la larga noche; la reprobación, en nombre de un academicismo mezquino, es casi unánime. Se declara a Góngora culpable de haber puesto de moda una «jerigonza» que los teóricos consideran responsable de la ruina de las letras españolas. El siglo XIX sigue el mismo camino, colocando de un lado a los corruptores del gusto (Góngora y los autores «cultistas»), y del otro a los defensores de la sana tradición castellana (Lope, Quevedo), desgraciadamente sumergidos por sus adversarios. Esta concepción maniquea es perfeccionada por Menéndez Pelayo que llegará hasta a hablar de «nihilismo poético» a propósito de las *Soledades*; será muy tenaz, y se la siente todavía en las apreciaciones de los actuales manuales de literatura, que no llegan a evadirse del falso debate «cultismo/conceptismo».
>
> A comienzos del siglo XX, la crítica positivista (Lucien-Paul Thomas) pretendió dar una base científica a esta concepción del gongorismo, lanzando la idea de que los grandes poemas habrían sido escritos como consecuencia de un trastorno cerebral. Y cuando, más recientemente todavía, Miguel Artigas descubre, en una «información de limpieza de sangre», una posible ascendencia judía en el nivel de los bisabuelos de Góngora, ya están atados todos los cabos: no necesita más un crítico español, teórico del barroco, para explicar (en 1940, es cierto...) el papel «destructor» de Góngora en la poesía de su país. Pocos autores pueden jactarse de haber hecho delirar tanto tiempo a la crítica.

Es un honor de la generación poética de 1927 haberse interesado por el poeta maldito y haberlo devuelto a su muy alto lugar. Federico García Lorca, Pedro Salinas, Gerardo Diego, Rafael Alberti, Jorge Guillén y, sobre todo, Dámaso Alonso hicieron del tricentenario de la muerte de Góngora una importante batalla literaria: el poeta de Córdoba se convirtió en la bandera de los jóvenes escritores rebeldes, que la alzaron contra la Academia española y contra todos los academicismos. Es innegable que algunos tuvieron la tendencia a cortarla de sus raíces, para modelar su imagen según el ideal de «poesía pura» en el que entonces creían. Pero tuvieron el mérito de exhumar su obra enterrada, de amarla, de editarla, de hacerla leer y comprender, de mostrar su viva modernidad. Resucitaron no sólo a Góngora, sino también las polémicas fecundas que su obra había provocado y que aún provoca. Tanto a ellos como a él mismo debe el poeta de las *Soledades* el interés apasionado que todavía hoy suscita.

La poesía lírica en la época de Góngora

A partir de 1580 y hasta mediados del siglo XVII, se asiste en España a un notable florecimiento de la poesía lírica; entendemos con este término, como lo hizo el siglo XVII, toda la poesía con exclusión de los poemas épicos y los poemas dramáticos. Esta masa de textos está lejos de estar totalmente catalogada. Colecciones manuscritas e impresas plantean, en efecto, innumerables problemas de transmisión, de atribución y de datación que, a falta de estar resueltos, imponen la mayor prudencia a quien quiere intentar clasificar esta abundante producción.

Se impone al menos una evidencia: el florecimiento continuo y multiforme de esta poesía (sonetos, canciones, romances, letrillas, décimas, epístolas, fábulas mitológicas, etc.) es particularmente espectacular en ciertos centros: Madrid, Zaragoza, Toledo, Valencia, Granada, Antequera, Córdoba y, por supuesto, Sevilla, polo financiero de la península.

> Esta actividad literaria provinciana está generalmente ligada a un mecenazgo local, que se ejerce a través de las academias y los concursos literarios (certámenes, fiestas, justas) organizados en ocasión de ciertos acontecimientos: paso del rey, victorias militares, duelos de la monarquía, canonización de santos españoles (santa Teresa, san Ignacio, san Isidoro de Madrid, etc.). Esas instituciones y esas manifestaciones culturales eran más propias para ejercer el ingenio de los participantes que para suscitar obras maestras, pero al menos tenían la ventaja de realzar la poesía, de formarle un público y de estimular la creación.

Esta focalización de la vida literaria es lo que explica la tendencia de la crítica, sobre todo en el siglo XIX, a clasificar los poetas por escuelas regionales y atribuir a cada una de esas escuelas (sevillana, granadina, aragonesa, etc.) características propias, lo que no ha dejado de desembocar en una sistematización insostenible. La otra tendencia, aún más discutible, consiste en repartir a esos escritores en dos batallones rivales: los «cultistas», agrupados en torno a Góngora, y los «anticultistas», discípulos de Lope de Vega y aliados a los «conceptistas», seguidores de Quevedo... Esta clasificación, cuyo origen se remonta a las polémicas que desencadenaron las *Soledades*, no resiste el examen: los poetas cuyo estilo no debe nada a Góngora (conde de Salinas, Arguijo, príncipe de Esquilache, etc.) fueron a menudo sus más fervientes admiradores y a la inversa. Buscar este tipo de fronteras literarias en el siglo XVII es un anacronismo.

Es necesario, pues, resolverse a admitir las individualidades múltiples de esos poetas y tener en cuenta más la diferencia de las generaciones: la de 1580 (Lope, Góngora, Juan de Salinas, el conde de Salinas, los Argensola y, en general, los escritores nacidos hacia 1560); la de 1600 (Quevedo, Villamediana, Jáuregui, Espinosa, Rioja, Soto de Rojas, Paravicino, etc.); y finalmente la de 1620 (Polo de Medina, Bocángel, Cáncer, Solís, etc.). Evidentemente también es necesario , sin caer por ello en el atolladero de las escuelas, tener en cuenta sus orígenes, su situación y sus relaciones.

La breve visión que sigue excluye, además de Góngora, a Lope y Quevedo, cuyas obras poéticas se estudian aparte.

Escritores severos y respetables, los dos hermanos Leonardo de Argensola sólo consagran, si bien se mira, una parte mínima de su actividad a la creación poética.

El mayor, Lupercio, nacido en Barbastro en 1559, estuvo mezclado con la vida política de su época como secretario de varios grandes personajes: del duque de Villahermosa, virrey de Aragón, en Zaragoza; luego de la viuda de Maximiliano II de Austria en Madrid; y finalmente del conde de Lemos, virrey de Nápoles: allí fue donde murió en 1613. Administrador e historiador (era cronista del reino de Aragón), Lupercio dejó dos tragedias, *Isabela* y *Alejandra*, muy clásicas de factura, así como unas ciento cincuenta poesías (sonetos, epístolas, sátiras), donde se nota sobre todo la influencia de Horacio, tanto en los temas tratados como en la corrección y el rigor de la forma.

Su hermano menor, Bartolomé (Barbastro, 1562), lo siguió en los diferentes cargos que ocupó. Ordenado sacerdote, gracias a la protección del virrey de Aragón, fue rector de Villahermosa. Después de la muerte de su hermano, se convirtió a su vez en cronista de Aragón y volvió a Zaragoza, donde murió en 1631. Como Lupercio, fue sobre todo historiógrafo. Cerca de dos veces más abundante, su poesía lírica es semejante a la de su hermano, aunque hay acuerdo en encontrarle más calidez, y hasta cierta sensualidad, sin que esto nunca lo lleve a salir de senderos de la más estricta ortodoxia moral.

Fue el hijo de Lupercio, Gabriel Leonardo, el que se preocupó, después de la muerte de su tío, de reunir y editar, en 1634, las obras poéticas conjuntas de lo que Justo Lipso llamaba «verdaderos Geriones». La aprobación inicial de esas *Rimas*, firmada por Lope de Vega, es reveladora e indica ya el papel normativo que la crítica académica no dejará de asignar a la poesía de los Argensola:

> [...] parece que vinieron de Aragón a reformar en nuestros poetas la lengua castellana, que padece por novedad frasis horribles, con que más se confunde que se ilustra.

Finalmente, nadie caracterizó mejor la poesía de los Argensola que el jesuita Gabriel Álvarez, en una carta a Gabriel Leonardo que éste reproduce en los preliminares de las *Rimas*:

> [...] de modo que siendo la elocución atada y atenida a las leyes rigurosas de la poesía, parece oración suelta [*i. e.* "prosa"], lisa y rodada [...].

¡Hermosa prosa, por cierto, y bien versificada! Aquí topamos otra vez con el problema que está en el fondo de todos los debates de la época alrededor de las *Soledades*: la poesía ¿es o no un lenguaje diferente? Ya se ve hacia qué lado se inclinaron los adversarios de Góngora.

Amigo de los Argensola, Francisco de Borja y Aragón, príncipe de Esquilache (1577-1658), fue virrey de Perú. Se conoce de él un poema heroico, «Nápoles recuperada» (1651), y un volumen de poesías varias (*Obras en verso*), que Lope de Vega propuso como modelo de referencia en sus polémicas contra la «nueva poesía». Aristócrata poeta y poeta aristocrático, Esquilache escribió también romances y letrillas de factura más popular; hasta criticó, siguiendo los pasos de Horacio, el fasto de la corte.

A ese grupo de los «aragoneses» se asocia a menudo a Esteban Manuel de Villegas (1589-1669), nacido en Nájera donde pasó la mayor parte de su vida. Erudito, autor de investigaciones críticas sobre los textos griegos y latinos de la Antigüedad, se le conoce sobre todo por el libro que publicó en 1618 con el título de *Eróticas o amatorias*, poesías ligeras sobre temas festivos (el amor, el vino, los besos...), inspiradas y a veces traducidas de Anacreonte, Horacio, Catulo y Tibulo. Él puso de moda esas obritas en versos cortos, generalmente heptasílabos, que a causa de él se llaman «anacreónticas», y que harán furor en el siglo XVIII. Tal vez tendríamos una imagen menos unilateral si la Inquisición, que lo persiguió a los setenta años por propósitos poco ortodoxos, no hubiera hecho desaparecer un manuscrito de *Sátiras* que encontró entre sus papeles. Estas contrariedades de los últimos años de su vida lo incitaron a emprender la traducción en verso del *De consolatione* de Boecio, que publicó en 1665.

Otro ejemplo de aristócrata poeta: el conde de Salinas, Diego de Silva y Mendoza, conocido igualmente con el título de marqués de Alenquer. Hijo de la turbulenta princesa de Éboli, vivió de 1564 a 1630, acumuló los títulos y las responsabilidades políticas, y fue virrey de Portugal. Amigo de los poetas, también él fue un poeta apreciado, y cantó con mucha sutileza las alegrías y las decepciones del amor, la mujer, la belleza, la esperanza... Nos quedan de él, dispersas en numerosos manuscritos, unas doscientas veinte poesías que todavía esperan una edición definitiva.

Otros poetas de la generación de Góngora y, en consecuencia, poco marcados, o nada, por su influencia: José de Valdivielso (Toledo, 1560-Madrid, 1638) y Pedro Liñán de Riaza. El primero, que era capellán de la capilla mozárabe de Toledo, fue amigo de Lope de Vega, al que asistió en su lecho de muerte. Toda su poesía es de inspiración religiosa: además de doce autos y dos comedias divinas, se conoce sobre todo su poema a san José en veinticuatro cantos (*La vida, excelencias y muerte del glorioso patriarca san José*, terminado en 1602) que fue, increíblemente, reeditado unas treinta veces, y su *Romancero del santísimo sacramento* en metros tradicionales, publicado en 1612. En la actualidad sus obras suscitan menos interés.

En cuanto a Liñán (Toledo, hacia 1558-Madrid, 1607), también amigo de Lope y también toledano (aunque Gracián lo reivindica como aragonés), es sobre todo apreciado por su participación en el *Romancero general* de 1600, donde figura con el seudónimo de Riselo en numerosos romances pastoriles. Es, con Góngora y Lope, el que más contribuyó a definir el estilo «artístico» del Romancero nuevo.

En la constelación de los poetas andaluces, conviene destacar, porque numéricamente es el más importante, el grupo de los poetas de Sevilla. No hablaremos de la obra de Fernando de Herrera (1534-1597), ni de la de Baltasar del Alcázar (1530-1606), que pertenecen a un período anterior, pero convendrá tenerlos presentes, con sus características tan diferentes (idealismo amoroso de uno, chanzas del otro), porque constituyen un precedente, y a menudo un modelo para los autores sevillanos más jóvenes.

Entre éstos, es conveniente mencionar en principio, por el papel decisivo que tuvo en las actividades culturales sevillanas, a Juan de Arguijo (1567-1622), cuya familia se había enriquecido en el comercio de las Indias, lo que le permitió mantener una academia y proteger a los poetas. Sus prodigalidades de mecenas terminaron, además, por arruinarlo. De este humanista, que era al mismo tiempo un fino músico y un enamorado del lujo, nos quedan algunas epístolas, canciones, silvas y, sobre todo, un conjunto de sesenta y siete sonetos muy marcados por su cultura grecolatina. A su respecto se ha podido hablar de «poesía parnasiana anticipada», tanto a causa de los temas (mitología, historia, ruinas) como de la perfección formal de esas obras.

Juan de Salinas (Sevilla, ¿1562?-1643) fue primero canónigo en Segovia, donde vivió alegremente, si se lo juzga por las poesías burlescas de ese período. A partir de 1598 se lo vuelve a encontrar en Sevilla, donde se convirtió en un personaje respetable y morigerado, administrador del hospital San Cosme y San Damián. Sin embargo, continuó frecuentando los salones y brillando por su ingenio y su buen humor en la buena sociedad sevillana. Su obra poética (romances, epigramas, billetes, adivinanzas) es una mina de calamburs y juegos de palabras de todo tipo, aún hoy agradable de leer: citemos, a título de ejemplo, el romance «En Fuenmayor, esa villa», sobre la desventura rabelesiana de un religioso recaudador de impuestos, que por la noche había tomado un brasero encendido para un uso al que no estaba destinado.

El erudito Rodrigo Caro (Utrera, 1573-1637) es el autor de diferentes obras sobre las antigüedades sevillanas. Más arqueólogo que poeta, escribió algunas poesías y, entre ellas, la famosa *Canción a las ruinas de Itálica*, que figura en todas las antologías. También escribió un diálogo, *Días geniales y lúdricos*, valioso por las numerosas informaciones que se encuentran en él sobre el folclore.

También pertenecen a la misma generación: Francisco de Medrano (1570-1607), cuyas odas y sonetos se inspiran muy estrechamente en Horacio; el pintor Francisco Pacheco (1571-1654), suegro de Velázquez, que fue su alumno, editor e imitador de Herrera; y el capitán Andrés Fernández de Andrada, autor de la muy célebre *Epístola moral a Fabio*, exhortación al rechazo de las ambiciones cortesanas y al repliegue sobre sí mismo.

Más jóvenes, los sevillanos Francisco de Rioja (1583-1659) y Juan de Jáuregui (1583-1641) se sintieron atraídos por Madrid, donde pasaron —signo de un cambio de generación— la parte decisiva de su existencia. El primero, teólogo y jurista, hizo carrera en el círculo de Olivares, del que fue bibliotecario y consejero; es de notar que tuvo la dignidad de seguirlo en su desgracia, en 1643, antes de volver definitivamente a Sevilla. Sin duda, hay que buscar en su frecuentación de las camarillas palaciegas la verdadera personalidad de Rioja, pero la posteridad ha preferido conservar de él la imagen de un poeta moralista, que habla de la inestabilidad de la suerte y de la fugacidad de la vida, y, sobre todo, de un poeta de las flores, que se extasía ante la rosa, el clavel, el jazmín...

Juan de Jáuregui fue tanto pintor como poeta: sus cuadros se han perdido, pero nos quedan grabados, sobre todo una serie de ilustraciones del Apocalipsis. Es autor de una excelente traducción del *Aminta* de Torquato Tasso, editada en Roma en 1607, y de un volumen de Rimas (Sevilla, 1618). Pero sobre todo es conocido como teórico, por su *Antídoto contra la pestilente poesía de las «Soledades»*, panfleto muy gracioso que hizo circular a partir de 1615, y cuyas ideas esenciales, expresadas en términos más generales y más moderados, se encuentran en su *Discurso poético* (Madrid, 1624). Ambigua y utilizada de manera parcial por la crítica, la posición de Jáuregui frente a la «nueva poesía» no tiene nada en común con la de Lope:

no rechaza la dificultad, sino que considera que debe reservarse para un tema cuya elevación satisfaga sus gustos aristocráticos. Esto es lo que explica que su *Orfeo*, poema en cinco cantos que publicó también en 1624, no fue en absoluto del gusto de Lope, quien hizo publicar poco después, por su amigo y protegido Juan Pérez de Montalbán, un *Orfeo en lengua castellana*, cuyo título ubica bastante claramente la intención polémica.

Pero la poesía lírica no florece solamente en Sevilla: toda Andalucía es un vivero de poetas y no se terminaría de pasarles revista. Nos limitaremos a citar algunos.

Antonio Mira de Mescua o de Amescua (Guadix, 1570 o 1577-1644), es sobre todo conocido por haber escrito unas sesenta comedias, perdidas en su mayor parte; pero también es el autor de una notable *Fábula de Acteón y Diana*, en cincuenta y ocho octavas, de la que se sabe interesó a Góngora, que se hizo enviar una copia en 1614.

Pedro Espinosa (Antequera, 1578-Sanlúcar, 1650) fue sin duda en su juventud uno de los mejores conocedores de la poesía de su época, como lo prueban las *Flores de poetas ilustres de España*, muy importante recopilación colectiva que publicó en Valladolid en 1605. Luego se hizo ermitaño en Archidona, antes de entrar al servicio del duque de Medina Sidonia, del que fue capellán. Para él escribió unas *Soledades* muy marcadas por el modelo gongorino, tanto en la forma como en el ideal que expresan, con la diferencia de que en él la incitación a gozar de la paz de los campos se inspira en su experiencia de ermitaño y adquiere una dimensión religiosa. Escribió también, además de poesías cortas, una muy notable *Fábula del Genil*.

El canónigo granadino Pedro Soto de Rojas (1584-1658) es otro testimonio de la influencia creciente de Góngora: poco visible en su primer libro, *Desengaño de amor en rimas* (terminado en 1614 y publicado en 1623), se hace manifiesta en *Rayos de Faetón* (1639), poema mitológico en ocho cantos, y totalmente deliberada en la descripción del jardín del Albaicín donde se había retirado, *Paraíso cerrado para muchos* (1652), variación personal sobre el tema de las *Soledades*.

Luis Carrillo de Sotomayor, nacido en Baena, murió en 1610 en Puerto de Santa María, con apenas veintiséis años, después de un brillante comienzo de carrera en la marina. Al año siguiente, su hermano editó sus obras (en sus preliminares figura una canción de Quevedo a la muerte del poeta). Entre ellas se encuentran sonetos de amor y una *Fábula de Acis y Galatea* en treinta y cinco octavas, en la cual la crítica durante mucho tiempo ha querido ver la fuente directa del *Polifemo* de Góngora: hipótesis insostenible abandonada en la actualidad. Pero, en cambio, es verdad que el texto en prosa que cierra el volumen, titulado *Libro de la erudición poética*, es un manifiesto (¡el primero!) en favor de la poesía «culta» tal como la practicaba Góngora en ese mismo momento.

Frente a la provincia, Madrid se afirma de manera decisiva a partir de 1598, después de la muerte del austero Felipe II: el alud hacia la corte que se produce en ese momento, hacia los honores y beneficios, es perceptible en todos los ámbitos, incluido el de la literatura: los poetas se vuelven cada vez más hacia la capital; es la época de los comienzos de Quevedo y también de muchos otros.

Gran dignatario de la corte, en donde había heredado de su padre el cargo de correo mayor, Juan de Tassis y Peralta, conde de Villamediana (Lisboa, 1582-Madrid, 1622), se señala desde el comienzo del nuevo reinado por su lujo, sus prodigalidades, su agresividad, su pasión por el juego y una existencia tempestuosa que le valió ser exiliado varias veces de Madrid. Fue misteriosamente apuñalado en su carroza, una noche, en plena Calle Mayor: ese final trágico dio lugar a todo tipo de suposiciones, y algunos no dudaron en atribuirlo a los celos de Felipe IV, a cuya joven esposa, Isabel de Borbón, habría cortejado el conde. Es más verosímil pensar en una venganza política porque, durante años, Villamediana se había encarnizado con la camarilla de Felipe III en numerosas poesías que circulaban bajo cuerda por Madrid. Directas, violentas, precisas, esas sátiras políticas en metros tradicionales constituyen una vertiente de la obra de Villamediana todavía insuficientemente estudiada. La otra vertiente, más conocida, aquella en la que se descubre a un Villamediana culto y refinado, está representada por sus sonetos de amor y sus fábulas mitológicas, muy marcadas por la influencia de Góngora, del que fue admirador y protector: *Venus y Adonis*, *Apolo y Dafne*, y sobre todo *Faetón*, en el que se ha visto, y no sin razón tal vez, un símbolo autobiográfico.

Otra celebridad de la corte, pero por razones muy diferentes, fue fray Hortensio Félix Paravicino y Arteaga (Madrid, 1580-1633), trinitario, provincial de su orden y predicador real durante los veintisiete últimos años de su vida: él realizó la increíble proeza de trasladar a la elocuencia sagrada el estilo poético de Góngora. ¿Cómo ese hombre cuya voz era endeble logró hacer triunfar esa prédica sutil, ardua, y hasta enigmática? Hay que ver, en sus dos retratos pintados por El Greco, el extraordinario ardor que anima su mirada para comprender, tal vez, su arte de subyugar a un auditorio. Después de su muerte, sus amigos editaron sus poesías (*Obras póstumas divinas y humanas*, 1641), muy marcadas también ellas por la influencia de Góngora, que había sido su amigo íntimo.

Los otros poetas madrileños de ese período tienen rasgos comunes: a menudo unidos a la vida teatral por una parte, por la otra también son cronistas de la vida mundana, animadores de los salones y de las academias, artesanos de los espectáculos destinados a divertir a la corte que, después del ascenso al trono de Felipe IV en 1621, aprecia más las diversiones. Estas semejanzas se encuentran también en sus obras que, por esto mismo, tienden a despersonalizarse: cualquier circunstancia, por desprovista de interés que esté, es un pretexto para versificar; es el triunfo de la habilidad, el ingenio, el chiste y la agudeza.

Antonio Hurtado de Mendoza (Castro Urdiales, 1586-Zaragoza, 1644) llegó a ser secretario de Felipe IV en 1623 e hizo una brillante carrera. Escribió algunas comedias (una de ellas inspiró *La escuela de los maridos* de Molière) y varias poesías que fueron editadas después de su muerte (*Obras líricas y cómicas*, 1690). Es el tipo de cortesano poeta, apreciado por su ingenio, su facilidad y su carácter jovial.

Jerónimo de Cáncer y Velasco (hacia 1600-1655) publicó en Madrid, en 1651, un volumen de versos donde domina la nota burlesca. Bien introducido en palacio, se lo encuentra entre los organizadores de las festividades del Retiro. Fue sobre todo un dramaturgo profesional, que colaboró con la mayoría de los autores dramáticos de su época.

Gabriel Bocángel y Unzueta (Madrid, 1603-1658) fue nombrado bibliotecario del infante don Fernando en 1629 y ocupó otros cargos en palacio, sobre todo el de cronista oficial, en 1637. Además de algunas comedias, escribió dos volúmenes de poesías (*Rimas y prosas*, 1627; *Lira de las musas*, 1637), notables por la preocupación de perfección formal. En la actualidad la crítica tiende a colocarlo muy por encima de sus contemporáneos.

Antonio de Solís y Rivadeneyra (Alcalá, 1610-Madrid, 1686) fue igualmente uno de los animadores de las sesiones literarias del Retiro e hizo carrera en palacio, en calidad de secretario, y luego de cronista de Indias. De él se conocen nueve comedias hábilmente llevadas y numerosas poesías de circunstancia, epigramas, sonetos burlescos, letrillas primorosas, etc., que fueron impresas después de su muerte (*Varias poesías*, 1692). Pero su obra más célebre es la muy académica *Historia de la conquista de México*, elogio ditirámbico de Hernán Cortés, cuyas reediciones y traducciones fueron innumerables.

A este grupo de autores madrileños se puede agregar el murciano Salvador Jacinto Polo de Medina (1603-1676), que además los frecuentó, aunque su vida fue sobre todo provinciana. Sus obras poéticas, en su mayoría satíricas, epigramáticas o burlescas (*Academias del jardín*, 1630; *El buen humor de las musas*, 1637), tuvieron mucho éxito por lo menos durante un siglo: y es que se correspondían de maravilla con el auge de ese tipo de poesía de salón que prevaleció a partir del reinado de Felipe IV.

ROBERT JAMMES

Capítulo VII

QUEVEDO

Francisco de Quevedo y Villegas (1580-1645) es uno de los espíritus más libres de la cultura española del Siglo de Oro. Si a veces se adhirió a tal o cual personalidad política para afirmar a su lado su propia ambición, no por eso su originalidad fue alguna vez desmentida.

En todas partes fue una figura de primer plano, sin ser por ello, como Góngora, el faro sobre el que se ordena la invención de los poetas, o, como Lope de Vega, el monarca incuestionable del teatro que imponía su modelo y su producción a todos los comediantes de España.

Sus intereses y su ideología llevaron a Quevedo a unirse a la aristocracia, a la que se sentía pertenecer, sin aceptar nunca un compromiso con los grupos financieros y mercantilistas representativos de un modelo «burgués» en formación. En esto no tiene nada en común con Mateo Alemán, ni aun con Cervantes, con los que no se le ve congeniar.

De lo cual, resulta una personalidad literaria que tiene algo único en su rechazo a identificarse con algunos de los modelos funcionales en vigor. No es poeta, ni poeta cómico, ni historiador, ni «novelista», ni autor de obras espirituales, aunque sea todo eso y otras cosas más. Quevedo no ejerce una función más que otra: las ejerce todas. Es un intelectual polígrafo; su literatura está marcada por un poligrafismo general, que sin duda es el único en detentar entre todos sus contemporáneos.

Y así también el capítulo que se va a leer no debe su unidad sino a la diversidad de las actividades intelectuales de Quevedo, a las que se agregan su furor en el actuar, sus ideas, sus intrigas cortesanas y políticas; en una palabra, una afirmación de sí, una de cuyas formas, entre muchas otras, es la producción creadora del espíritu.

Un escritor múltiple

La obra de Quevedo, proliferante y tentacular, se desarrolla en todas las direcciones y comprende en sí todos los géneros: poesía (de todo tipo: amorosa, metafísica, moral, satírica) y prosas varias: sátiras, libelos burlescos, relato picaresco, crónicas de la vida contemporánea, filosofía política, filosofía moral, obras de edificación, tratados de vida espiritual, fantasías satírico-morales o satírico-políticas. Muchos de esos libros y opúsculos son inclasificables, ya que se articulan sobre una forma y una escritura específicas que remiten no a un género, sino a una subversión plural de los géneros.

El aspecto proteiforme de esta obra hace de Quevedo un escritor múltiple, inaprensible en su unidad. Por eso fue, a los ojos de sus contemporáneos (y a los suyos propios), tanto el satírico bufo llevado a la broma escatológica —y lo es, efectivamente—, como también un humanista reflexivo, moralista cristiano y teórico político, y sobre todo un poeta.

Para los liberales del siglo XIX, Quevedo fue sobre todo el autor de la severa epístola contra el conde-duque de Olivares (que probablemente no es suya), y la víctima de su injusta venganza. Por cierto, Quevedo nada tenía de «liberal» (¿quién podía serlo en la España de los Habsburgo?), lo que no dejan de recordar los que, más cerca de nosotros, han querido ver en él a un heraldo del pensamiento conservador, o incluso a un apologista del cesarismo, sea cual sea la manera en que se quiera entender: poder monárquico absoluto, o dictadura salvadora del desorden popular. Tal vez Quevedo responde parcialmente, por alguna de sus facetas, a esa imagen un poco forzada en la que algunos han querido cristalizarlo. Pero siempre se encontrará en Quevedo un decir antagónico que pueda oponérsele, que él se opondrá a sí mismo, restableciendo de esta manera, hacia y contra la inaccesible coherencia de un pensamiento en desbandada, el juego complejo de las tensiones intelectuales y afectivas que equilibra en él la dinámica contradictoria de la inteligencia.

Por eso, en las páginas que siguen, se ha decidido presentar a Quevedo no desde la perspectiva de una unidad que su obra recusa, sino en función del núcleo de contradicciones que asume e ilustra, y del que es su motor. Digamos, sin embargo, que, cuando se trata de un espíritu tan transparente a lo real de la historia como éste, su contradicción particular no es más que la del tiempo histórico en que vivió, necesariamente contradictorio en razón de los conflictos de intereses e ideologías que determinan el devenir de las sociedades. Un pensamiento *uno* en un tiempo *múltiple* sólo puede ser mentiroso.

A lo que hay que agregar que el pensamiento quevediano se marca en y por la escritura, cuyo orden es el mismo que el enfrentamiento en pensamiento y en sintaxis de afirmaciones que se invalidan recíprocamente y sólo progresan por negación de ellas mismas. Veamos, a título de ejemplo, cómo evoca Quevedo a César acogiendo a Bruto después de Farsalia y perdonando a Casio: «César —dijo— supo perdonar, pero no perdonarse», de donde se desprende que el pensamiento, entregado a su propia contradicción, se obliga a concebir conjuntamente. César como el lugar de un perdón del que es el agente *y* de un no-perdón del que es víctima (*Vida de Marco Bruto*). Se ha llamado *difracción* a esta operación mental siempre activa en la escritura quevediana.

La distinción formal elemental de los versos y de la prosa («El poeta y sus musas», «La prosa y sus tensiones») será, por cierto, una comodidad de la que no nos eximiremos en el curso del presente capítulo; pero sólo tendrá sentido si se la dedica a hacer transparentar, bajo la multiplicidad de los discursos, los rasgos de escritura que aseguran su homogeneidad continuada. Quevedo no está en lo que dice, que, cualquiera que sea su interés, permanece dentro de lo común previsible de un pensamiento de la época, sino en su decir —lo que significa que su *dice* está en él totalmente en la textura de un *decir* que hace aparecer al desnudo las operaciones creadoras del espíritu—. Concluiremos, pues, en la escritura.

Entre política y escritura

Quevedo vivió durante el reinado de Felipe II ya en la vejez, y luego bajo Felipe III y Felipe IV. Su período de actividad creadora (empezó a escribir hacia 1600 y no dejó de hacerlo hasta su muerte en 1645) coincide con lo que se ha convenido en llamar la decadencia de España.

> A partir de 1597, la hegemonía española se ve profundamente mermada por la secesión de los Países Bajos, mientras que en el interior se desencadenan pestes y hambrunas (1599-1600) y se organiza la agitación de los moriscos, que dará lugar, unos años más tarde (1609-1611), a su expulsión. Los intentos de descentralización de Olivares, demasiado tardíos para ser eficaces, suscitan en 1640 el levantamiento de Portugal y de Cataluña.
>
> Desde Felipe II, la política de los Habsburgo se basa en el principio de que la solidez española es solidaria en todos los lugares con la religión católica. En el exterior, el conflicto con Francia toma, a los ojos españoles, el

carácter de una lucha antiprotestante. En el interior, la unidad del reino está basada en una ortodoxia intransigente. La Inquisición tiene el poder total de perseguir cualquier iniciativa «desviacionista» en materia de religión: el iluminismo, la libre piedad interna de los erasmistas, todo impulso, por tímido que sea, de las Iglesias reformadas. Los judíos que escaparon a la expulsión mediante la conversión y sus decendientes son objeto de exclusiones, en virtud del principio, aberrante en opinión de Roma, que su judaísmo original se transmite en ellos por la sangre para y contra el bautismo. Los estatutos de «limpieza de sangre» tienen como finalidad apartar a los *conversos*, o cristianos nuevos, de ciertas órdenes religiosas, de la carrera eclesiástica o aun el prohibirles la emigración hacia América.

Las causas económicas de la decadencia son demasiado conocidas para insistir en ellas. El alza brutal de los precios que se desencadenó a partir de 1550, la recesión del comercio americano, la inflación provocada por el flujo de los metales preciosos, la competencia extranjera y, sobre todo, las deudas contraídas a tasas de usura con los grandes bancos alemanes y genoveses, hacen que el rey de España, al que se cree cubierto de oro, sufra una bancarrota por primera vez en 1557 y luego, de nuevo, en 1575 y 1596. Con Felipe III y Felipe IV la quiebra del tesoro real se repetirá periódicamente cada veinte años: 1607, 1627, 1647.

En una Europa que se abre al capitalismo, la sociedad española sigue unida a estructuras agrarias feudales. La clase dominante es una nobleza considerable que, desde los títulos de grandeza hasta el último de los hidalgos, está exenta de impuestos y vive de sus propiedades rurales, es decir, de la renta que le procura el trabajo de sus vasallos campesinos. Al lado de ese poder señorial, se constituye, después de la expulsión de 1492, una clase nueva esencialmente formada por cristianos nuevos, que se consagra a la mercancía, al artesanado, a las leyes y a la medicina. Contra ella se instituye la práctica de las «informaciones de limpieza de sangre», destinada a cortar el camino, en nombre de una ideología religiosa, al dominio económico de grupos que buscan introducirse en uno de los sectores más influyentes del poder: la Iglesia.

El discurso ideológico que corresponde a las estructuras que acabamos de recordar a grandes rasgos es aquel que afirma el prevalecimiento de una nobleza que no trabaja ni invierte, malgasta en gastos suntuarios y sólo manipula sus haberes en operaciones especulativas —censo, préstamos, hipotecas (don Toribio, el hidalgo del *Buscón* perderá en ellas su fortuna)— que tienen el efecto de aumentar el empuje inflacionista mediante la circulación incrementada de títulos. A ellos les corresponde el *honor*, al que no tienen derecho los plebeyos. Si los campesinos, pobres o ricos, siguen unidos a la tierra, la nueva clase de los conversos busca apropiarse del poder borrando la tara de sus orígenes con la ayuda de un ennoblecimiento o, al menos, con la obtención de una orden militar.

Este enfrentamiento entre dos poderes en el seno de una organización de Estado no es, en verdad, más que un conflicto entre una sociedad de órdenes enraizada en el Antiguo Régimen y una sociedad de clases que busca definirse y asentar su dominio. Quevedo en este aspecto es de una singular lucidez.

> Pertenece a la aristocracia: es un hombre de buen linaje, originario de la montaña de Santander, que es la cuna de toda nobleza. Su padre es un gentilhombre de la reina, que se casa en 1576 con una dama de honor de Su Majestad. Don Francisco será el tercer hijo de su matrimonio: el mayor es un varón (que morirá muy joven), muy pronto seguido por una niña, que sólo vivirá unos meses. Quevedo tendrá, pues, una infancia de hijo menor, que no puede aspirar al mayorazgo. Tiene seis años cuando muere su padre, y catorce cuando desaparece el mayor. Y entonces queda heredero del nombre y de los bienes, que son modestos: es un hombre de la pequeña nobleza, lo que se llama un «mediana sangre».
>
> Sin embargo, es parte integrante de la aristocracia, y ha aceptado enormes sacrificios para alzarse al grupo social con el que se siente solidario. En esta perspectiva hay que situar el monstruoso proceso que lo enfrenta con el ayuntamiento de La Torre de Juan Abad, y que gana después de veintidós años de litigio, lo que le da derecho a titularse señor de La Torre de Juan Abad, título que a partir de 1631 figura en el frontispicio de sus libros. En un libelo de juventud, Quevedo traza un retrato de sí mismo entre patético y bufonesco donde señala, a través de los sarcasmos y las agudezas, la satisfacción de pertenecer al clan de los señores aunque no tenga la mínima señoría: «Don Francisco de Quevedo, hijo de sus obras, y padrastro de las ajenas, [...] hombre de bien, nacido para el mal; hijo de algo, pero no señor...»
>
> Después de excelentes estudios en Alcalá, Quevedo hizo su entrada en el mundo de la corte y de las letras en 1600. Es un hombre feo, cojo y miope, pero lleno de gracia. Ya en 1603 una importante antología poética de la época, *Flores de poetas ilustres*, tiene por lo menos dieciocho poemas satíricos firmados con su nombre.
>
> A partir de ese momento, su vida se divide entre la literatura y la política. Se verá a Quevedo multiplicar sus esfuerzos con miras a reforzar e incrementar su posición en su orden. Su actividad política y diplomática en Sicilia, luego en Nápoles, con el duque de Osuna, del que fue confidente y ministro, sus embajadas en la corte, su participación en la conjuración de Venecia, la desgracia que le sigue y su arresto, todos esos acontecimientos hacen aparecer a un Quevedo preocupado por tomar parte en actividades po-

lítico-económicas propias de la nobleza. Después de la caída de Osuna, intentará otra vez el juego político con el duque de Uceda y, sobre todo, algunos años más tarde, con el conde-duque de Olivares al que dedica, en 1624, la *Epístola satírica y censoria contra las costumbres presentes de los castellanos*. Su relación desgarradora/desgarrada con Olivares le valdrá ser duramente encarcelado (sin duda era sospechoso de haber preparado una revuelta nobiliaria contra el favorito). Sobrevivirá pocos años a su liberación.

Lo que marca esta vida es el deseo siempre renovado de representar un papel de primer plano en la confidencia del príncipe. Quevedo está perpetuamente en busca de un hombre providencial que le diera lugar a ejercer el poder y que lo ejerciera a través de él. Pero la relación de Quevedo con el poder siempre se vio decepcionada. Sin duda estaba salpicada de demasiada ambigüedad. Sin duda también pensaba estar en el poder, pero siempre a su sombra, en una función que habría sido a la vez de ejecución y de consejo, política e intelectual. El intelectual es en él demasiado exigente y perspicaz para acomodarse a una práctica política que nada tiene que ver con el absoluto sino sólo con lo posible. La espera decepcionada de Quevedo, que expía sus exigencias en la prisión, es la de un difractado entre los intereses de su clase y aquellos, universales, del legado cultural de los que es depositario el intelectual.

En cuanto a sus escritos, Quevedo es el autor de una obra, considerable, de la que imprimió o hizo imprimir en vida sólo un pequeño número de trabajos, que son su obra abierta. Ésta comprende tratados de filosofía política, de moral, libros piadosos, comentarios de las Escrituras, y algunos libelos. La mayoría de esas obras, impresas por Quevedo o con su autorización, fueron objeto de varias reediciones durante su vida.

Totalmente diferente es el caso de las obras satíricas, que Quevedo no editó él mismo, y que a veces circularon en forma de manuscrito. Así la *Vida del Buscón*, escrita entre 1605 y 1611, sólo se imprimió en 1626. Los manuscritos conservados muestran un texto más corrosivo que el de la edición príncipe. Ocurre lo mismo con los *Sueños*, escritos entre 1605 y 1622, que se publican en 1627. Ya en 1610 una tentativa de imprimir el *Sueño del Juicio final* choca con un aplastante informe de la censura. Los *Sueños* de 1627, reimpresos en seguida, fueron a su vez objeto de una censura de la Inquisición que tachó en un ejemplar de 1628 numerosos pasajes considerados irreverentes. En 1631 aparecen con un título nuevo con el afán de hacer más inocente la obra, *Juguetes de la niñez y travesuras del ingenio*, la primera edición salida de manos del autor.

A falta de ediciones, esas obras, al igual que los libelos, corrían de mano en mano, en forma de copias manuscritas, que Quevedo hacía realizar para sus amigos y que, por otra parte, volvían a copiarse abundantemente. De ahí la multitud de variantes, algunas de las cuales, no todas, emanan del autor. En esas condiciones, la edición impresa sólo es una emergencia tardía de la manuscrita. Por lo tanto, hay que pensar que, al lado de la literatura abierta, existe una especie de *underground*, en el que la creatividad viva se elabora al abrigo de la censura. Quevedo fue uno de los príncipes de esa literatura.

A lo que hay que agregar que, si la circulación manuscrita sigue siendo excepcional cuando se trata de literatura satírica o moral, es casi requisito indispensable en poesía. Quevedo, al igual que Góngora, no publicó ninguna recopilación de poemas: éstos circulaban manuscritos, lo que favorecía la multiplicación de las variantes, auténticas o no. Sólo después de la muerte de Quevedo, su amigo González de Salas publicó, en 1649, una primera colección de sus obras poéticas. González de Salas se basó en una tradición manuscrita que evidentemente no describe, pero que sin duda trató según las indicaciones de Quevedo. Veinte años más tarde, el sobrino de Quevedo, Pedro Aldrete Quevedo, realizó una importante recopilación adicional. Pero cae de su peso que no todo está contenido en las publicaciones de González de Salas y Pedro Aldrete. En la actualidad, los eruditos vuelven a los manuscritos y arman sus ediciones a través del encabalgamiento de las variantes inéditas.

Quevedo nos pone ante una literatura móvil y polimorfa, donde todo reside en la variante, emane ésta del poeta, de los copistas o de los lectores, a menudo bastante «aficionados a los poemas» para recrearlos según sus gustos. Esos aficionados a los que el poeta ofrecía copias, o que las encargaban, se reunían por lo común en las academias donde la literatura del momento, prosa o poesía, se exhibía mediante la lectura a un público formado por escritores, poetas y grandes señores. Allí se elaboraban a la vez el arte y la ideología (es un todo); el intelectual se mezclaba con los hombres del poder en una sociedad no exenta a veces de tensiones. Quevedo, siempre en los intervalos de la política y la escritura, es el hombre de esos medios creativos y secretos.

El poeta y sus musas

Hemos conservado, por fidelidad a González de Salas, el título que dio en 1649 a la recopilación publicada a su cargo de los poemas de Quevedo:

El Parnaso español. Monte en dos cumbres dividido, con las nueve Musas castellanas. Las Musas no son en este caso las inspiradoras del poeta, sino modelos generales de escritura poética: los poemas están distribuidos por Musa (la idea era de Quevedo). Así Clío se atribuye los poemas heroicos y los elogios; Polimnia, la poesía moral; Melpómene, los poemas fúnebres; Erato, la poesía amorosa, y Terpsícore, los poemas para cantar y bailar. En 1670, Pedro Aldrete retomó la misma idea con *Las tres últimas Musas castellanas*, que completan la recopilación de González de Salas. La tabla de las Musas constituye, pues, un catálogo de géneros o más bien de categorías poéticas, lo que significa decir que el poema sólo accede a su definición si se produce en el espacio semántico que le asigna la musa adecuada a su designio.

Planteado esto, la poesía quevediana se deja reducir al contraste radical de un *positivo* y un *negativo*, positivo y negativo que se extienden como dos casos oponibles de una misma experiencia vivida.

Así evoca, por ejemplo, una boca de mujer:

> Vuestra boca riéndose es aurora...,

Y veamos la misma bajo otra mirada:

> Una boca con cámaras y pujo...

De una cabellera se dirá tanto:

> En crespa tempestad del oro undoso
> nada golfos de luz ardiente y pura
> mi corazón...

Como:

> Tú juntas en tu frente y tu cogote
> moño y mortaja sobre seso orate...

De esto resulta una visión contrastante del mundo, que hace de esta poesía un espejo difractante que sólo refleja la experiencia en la forma de un enfrentamiento entre el negativo y el positivo (se implican recíprocamente), el único capaz de conferirle sentido. Así el taller quevediano, cualquiera que sea el objeto del poema, usa un material significante propio para fundar el poema, es decir, la negatividad que, a través de él, se enuncia. De esto resulta, bajo la ornamentación y las agudezas, una impresión dominante de angustia.

Corresponden explícitamente a la tensión negativa, las meditaciones sobre la muerte:

> Ya no es ayer; mañana no ha llegado;
> hoy pasa, y es, y fue, con movimiento
> que a la muerte me lleva despeñado.
>
> Azadas son la hora y el momento
> que a jornal de mi pena y mi cuidado
> cavan en mi vivir mi monumento.

La negatividad de la muerte se engendra en una dinámica temporal que destruye el ser y lo lleva al ritmo acompasado de un ahuecamiento: es muerte trabajando, o sea, por inversión de signo, la muerte cumpliéndose como vida. La violencia de lo negativo se resuelve en un impulso positivo irresistible: el del trabajo, el esfuerzo y el salario. Con el pico en la mano, la muerte cava mi tumba en mi propia vida.

La inspiración grotesca lleva a creaciones caricaturescas, por las cuales lo vivo se negativiza en cosa inerte animada por un movimiento mecánico. Las tensión contrastante del poema es, por eso, producida por la clasificación misma que, al negativizar lo vivo, parece funcionar como lo análogo de la muerte. Así en «Mujer puntiaguda con enaguas»:

> Si eres campana, ¿dónde está el badajo?
> si pirámide andante, vete a Egito;
> si peonza al revés, trae sobreescrito;
> si pan de azúcar, en Motril te encajo...

Sería ocioso multiplicar los análisis. Un poema de Quevedo, cualquiera sea la musa que lo categoriza, no es nada más que una estructura tensora, una composición de contradictorios, susceptible de recibir en ella tantos argumentos como ha gustado el poeta atribuirle. El poema existe a partir del instante en que el encuentro de la estructura tensora y de algún argumento hace que tenga sentido.

No es raro que el poema deje transparentar la génesis de sus tensiones en su misma trama.

Es el caso, entre otros, de los tres sonetos que Quevedo consagra a mujeres de gran belleza (es el elemento positivo), pero afligidas por un grave defecto de la vista. Una, muy bella, es ciega; otra no es menos bella, pero bizca; una tercera es maravillosamente bella, pero tuerta. A partir de allí se acumulan las agudezas sobre el día y la noche, oriente y occidente que una sola mirada calienta al mismo tiempo, o aun bajo el ojo único que hace que la dama comparta con el cielo el privilegio de un único sol. Esas mujeres no son en absoluto monstruos sino, por el contrario, criaturas de acuerdo con el modelo difractante, en virtud del cual los seres poéticos componen y oponen entre ellos valores contradictorios.

La estructura tensora se deja leer hasta en el detalle de la escritura. Tal es el caso del soneto titulado «Refiere cuán diferentes fueron las acciones de Cristo Nuestro Señor y de Adán», y que de verso en verso construye la oposición difractante Adán/Cristo:

Adán en Paraíso, Vos en huerto;
él puesto en honra, Vos en agonía;
él duerme y vela mal su compañía;
la vuestra duerme, Vos oráis despierto.

El cometió el primero desconcierto,
Vos concertaste nuestro primer día...

Del lado negativo está Adán; del lado positivo, Cristo. Pero la positividad de Cristo se negativiza en función de la positividad aparente de Adán que, negativo, se ve honrado en el Paraíso. Así se realiza, a lo largo del poema, una inversión que es la de la historia cristiana. Por otra parte, la agudeza final («¡Cuán diferente nos dejáis la historia!») es la recuperación en una analogía de la difracción radical: Adán es a Cristo lo que el Pecado es a la Redención, y la historia cerrada de la Caída a la historia abierta de la Gracia.

El juego de las tensiones se significa en Quevedo por medio de la «agudeza» o del «concepto» que, lejos de ser ornamentos del discurso, predeterminan su organización.

Para Baltasar Gracián, el concepto es «un acto del entendimiento que exprime la correspondencia que se halla entre los objetos» (*Agudeza y arte de ingenio*). Al ser «armónica correlación entre dos o tres cognoscibles extremos», el concepto implica que entre los extremos que correlaciona haya identidad/diferencia y, en consecuencia, ruptura. La ruptura superada es el alma del concepto o de la agudeza en Quevedo, para quien la ruptura es la de las tensiones contradictorias que fundamentan el poema y que el espíritu exacerba en el mismo momento en que las supera, haciendo aparecer la correlación asombrosa entre dos extremos que se difractan.

Veamos, a título de ejemplo, un soneto de amor que González de Salas titula: «Amor impreso en el Alma, que dura después de las cenizas» y cuyo tema será retomado en el célebre «Amor constante más allá de la muerte».

> Si hija de mi Amor mi muerte fuese,
> ¡Qué parto tan dichoso que sería
> El de mi Amor contra la vida mía!
> ¡Qué Gloria que el morir de amar naciese!
>
> Llevara yo en el alma, adonde fuese,
> El fuego en que me abraso y guardaría
> Su llama fiel con la ceniza fría
> En el mismo sepulcro en que durmiese.
>
> De esotra parte de la muerte dura
> Vivirán en mi sombra mis cuidados,
> Y más allá del Lete mis amores.
>
> Triunfará del olvido tu hermosura;
> Mi pura fe y ardiente, de los Hados,
> Y el no ser, por amar, será mi Gloria.

La difracción radical opone la Muerte y el Amor, imaginando que del Amor nacería la Muerte (lo que sería propiamente «morir de amor»). La paradoja consiste en concebir el Amor perpetuándose en la Muerte y hasta en el sepulcro que habitan las cenizas del poeta. La Muerte sería entonces el correlato imprevisible del Amor.

Los tercetos no hacen sino desarrollar la paradójica proposición: el poeta sobreviviéndose enamorado más allá de la Muerte y conservando, más allá del Leteo, la memoria de su amor. Así su fe triunfaría sobre el destino, aunque será en y por el no-ser que accederá a la gloria, en virtud del principio que, si el Amor engendra la Muerte, entonces la Muerte *es* Amor por correlación y correspondencia. La exacerbación de la contradicción difractante alcanza el paroxismo cuando se enuncia la unificación conceptual de los contradictorios.

El tratamiento del tema, en «Amor constante más allá de la muerte», es a la vez más directo y más abstracto. Pero el artificio conceptual es de la misma naturaleza, porque se da por objeto superar la contradicción de un cuerpo perecedero y de un amor que no lo sería. La paradoja consiste en abolir el enfrentamiento de los contradictorios, para colocar el amor en la muerte corporal, en el polvo («Polvo serán»), lo que tiene como consecuencia perpetuar el amor en un lugar que le es incomponible, pero que el artificio conceptual, basándose sólo en lo imperecedero del amor, coloca como el espacio de la trascendencia amorosa:

Polvo serán, mas polvo enamorado.

Resulta claro que actúa la agudeza tanto en los poemas satíricos como en la poesía amorosa. Recordemos el soneto titulado «A una nariz»:

Érase un hombre a una nariz pegado,
érase una nariz superlativa,
érase una nariz sayón y escriba...

y que después de una enumeración aterradora, termina con una ingeniosidad inesperada:

érase un naricísimo infinito,
muchísimo nariz, nariz tan fiera
que en la cara de Anás fuera delito...

Esa nariz desmesurada (recuérdese la broma de Cicerón sobre un hombre demasiado pequeño: «¿Quien ha atado a ese hombre a esa espada?») no tiene más propiedad que denunciar, bajo la cobertura de los objetos puntiagudos y contundentes con la que se compone, la violencia amenazadora del judaísmo.

> Accediendo finalmente al colmo de su significación nariguda, esa nariz se ve de pronto identificada con la de Anas (que Quevedo acentúa Anás, no sin intención) quien, pontífice en Jerusalén, tuvo que asistir a su yerno Caifás en el proceso de Jesús ante el sanedrín.
>
> Nariz/pene, gigantesca en la proporción en que los judíos eran considerados lascivos, a pesar de una circuncisión castradora sólo es terrible si es demasiado para la cara del pontífice Anás, cuyo nombre no puede ser sino el de un hombre sin nariz: ¿A-nás?

¿Qué relación, como no sea contradictoria, existe entre un judío y una nariz? ¿La agresividad lasciva del pueblo enemigo es compatible con una nariz castrable y cuya misma desmesura la hace un objeto vano y ridículo? Lo que significa decir que la agudeza aplicada en «A una nariz» es como el intervalo que separa en el judío un *más* de un *menos*: un demasiado de nariz (en cuanto al rostro y al alma) de un menos de nariz (en cuanto a la verdad onomatomántica del nombre), contradicción que estalla en la nariz/nombre de ese A-nás con nariz excesiva bajo un nombre sin nariz.

La obra poética de Quevedo es considerable, y toca todos los temas. Es como un diario que llevara el poeta de los ejercicios a los que somete regularmente su espíritu, y que se trata con la invención y la manipulación del concepto y de la agudeza.

A diferencia de Gracián, resulta que el artificio conceptual quevediano es más un espacio de analogía/des-analogía entre objetos aprehensibles en una mecánica contrastante en difracción con ella misma que una correspondencia o correlación.

Queda por comprender algo sobre las causas y las operaciones que actúan en esta organización del lenguaje, cuya finalidad parece ser tender hilos entre los objetos con el fin de confrontarlos con su propia concordancia/discordancia. La reflexión sobre la escritura con la que se cerrará el presente capítulo intentará hacer entrever algo de las apuestas quevedianas.

La prosa y sus tensiones

Quevedo sobre todo escribe, y de manera continua, lo que hace que no se puedan reagrupar sus escritos por períodos: desde los primeros años del siglo, que marcaron sus comienzos, hasta su muerte, se ven alternar en su pluma sátiras, fantasías morales en estilo visionario o grotesco (una de esas fantasías toma la forma de un relato picaresco: *Vida del Buscón*), reflexiones ascético-filosóficas, teoría política y moral del gobierno, etc.

Sin embargo, si fuera necesario asignar a la obra un centro de gravedad intelectual, sólo podría ser político: España en ese momento es presa de una crisis económica y moral grave, que está a punto de transformarla o de dominarla, a la que se resiste con todo el peso de su tradición y cuyas tensiones agónicas Quevedo observa no sin angustia. Nos cuidaremos de no reconstruir aquí, como a veces se ha intentado, un Quevedo de una sola pieza, obsesionado por la urgencia de oponer a la historia una ideología propiamente reaccionaria, es decir, capaz de contener su curso. El pensamiento quevediano es más sutil, más dividido frente a un real complejo que la inteligencia percibe como un encabalgamiento de contradicciones. La diatriba contra el dinero («Poderoso caballero/es don Dinero») ¿es el rechazo de una socioeconomía generadora de poderes inéditos? ¿O la afirmación que esa socioeconomía existe con su moral propia, que el intelectual debe confrontarse, en el mismo nivel que cualquier otra moral, al principio de una ética universal? Los intereses y las pasiones del personaje, su radicalismo, su adhesión a lo absoluto lo conducen a multiplicarse contradictoriamente frente a las contradicciones de una sociedad presa del trabajo de la historia.

1. La instancia de realidad: descripción y diagnóstico

Con esta rúbrica se reagrupa un conjunto de obras que se escalonan de los años 1600 a 1627, y que comprende:

a) Varios escritos menores satíricos y burlescos (*Obras festivas*).

Entre otras, *Premáticas y aranceles*, *Cartas del caballero de la Tenaza*, *Capitulaciones de la vida de corte y oficios entretenidos en ella*, *Carta de un cornudo a otro, intitulada el siglo del cuerno*, *Cosas más corrientes en Madrid y que más se usan: por alfabeto*, etc.

Estos escritos son otros tantos brulotes que circularon manuscritos (por eso, en algunos, la acumulación de variantes), y cuyo tema es la sátira y denuncia de las prácticas de la corte en materias de la literatura de moda, como en *Premáticas del desengaño contra los poetas güeros*: en efecto, un poeta huero o un cortesano huero, es lo mismo, siendo lo huero en todo caso, el signo de la no-verdad del ser.

b) La *Vida del Buscón llamado don Pablos*, escrita entre 1605 y 1612, y que en principio circuló manuscrita.

Imitación crítica de los libros de pícaros, el último de los cuales es *Guzmán de Alfarache* de Mateo Alemán (1599-1604 [véase el cap. II]), el *Buscón* plantea el problema del estatuto personal en la España de los Habsburgo, tanto para un pícaro nacido de la nada (Pablos de Segovia) como para un pícaro secundario cuya tara original ha sido borrada por el éxito económico (don Diego Coronel). A la historia de esos dos pícaros se opone la de una auténtica pequeña nobleza arruinada por los «negocios». ¿Qué queda de la sociedad de órdenes de antaño? Estructuras pervertidas, de las que nunca se sabrá si el pícaro podrá alguna vez integrar en ellas su propia problemática.

c) Los textos conocidos con el título *Sueños y discursos de verdades descubridoras de abusos*, título de la edición príncipe.

La historia bibliográfica de este libro es singularmente complicada, en razón de las censuras inquisitoriales, de las intervenciones de Quevedo que trata con el Santo Oficio al mismo tiempo que manda hacer copias para los amigos. Finalmente recompone su texto y lo hace imprimir en 1631, con el título de *Juguetes de la niñez y travesuras del ingenio.*

El conjunto de estos textos tiene en común haber nacido de las primeras inspiraciones de Quevedo y de haber conocido en principio un mismo modo de difusión. El mensaje que transmiten es sensiblemente el mismo, más o menos vehemente y radicalizado según el caso.

Premáticas, Aranceles, Capitulaciones

Es propio de estos textos presentar la corte como el envés de ella misma: guarida de «figuras artificiales» que sólo existen por los bálsamos y jabones con los que se perfuman el bigote y los dedos. Su entretenimiento son sólo damas, caballos, caza o a veces poesía, que entusiasma a los enamorados. Mundo superficial, mecánico y risible, con el espacio de su alrededor reservado a los jugadores, tramposos y timadores. En cuanto al alfabeto de las cosas más usuales en Madrid, se abre con *alcahueta*, y se cierra con *vergüenza* que, una vez perdida, nunca vuelve a encontrarse.

Las *Cartas del caballero de la Tenaza* son una burla sobre el dinero entre un hombre y una mujer, cuyo único objeto es trepar todo lo que se pueda, gracias a su mano/tenaza: discurso de avaricia a dos voces.

En cuanto a la *Carta de un cornudo a otro, intitulada el siglo del cuerno*, generaliza la institución de los cuernos por interés («el mejor oficio que hay en la república»). También aquí se trata de dinero. Ya vemos que el tema es obsesivo: sin duda resulta adecuado para denunciar la no verdad de una sociedad cuya práctica es la perversión del principio que la fundamenta, y que no es otro que la ideología señorial del desinterés.

La Vida del Buscón

El *Buscón* nos muestra a dos pícaros, sólo uno de los cuales produce el relato en primera persona: es Pablos de Segovia. El otro es su camarada y maestro, don Diego Coronel. Todo el mundo sabía que la rica familia de los Coronel de Segovia descendía del banquero Abraem Senior, bautizado en 1492 con el padrinazgo de los Reyes Católicos. Si bien el pequeño Pablos es el hijo de un barbero, converso y ladrón, y de una madre alcahueta experta en brujería, por sangre es igual al poderoso don Diego. La diferencia que los separa es que uno tiene su fortuna hecha, y el otro tiene la suya por hacer.

En el *Buscón*, el dinero es un criterio determinante. El padre barbero, muerto a manos de su propio hermano, el verdugo, ha dejado a Pablos un pequeño peculio. La herencia inspira al hijo una ironía siniestra: a la vista del cadáver expuesto al borde del camino, despedazado en *cuartos* por el verdugo, se representa a su padre reducido a *cuartos* (moneda), esperando presentarse en bolsa en el valle de los Bienaventurados: «aguardando ir en bolsas, hecho cuartos, a Josafad». Así, pues, el Padre es el Dinero: doscientos ducados en especie sonante, que el hijo acaba de recibir como herencia y que en adelante son su única genealogía.

Cuando Pablos se encuentre en Madrid en compañía de don Toribio y de los hidalgos chirles, que sólo tienen como crédito su sangre azul y ninguna fortuna, porque están arruinados, Pablos, que oculta en sus calzas su herencia, será superior a ellos, hasta el punto que, cuando lo conduzcan a la prisión del rey con toda la banda, su dinero le valdrá estar en la sala de los linajes: el linaje es, pues, lo que el dinero permite fabricar al instante.

El *Buscón* nos hace asistir a la subida del dinero en el seno de una sociedad en la que la jerarquía de los órdenes cede a las relaciones de clases. No hay otra aristocracia en este libro que la de don Toribio y la de los gentileshombres-chirles que, a falta de medios, desaparecerán en el lumpenproletariado de la ciudad. La pequeña nobleza ya no tiene lugar en este juego de coyunturas perversas: el futuro es de don Diego Coronel, es decir, de una nueva nobleza del dinero de orígenes impuros.

El análisis de Quevedo no peca, ya vemos, de un aristocratismo vindicativo o triunfalista. Se ha querido ver en este libro caricaturesco una puesta en escena carnavalesca. Lo es, en efecto; pero, sin embargo, este carnaval no es la inversión de lo real en ilusión, sino el hundimiento de la ilusión aristocrática en beneficio de lo único real determinante en última instancia: el Dinero.

Los Sueños

Los *Sueños* fueron escritos entre 1605 y 1622. Tres de ellos, «El alguazil endemoniado», «El Sueño del infierno» y «El juicio final», son contemporáneos de las primeras redacciones del *Buscón*. Sólo el «Sueño de la muerte» es francamente posterior.

Los *Sueños*, por lo tanto, deberán ser leídos como una proyección emblemática del *Buscón*. Esas cinco fantasías morales quieren restituir, cada una en su perspectiva propia, las causas de las mutaciones que trastocan la realidad sociopolítica española. Esas causas no deben buscarse en absoluto en la experiencia, sino en el modelo trascendente cuya imagen lleva en ella. Los *Sueños*, que pintan el infierno o la muerte, son la representación de esa trascendencia explicativa.

Se observará, en principio, que en los infiernos quevedianos no hay lugar para el pecado personal: los pecados son los de una colectividad o de un grupo. Muy a menudo, ese grupo es una corporación: los escribanos, los taberneros, los médicos, los mercaderes, etc. La falta está en la función: ella es la causa del mal.

Esas funciones son económicas: son los oficios los que intercambian su práctica o su saber por un beneficio. Gasto vano, por otra parte, para el que lo consiente: el médico mata más vivos que la muerte. Lo que significa que la función se cumple mal, siempre en detrimento del prójimo, pervertida por la usura que la fundamenta. En el «Sueño de la muerte» se considera que el dinero hace más, por sí solo, contra el hombre que los tres enemigos del alma: Mundo, Diablo y Carne. ¿No se dice que «Endiablada cosa es el dinero... El Diablo es el dinero»?

También lo económico y lo moral forman un solo campo de perversión: un mercader, un médico o un mendigo son idénticos porque están alienados en su solo interés.

Las funciones, o sea el conjunto de los condenados, cualquiera que sea la causa de su condena, deben relacionarse con el que condiciona el pecado económico: el apóstol apartado, Judas Iscariote, que vendió a Dios por treinta denarios.

Judas, que reaparece sin cesar en los *Sueños*, es la figura del Tesorero, del Intendente, que administra el gasto no para la colectividad, sino para él mismo, porque desvía en su provecho los bienes que tiene a su cargo. Forma con Lutero y Mahoma el trío maldito, pervertidor de la humanidad. Aún Judas, al vender a Dios, permitió la salvación del hombre: pero los otros dos, al vender su alma, causaron la ruina del mundo («Sueño del juicio final»).

De esto se desprende que la codicia y el interés son la marca del infierno. Por eso en él no tienen lugar los pobres: «Si lo que condena a los hombres es lo que tienen del mundo, y ésos no tienen nada, ¿cómo se han de condenar?» («El alguazil endemoniado».)

Hay, por otra parte, seres que son peores que Judas, según el mismo Judas: son los alquimistas, que se encarnizan en fabricar oro a partir de excrementos. El oro excrementicio de los alquimistas es de la misma naturaleza que las monedas de oro que amasa el interés y que atesora en la cochambre de las bolsas. No hay que engañarse: Quevedo no hace un requerimiento contra los oficios en razón de su función económica, sino porque, poseídos por la codicia y la alienación en sí mismos, provocan con su usura la disolución del cuerpo social.

Los *Sueños* y el *Buscón* sostienen, pues, discursos análogos sobre la correlación que hay que establecer entre el advenimiento del dinero y la perversión de las sociedades de órdenes basadas en el principio aristocrático del honor.

> Recuérdese, en *Las zahúrdas de Plutón*, la imprecación contra la aristocracia arruinada, imbuida de un honor ya sin significación:
>
> «Reímonos acá de ver lo que ultrajáis a los villanos, moros y judíos, como si en éstos no cupieran las virtudes, que vosotros despreciáis [...] Pues ¿qué diré de la honra mundana que es la que hace más tiranías en el mundo y más daños y la que más gustos estorba? Muere de hambre un caballero pobre, no tiene con qué vestirse, ándase roto y remendado, o da en ladrón, y no lo pide, porque dice que no tiene honra; ni quiere servir, porque dice que es deshonra», etc. Se reconocerá un discurso antinobiliario que viene del *Lazarillo* de 1554, pero cuya significación cambia en cada coyuntura de reempleo. En este caso es el discurso de don Toribio, muerto por el honor que ya no puede sostener, el que se escucha a través del de los *Sueños*. Al igual que en el Buscón no hay aquí otra aristocracia que la del hidalgo en el pergamino, que es objeto de este discurso.

Con toda evidencia, Quevedo no se convierte en absoluto en defensor de los valores nobiliarios: ni habla de ellos. ¿Corresponde hablar de lo que ya no existe? La sociedad trabajada por lo negativo, que tiene ante sus ojos y en la que él existe ¿tiene algún medio de sobrevivir a la crisis moral (Quevedo no conoce otra) que la resquebraja?

2. Entre Cristo y la *Stoa*

Este cristiano se guía por una sabiduría pagana: es un estoico. Las desgracias que han golpeado a Europa a fines del siglo XVI suscitaron entre los intelectuales una renovación de la moral estoica. Más que resistirse a la catástrofe, prefirieron condescender a todo lo que no depende de la voluntad.

Así se llegó a considerar que la enfermedad, la esclavitud, la muerte son necesidades que comprometen mi condición, mi cuerpo, pero no mi juicio. Siguiendo en esto a Justo Lipsio, que preside desde Lovaina la renovación de la *Stoa*, Quevedo, que se cartea con el maestro, traduce y retoma por su cuenta a Séneca en una ascesis que reúne en ella el sacrificio cristiano y la libertad estoica.

Es con este espíritu con el que entre 1612 y 1635 vuelve a trabajar varias veces en su tratado, *La cuna y la sepultura para el conocimiento propio y el desengaño de las cosas ajenas*, donde exhorta al hombre a seguir los dos principios que le han sido dados desde el nacimiento, a saber, naturaleza y razón, y que le valdrán una vida buena y conveniente. Un personaje como Job, asaltado por la desdicha sobre su estercolero al que consagrará un libro (*Constancia y paciencia del santo Job*), constituye una interesante síntesis de elevación judeocristiana y de ataraxia propiamente estoica. A lo que se agregan notables exposiciones de la doctrina (*De los remedios de cualquier fortuna. Doctrina estoica*).

Del lado de la moral política, se señalará *Política de Dios, gobierno de Cristo y tiranía de Satanás*, que apareció en 1626, pero que es sin duda anterior. Se trata de una guía precisa sobre la que el príncipe regula su conducta respecto de sus súbditos, de sus ministros y consejeros, de sus enemigos y de sí mismo. Cada precepto se apoya en uno o varios versículos sacados de las Santas Escrituras. Valiéndose de estas enseñanzas, Quevedo da una lección a Su Majestad sobre sus deberes hacia Dios y los hombres.

Los años que precedieron a su encarcelamiento (1639) dieron lugar a obras mayores, de inspiración política y moral.

La Hora de todos y fortuna con seso verá la luz cinco años después de la muerte de Quevedo (1650). En cuanto a la *Vida de Marco Bruto*, según Plutarco, que es su testamento político, él mismo lo hace imprimir en 1644.

La hora de todos

Quevedo la titula *fantasía moral.*

> Frente a un Olimpo caricaturesco, Júpiter, enojado porque la Fortuna no sabe regular con razón y justicia su acción sobre los hombres, decreta que, sólo por un día, y solamente una hora de ese día, que será la *hora de todos*, cada uno recibirá de la Fortuna el don que merece.
>
> Siguen cuarenta cuadros, cada uno de los cuales desarrolla dos momen-

> tos: uno muestra el estado de las cosas antes de la hora; el otro muestra la intervención de la hora y sus consecuencias.
>
> Así, un médico que visita a un enfermo es alcanzado por la hora y se transforma en seguida en verdugo que lo mata. En una taberna, la hora separa bruscamente, en las jarras, el vino del agua con el que había sido indebidamente aguado.

Sin entrar en el detalle del texto, que ha dado lugar a importantes comentarios, se observará que a diferencia de los *Sueños*, la *Hora* se presenta como una reflexión polémica que supera el proyecto moral. Es verdad que volverán a encontrarse las funciones pecadoras: médicos, usureros, magistrados, chulos, cortesanos, taberneros, alquimistas, etc. Pero, además de que el texto es muy explícito en sus ataques contra la gestión administrativa de Olivares, toda su política extranjera, la relación de España con Europa es lo que se cuestiona en los capítulos que Quevedo consagra a la república de Venecia, al papado, a Francia, al Gran Turco o al rey de Inglaterra, sin hablar de los judíos de Monopantes-Salónica y de su cómplice, Pragas Chincollo, bajo el cual se oculta la personalidad del conde-duque. Los ataques de Quevedo contra Olivares y su ascendencia conversa son tanto más graves y violentos ya que representan al favorito como usurpador del poder.

A lo que hay que agregar, para cerrar esta breve ojeada, que no deja al margen a ninguna clase. Así en el capítulo XI: «Criado de señor endemoniado», que describe una cadena de posesión diabólica que, partiendo de un señor, recorre una serie jerárquica hasta llegar a la puta, y por la puta, al diablo, al que no le queda más que enhebrar el conjunto para poner a todo el mundo, de la puta al noble, en conexión con el infierno.

De este libro se desprende una libertad de juicio poco común, como lo testimonia el capítulo conclusivo, que se abre con un debate contradictorio sobre la monarquía y la república sucesivamente criticadas por un noble saboyano y un genovés de la plebe. Plantearse la cuestión en estos términos aun para que las partes se den la espalda, mientras que, en el mismo capítulo se sugiere que el tirano pueda ser si no matado al menos depuesto, debería conducir al lector a interrogarse sobre la legitimidad del asesinato de César. Pero, ¿Pragas Chincollo era César?

Vida de Marco Bruto

Quevedo escribió la vida de Bruto según Plutarco. En 1644 publicó una primera parte con un título significativo: *Primera parte de la vida de Marco*

Bruto (termina con los acontecimientos que siguieron a la muerte de César), que no deja de recordar la tradición de los libros de pícaros (*Primera parte de la vida de Guzmán de Alfarache*), abiertos por definición.

> Personaje ambiguo, indeciso, contradictorio, pompeyano entre antipompeyanos, conjurado contra César en el clan de César, solo, finalmente, entre los conspiradores separados, Bruto, dividido entre la reflexión y la acción, es un intelectual «agónico». Plutarco: «Bruto fue en lengua latina tan propio en el estilo militar como en el cortesano. En griego, afectó con felicidad la brevedad lacónica. Prueba de su sentenciosa concisión: ¿sus cartas? donde pocas palabras hacen nacer grandes discursos, sin que el lector encuentre en ellos falta ni deje de leer lo que está escrito. Lo poco en sus epístolas parece demasiado, y lo que sería demasiado en otro es lo que falta en él. Usa las palabras como la moneda, y habla en oro, no en metal vil [...].» ¿Su estilo era el mismo que el del *Marco Bruto*?

¿Bruto descendía de Junio Bruto, que liberó a Roma de Tarquinio, o de un intendente de ese mismo Junio (oficio infame: el de la avaricia)? A lo que Quevedo responde que la consanguinidad del mérito es más fuerte que la de la sangre y que, por otra parte, «Junio Bruto fue llamado Bruto porque se fingió tonto siendo sabio y prudente […] Marco Bruto siempre se ostentó sabio para mostrarse después tonto». Tal sería el primer episodio de una «novela familiar» que llevaría a Bruto a buscarse tantos padres como pudiera asesinar.

La *Vida de Marco Bruto*, dice Quevedo, es un «discurso de tres muertes en una vida»; sin duda las de Pompeyo, César y Bruto mismo, si el libro hubiera sido terminado. Pero las tres muertes que jalonan la vida de Bruto podrían muy bien ser las de sus padres sucesivos: el padre según la sangre (asesinado por orden de Pompeyo), Pompeyo y César.

Tal lectura muestra la analogía del *Bruto* con el *Buscón*, como si el *Bruto* no fuera más que una proyección, en la mitología histórica, de la mutación moral que describe el *Buscón*.

Las palabras de Pablos de Segovia: «Me importa negar la sangre que tenemos» es una manera de declarar que el cuestionamiento de la sociedad de órdenes empieza con la muerte del Padre. La transustanciación de la sangre en dinero marca la aparición de un nuevo poder. Lo mismo sucede con los Coronel, cuyo prestigio se basa en renegar por el antepasado el linaje de los Senior, y la puesta en circulación, con el nombre de Coronel, de un dinero blanqueado. Blanqueado, también, el tesoro de los doscientos ducados, que son la sangre judía y ladrona del Padre, y que Pablos disimula en sus gregüescos.

En *Bruto*, el papel del Padre recae en César, que sintetiza en su persona, además del poder que efectivamente detenta, todas las paternidades reales o simbólicas que construye Bruto. El César quevediano es un complejo difractante que, según la orientación del discurso, es príncipe o tirano. La indignación apasionada de Quevedo contra la «bobería» intelectual de Bruto alcanza el paroxismo cuando éste descubre, una vez muerto el padre-tirano, que era el príncipe legítimo asesinado por un error de juicio.

Si antes había un tirano en lugar de un rey, en ese momento ya no hay ni rey ni tirano, sino el vacío político y moral que ha dejado la muerte del Padre.

Surgen entonces el Dinero y la venalidad: «El señor perpetuo de las edades es el dinero: o reina siempre o quieren que siempre reine.» Las disensiones de Marco Antonio y de Octavio suscitan la guerra civil y la constitución de ejércitos rivales: «Remitieron los dos su poder a la negociación del dinero, y compraban ejércitos y ciudades [...] el pueblo en cuya memoria no tiene vida lo pasado vende al interés propio la libertad.» Cuando ve «en poder del interés las armas y remitida a las armas la razón», Bruto comprende el fallo de su designio: se exilia a Elea para esperar allí «las diligencias del tiempo y la medicina de los días».

Dos puntos separan a *Bruto* del *Buscón*. Por una parte, Bruto no tiene nada de la avidez económica del pícaro: no es un burgués fallido sino un asno. Sin embargo, habitado por el desinterés, desencadena con el asesinato del Padre los cataclismos del interés y de la venalidad.

Una vez muerto César, el poder ya no es del Príncipe o del Padre, sino que es objeto de tantas usurpaciones como particulares existen capaces de apropiarse de él momentáneamente. El conde-duque de Olivares, alias Pragas Chincollo, es sin duda uno de ellos. ¿Podría alguna vez restaurarse la legitimidad del poder? Ése es el eco perceptible, en el final del *Bruto*, de la discusión que, en el último capítulo de *La Hora*, opone a un noble y a un plebeyo sobre los vicios respectivos de las monarquías y de las repúblicas. El debate muestra el desconcierto de un universo *vacío* —el mismo del *Bruto*, de *La Hora* y del *Buscón*—, del que ha desertado el espíritu y que ya sólo es el territorio, negativo, del Interés.

La escritura

Los análisis que preceden darían una imagen de Quevedo mutilada, disconforme con lo real, si no se le asocian algunas indicaciones sobre lo esencial, que es su escritura.

La escritura, en Quevedo, domina su propósito: lo informa, le confiere sentido y eficacia. La obra en su totalidad, prosa y verso, se presenta como un perpetuo juego del lenguaje, que toma todo tipo de formas: chistes, agudezas, conceptos, calamburs, paronimias, homonimias, asociación de signos o de ideas, etc. Todo se desarrolla como si se esperara todo del lenguaje: no del significado sino de los significantes, el significado sólo existe en última instancia por la marca del significante. El texto, si se hace abstracción de la escritura, nada *dice*: el artificio del lenguaje es el que lo dice todo.

De todas las formas de juego que se acaban de mencionar, el chiste sólo es una. Un rasgo del chiste es que provoca la risa en terceros a quienes el sujeto lo comunica. Éste no es el caso de la mayor parte de las agudezas quevedianas, en prosa o en verso. Así una declaración como: «No escribo historia, sino discurso de tres muertes en una vida» (*Vida de Marco Bruto*) no hace reír sino que produce, por conjunción de incomponibles (esta vida lleva en ella no *una* muerte —la suya— sino *tres*), una acomodación de ideas inesperada que no deja de suscitar un beneficio de placer, análogo al que el pensamiento obtiene del *juego*.

La noción de placer, a la que apelamos aquí, dice por sí misma lo que las reflexiones que siguen deben a los análisis freudianos de la escritura: los de su obra *El chiste* siguen sin ser superados.

La escritura de Quevedo es la de Bruto: «En griego, dice Plutarco, afecta con felicidad la brevedad lacónica...» Como Bruto, Quevedo busca la «sentenciosa concisión» que, por su economía, marca «un ahorro de esfuerzo psíquico». Al esfuerzo ahorrado corresponde un beneficio de placer (cf. Freud, *op.cit.*).

Si hay inversión tendenciosa (no es siempre el caso), nos acercaremos al chiste, a la agudeza, como cuando se trata del padre dedicado a «ir en bolsas, hecho cuartos, a Josafad» (*Vida del Buscón*). El ahorro se remite aquí a los *cuartos* que, bajo un único y mismo significante, evoca a la vez los cuartos del padre despedazado y las monedas de cuatro maravedíes en las que se ha transustanciado por herencia, lo que tiene el efecto de hacerlo viajar en la bolsa del hijo hacia el lugar de los Bienaventurados. El juego lingual de ahorro, y el placer que de él resulta, está en el doble sentido de *cuartos*.

En *La Hora*, la casa del ladrón ve sus piedras volver una a una a los lugares de donde habían sido robadas. Un vecino usurero se asombra del prodigio: «¿Las casas se mudan de los dueños? Mala cosa» (*Hora de todos*, V), donde mudarse, que significa que un ocupante deja una vivienda, es empleado con el valor inverso de una vivienda que dejaría a sus ocupantes.

> Que un significante, que permanece invariable por economía, sea llevado a decir su propia reversibilidad es un logro del ahorro susceptible de procurar al lector un placer inesperado. Este placer es de orden estrictamente intelectual y se basa, como en todos los juegos de este tipo, en el fracaso de esa fuerza inhibidora que es la crítica. Cada uno sabe que *mudarse* sólo tiene un sentido, y no dos. Y vemos que puede funcionar «al revés», a pesar de la censura normativa. El juego lingual parecer ser, en su resultado, una transgresión consentida, deliciosa, que colma a la vez a su promotor y a aquel a quien comunica su «hazaña», con el fin de hacerle compartir el placer.

Así pues, la técnica de la escritura no tiene otro objeto en Quevedo que sacar a la luz, a través del lenguaje, analogías nuevas entre palabras, entre ideas, entre palabras e ideas.

La agudeza, de la que se ha hablado en su momento, responde al mismo principio. Se basa, ya lo hemos visto, en relacionar, por concordancia/discordancia, dos o tres términos extremos que el espíritu confronta y en los que descubre que, más allá de las diferencias y contra toda traba crítica, una común propiedad unificadora que permite concebir su asombrosa analogía.

Que la escritura quevediana sea, continuamente y según argumentos diferentes, ese artificio lingual que solicita del lenguaje que desvela —aunque forzándolo— las analogías de las que es el encubridor, tiene como consecuencia instaurar el principio de ahorro/placer como el generador de un goce en adelante necesario y repetitivo. De esto resulta una *manera* identificable a través de todas las estructuras de la obra. Ninguna escapa al principio en virtud del cual sólo hay escritura por asombro y maravilla (*meraviglia*, dicen los italianos para designar este tipo de escritura) que suscita el juego de los encuentros inesperados, provocados. Con la censura aparentemente derrotada el intelecto descubre el más aquí de su propio lenguaje.

No queremos concluir sin presentar dos observaciones complementarias de la presente exposición.

La primera estará relacionada con la naturaleza y posición de los mecanismos de ahorro/placer. El juego lingual aquí descrito comienza, es verdad, como indica Freud (cf. *op. cit.*) «como una búsqueda del placer en el libre empleo de las palabras y de los pensamientos». Pero no por eso hace abstracción de los procedimientos cogitativos; éstos se ven trasladados al más allá de las correspondencias percibidas y a las que confieren *in extremis* su significación. De esto se desprende que el descubrimiento de la significación de las relaciones y de su fundamentación es parte integrante de la operación conceptual, y ésta parece haber sido emprendida con un solo fin.

Dicho de otra manera, hay que representarse que en el antecedente del juego lingual, está el lenguaje en sí mismo y sus inagotables reservas de significación. Las agudezas quevedianas no significan porque son agudezas, sino porque movilizan la significación que imponen a la consideración del espíritu crítico. Así en la afirmación de que «la cuna empieza a ser sepultura, y la sepultura, cuna a la postrera vida» (*Cuna y sepultura*), o de las palabras del hidalgo arruinado del *Buscón*: «He vendido hasta mi sepultura por no tener sobre qué caer muerto» (*Vida del Buscón*).

Nuestra segunda observación será formulada como una pregunta, a la que no se dará ninguna respuesta, sino a título de hipótesis.

¿Por qué, a qué causa responde, en Quevedo, esa búsqueda apasionada de la concisión y del ahorro? La respuesta podría ser que lo que se busca a través del ahorro es el placer. Pero ¿qué es lo que empuja a Quevedo a buscar, en y por la escritura, factores de placer?

El ahorro del que se trata aquí es el de un esfuerzo psíquico necesitado por la inhibición o la represión de la crítica. Por lo cual el juego lingual interviene cada vez que el sujeto se ve «interceptado» en su práctica del lenguaje por una censura que afecta su discurso de prohibido, lo que para él es fuente de displacer y de angustia. Esto vuelve a plantear que el juego lingual tiene por objeto ahorrarme un displacer, quitando momentáneamente cualquier censura inhibidora.

El manierismo quevediano y su juego lingual ininterrumpido desde entonces se dejarán interpretar como otras tantas réplicas del *yo* al impulso destructor de lo negativo y al desamparo psíquico que no dejaría de resultar de él.

En otros términos, las técnicas quevedianas de la escritura tal vez no son nada más que una defensa contra la dinámica negativa cuya fuente debe buscarse en el contraste de lo positivo y de lo negativo propio de toda difracción. Ahora bien, la fase negativa de la operación difractante no es en absoluto, en Quevedo, un factor de superación y de progreso, sino que se constituye por el contrario en bloqueo de lo real. La escritura interviene entonces, a fin de desbaratar la presión de lo negativo, contra la cual parece ser la única defensa posible.

La fluencia negativa del ser se encuentra así neutralizada por medio de una técnica adecuada para ahorrar al sujeto el displacer, aplicando continuamente el juego que instaura el lenguaje, con miras a procurar al hombre un placer que debería permitirle sustraerse a su propia destrucción.

MAURICE MOLHO

Capítulo VIII

EL SEGUNDO HÁLITO DEL TEATRO

La *segunda comedia*

Cuando Calderón llega a la edad de imponer su supremacía, es decir alrededor de 1625, la historia del teatro en España en el siglo XVII ha dado un giro. Hacia esa época, en efecto, la primera generación de dramaturgos casi pone fin a su actividad teatral: Alarcón y Tirso de Molina dejan de escribir para la escena; Lope de Vega frena sensiblemente su producción dramática y detiene la publicación de las *partes* de sus obras; Guillén de Castro edita el último volumen de sus obras. También a partir de esa época, conocen un período de relativo apaciguamiento las dos polémicas que habían acompañado el primer desarrollo de la *comedia nueva*: por una parte, la controversia estética, lanzada por los preceptistas y que enfrenta a antiguos y modernos; por otra, la controversia ética sobre la «licitud del teatro», es decir, la legitimidad moral de la institución, de la escritura y de la representación teatrales. Los textos suscitados por esos debates se hacen mucho menos frecuentes, mientras que otros signos —como el menor valor acordado a los sufragios del vulgo o, inversamente, el papel decisivo que los corrales y, más aún, los teatros de corte recién construidos, otorgan a los elementos escenográficos— subrayan con insistencia que acaba de terminarse una primera fase. Al segundo cuarto del siglo XVII corresponde pues una nueva era, que presenciará el triunfo, en pleno sentido del término, de la *segunda comedia*.

Esta expresión cómoda tiene la ventaja de manifestar la parte indiscutible de innovación y de invención propia de un «segundo hálito» y, a la vez, de recordar la importancia de los elementos heredados, ya sea en la recuperación y profundización del sistema dramatúrgico lopesco en su conjunto, ya sea en el aprovechamiento de temas, motivos, intrigas o procedimientos varios ya ampliamente utilizados en el primer período. Precisamente, esta renovación en la continuidad se traducirá en el fenómeno que, sin duda, es el más característico de la *segunda comedia*, a saber, el de la reescritura o refundición. Y, a su vez, serán las variaciones en el espíritu o en las modalidades de esta práctica las que mejor ilustrarán la distancia que separa la fuerza creadora de un Calderón del talento reorganizador de un Moreto, a la par que nos ayudarán a distinguir las subépocas que conviene destacar en el muy largo período que ahora consideramos, desde el advenimiento de Felipe IV a la muerte de Carlos II.

El teatro de Calderón

1. Una biografía del silencio

Nacido en la capital castellana del imperio, Pedro Calderón de la Barca (1600-1681) quedará el más madrileño del trío de los grandes dramaturgos que forman con él esos otros hijos de Madrid que son Lope de Vega y Tirso de Molina.

En efecto, pasará toda su vida en la Villa y Corte si se exceptúan algunos paréntesis: sus estudios en Alcalá y en Salamanca (entre 1614 y 1621); su participación en la guerra de Cataluña (1640-1642); y, finalmente, sus estancias en Alba de Tormes, al servicio del duque de Alba (1643-1649), y en Toledo, donde residió de manera más bien esporádica entre 1653 y 1663, como capellán de la capilla de los Trastamara, o «Reyes Nuevos». Lo que equivale a decir que la biografía de este sedentario —frente a la plétora de aventuras vividas por Lope o al tejido de misterios que rodea la existencia de Tirso— es una verdadera «biografía del silencio», en la que apenas emergen algunos acontecimientos de orden personal: las tensiones familiares nacidas de un conflicto con su padre y de una desavenencia con su madrastra; una implicación, con sus dos hermanos, en un caso de homicidio, en 1621; el allanamiento de un convento de monjas, en 1629, al perseguir a un actor que había herido a uno de sus hermanos; el nacimiento, hacia 1647, y la muerte diez años después, de un hijo bastardo, fruto de amores ilegítimos y secretos; la ordenación como sacerdote en 1651, presentada a veces como incompatible con la continuación de su obra dramática, lo que Calderón refutará en su famosa carta al patriarca de Indias. Y es que este gran escritor —que supo ser en su momento el notable poeta de la exhortación panegírica *Psalle et Sile* («Canta y calla», 1661), o el culto autor de una *Deposición en favor de los profesores de la pintura* (1677)— es ante todo un dramaturgo, para quien lo esencial reside en el desarrollo de los casi sesenta años de una carrera teatral ritmada prioritariamente por las grandes etapas de la historia de su época.

Precisamente, sólo se pueden comprender las dos grandes fases de la producción calderoniana —el «primer Calderón», desde sus comienzos como poeta dramático, en 1623, con *Amor, honor y poder* hasta el cierre de los teatros entre 1644 y 1649; y el «segundo Calderón», que corresponde a las tres décadas posteriores a su ordenación— si, lejos de cualquier historicismo mecanicista, se ponen en expresa relación con los dos momentos mayores de la evolución histórica de España bajo los últimos Habsburgo: los mismos que emprenden la última tentativa de salvación de la «Monarquía Universal» y sufren, después de las catástrofes acumuladas en la década de 1640, una derrota zahiriente y definitiva. Sobre este trasfondo de esperanzas desesperadas y de fracasos repetidos, Calderón va a elaborar las formulaciones más agudas de los avatares —esperanzas, contradicciones y frustaciones— del heroísmo aristocrático, del que Corneille, su contemporáneo exacto, hacía paralelamente el examen en la Francia de los Borbones. Pero, a diferencia del autor francés, el poeta español realizará su exploración de las figuras de la heroicidad haciendo un uso no sucesivo sino conjunto, a lo largo de su medio siglo de escritura, de los diferentes modos dramáticos legados por la tradición literaria. Porque la existencia efectiva de los géneros y de los subgéneros no puede ser enmascarada por la unicidad del molde formal de la *comedia nueva*. Reivindicación polémica de los autores y de los teóricos de la época, la innegable universalidad del modelo de dramaturgia heredado de Lope abarca, en efecto, distinciones pragmáticas mínimas que la crítica moderna recientemente ha sacado a la luz. Así vemos dibujarse, al lado del marco particular del «campo sacramental», la existencia de un «campo trágico» y de un «campo cómico»; mejor que todas las clasificaciones externas (según las fuentes, los temas o los motivos tratados), su diferenciación abre el mejor camino para una aproximación coherente a la obra dramática de Calderón.

2. El campo trágico

El campo trágico calderoniano, si se compara con la producción más bien restringida de un Lope o de un Tirso en el mismo sector, posee una extensión muy considerable (más de una cincuentena de obras). A continuación se encontrará la lista de los principales títulos, colocados según el orden de una cronología muy imprecisa (ése es el caso para toda la obra profana) y acompañados sólo por la mención de los datos indispensables para trazar las líneas de fuerza de ese universo trágico.

> *Primer período*: *El príncipe constante* (1629), nombre del infante Fernando de Portugal, prisionero del rey de Fez, y que prefiere la esclavitud y la muerte antes que ceder Ceuta, ciudad entonces cristiana, a cambio de su libertad; *La devoción de la cruz* (¿hacia 1633?), comedia de santos en la que se enfrentan el viejo Curcio y el que no sabe que es su hijo, Eusebio, abandonado hace años, en el momento de vengarse Curcio de su mujer injustamente acusada de adulterio; *El mayor encanto, amor* (1635), que pone en escena, para los fastos de palacio, los amores de Circe y Ulises, mientras que los de Medea con Jasón, de Ariadna con Teseo y de Deyanira con Hércules se escenificaron para el Buen Retiro en 1636 (*Los tres mayores prodigios*); *La vida es sueño* (1635), verdad de la que el rey astrólogo Basilio quiere persuadir a Segismundo, su hijo encerrado desde el nacimiento por dar fe a un horóscopo cargado de amenazas; *El médico de su honra* (1635), que se llama Gutierre de Solís y logra, a pesar de los esfuerzos del rey Pedro el Cruel (en el siglo XIV), hacer sangrar hasta la muerte a su joven esposa, Mencía, que se supone ha cedido a las instancias de su primer amor; *Las tres justicias en una* (¿hacia 1636-1637?), donde el joven don Lope, bandido ejecutado por orden del rey, es víctima en realidad, más allá de sus errores personales, de los extravíos repetidos de su padre putativo (don Lope el viejo) y de sus verdaderos padres; *El mágico prodigioso* (1637), otra comedia de santos, a menudo relacionada con el tema de Fausto, ya que en ella Cipriano, un filósofo pagano del siglo II, vende su alma al diablo para conquistar el amor de Justina, joven virgen cristiana de Antioquía; *Los cabellos de Absalón* (¿hacia 1639?), refundición, a veces literal, pero sobre todo centrada en el personaje de David, del drama bíblico de Tirso, *La venganza de Tamar*; *El alcalde de Zalamea* (¿entre 1640 y 1644?), único drama campesino del autor, con la figura que se ha hecho famosa de Pedro Crespo, elegido alcalde del pueblo y que hace aplicar el garrote vil al capitán violador de su hija inocente; *El pintor de su deshonra* (¿hacia 1642?), otro drama de honor, cuya protagonista es Serafina, joven desposada víctima de un rapto y luego injustamente muerta por Juan Roca,

su viejo marido ebrio de celos; *La hija del aire*, en dos partes, representadas probablemente en Sevilla en 1642 o 1643, manera simbólica de designar a Semíramis, otra figura femenina excepcional, antítesis a la vez de Segismundo y de Serafina...

Se habrá comprendido al leer esta lista, limitada sólo a las «tragedias» de la primera —la más fecunda— de las dos grandes épocas de la producción calderoniana, que una de las constantes de la visión trágica del autor de *La vida es sueño*, obra maestra universalmente celebrada, es el fracaso multiforme de la instancia paterna, o, si se prefiere, las carencias repetidas de los que por su función dramática ocupan el lugar de la generación adulta (padres, monarcas, maridos caducos, etc.). La mayor falta de estos personajes tiranos reside en su incapacidad de afrontar el riesgo de la vida, de aceptar, en su contingencia, una existencia sometida, en cada uno de los instantes inconexos de una temporalidad vista como esencialmente heterogénea, a las amenazas que pesan sobre la integridad del ser, desde la posible destrucción del cuerpo hasta la del honor, personal o transpersonal. En sus tentativas desesperadas por escapar a la inseguridad inherente a su condición de hombre y de personaje paternal, manifiestan entonces, de diferentes maneras un común deterioro de la mayor virtud aristocrática, es decir, el *valor*: apenas falta cuando son presa de incontrolables pánicos, tales como las fascinaciones horrorizadas que experimentan Basilio, Pedro el Cruel o aun Enrique VIII (*La cisma de Inglaterra*, ¿hacia 1627 en una primera versión?), ejemplos todos de la degradación particular que la imagen real conoce frecuentemente en el teatro calderoniano. Su sangre noble, sin embargo, los incita a recuperarse, y cierta voluntad de heroísmo engendra en ellos dos tipos de comportamientos antitéticos aunque estrechamente relacionados. Por un lado, estarán los seudo-héroes del amor, esos padres muy amantes como Basilio o David; por otro, los seudo-héroes del rigor, se llamen Curcio, Pedro el Cruel o Lope el viejo. Pero todo será inútil: coartada de la compasión en unos o máscara de intransigencia en otros, no podrán ocultar ni yugular las pulsiones de una sensibilidad desordenada y, en definitiva, mortífera. Porque ninguno de ellos logra regir su conducta según las normas superiores del heroísmo aristocrático que tiende, más allá del control exterior de sus actos exigido por la moral «ordinaria», a un dominio íntegral de sí.

Todos fracasan, en efecto, en esa reconquista de su territorio interior, a causa de la insuficiencia notoria de su facultad imaginativa. Su imaginación no sólo está invadida por visiones sangrientas; revela, por encima de todo, su impotencia para elaborar esas metáforas que inventan los personajes para asegurar su dominio sobre sus mundos respectivos. Tal es el caso de la insidiosa puesta en escena preparada por Basilio para cumplir el asesinato psíquico de su hijo; el caso, también, de las ficciones que el Tentador —el de *El mágico prodigioso* como el de tantas piezas sacramentales— construye para arruinar «el virgen edificio de Justina» y pervertir sus «castos pensamientos». Pero no el caso, en cambio, de los verdaderos héroes, a los que su excepcional dominio del verbo y sus recursos ponen en condiciones de cumplir su proyecto heroico. Así es como triunfa Segismundo, al término de una búsqueda sistemática de los significados de la palabra *sueño*, que le permite descubrir la falsedad del adagio paterno y reescribirlo con mayor exactitud (no es la vida lo que es sueño, sino sólo el recuerdo, la felicidad rememorada); así es como Gutierre, a pesar de la angustia de una mortal soledad, logra, gracias a la adopción metafórica del status de «médico de su honra», preservar ese honor gravemente comprometido y vencer en sí a la más desintegradora de las pasiones, esos celos de los que son esclavos Hércules, Curcio y Juan Roca; y así es como, también, la honesta Serafina sabe ganar una inmortal fama con la conquista —más allá de la del instante obtenida por Segismundo— de una duración coherente y homogénea, que expresa la sobria figura de la encina rústica con profundas raíces. Cada uno de ellos, a diferencia del mágico frustrado o del «pintor de su deshonra», logra no «dejar en blanco» el «lienzo» donde puede entonces inscribirse, con rasgos indelebles, la imagen de su gloria. Y todos, representantes de la instancia filial y constantemente confrontados, en una atmósfera de extrema violencia, al silencio, a la abdicación o a la agresión de los personajes paternales, nos dicen obstinadamente que es posible vencer las fatalidades originales de la generación, del nacimiento, del deseo amoroso o de la voluntad de poderío. Verdaderos héroes del crepúsculo de la divinidad, formulan así, para nosotros, una de las primeras respuestas a nuestra tragedia moderna de hombres separados de un Dios demasiado lejano o demasiado silencioso.

Este esquema de base, establecido a partir de la intensa producción trágica del primer Calderón, es evidentemente susceptible de recibir matices. Como los que nacen, para dar un solo ejemplo, de los límites de esta ética heroica. Ideal exclusivamente aristocrático, ofrece una visión muy particular del papel del pueblo, esa «nada activa», cuya representación se reduce, sumariamente, en ese teatro, a las dos categorías subalternas de la domesticidad urbana y del mundo campesino. En cuanto a la primera, en el seno mismo de una verdadera fidelidad a los principales «rasgos de carácter» del gracioso, pieza maestra de la dramaturgia lopesca, se comprueba, en Calderón, una renovación total de la concepción y de la funcionalidad dramática de ese personaje. Éste, en efecto, ya no forma, como era el caso en el teatro de Lope, una pareja indisociable con la persona de su amo, al que lo unían lazos de una amistosa fidelidad y de una familiaridad de tipo paternalista. Ya no se define esencialmente por su imitación paródica, a manera de contrapunto cómico, de los comportamientos y de las actitudes de sus superiores, a los que acompañaba en todo lugar y en toda circunstancia. En adelante, se abre un abismo entre un estrato y otro de la sociedad dramática, y no es raro encontrar, como en los ejemplos notables de Clarín (*La vida es sueño*), de Coquín (*El médico de su honra*), o de Juanete (*El pintor de su deshonra*), criados convertidos, una vez cortado cualquier «cordón doméstico», en los enemigos de sus amos, a los que abandonan sin vacilar para ofrecer sus servicios al más poderoso o al más atrayente. Se observa, pues, en la producción trágica calderoniana, un indudable endurecimiento en las relaciones sociodramáticas; una rigidez nueva que vuelve a encontrarse muy lógicamente cuando se aborda otra problemática igualmente heredada del teatro de la generación anterior, a saber la promoción del campesino digno, en este caso la de Pedro Crespo, el alcalde de Zalamea. La dignidad de ese rico propietario terrateniente ya no es reconocida al final de un proceso de identificación mimética con el honor a través del amor, como ocurría con Lope; muy por el contrario, resulta de una áspera conquista, estratégicamente llevada a cabo por el protagonista como una carrera contra reloj, lo que subraya tanto la singularidad morfológica de una comedia de una precisión horaria totalmente excepcional, como el rigor del ordenamiento cronológico de las diferentes peripecias, admirablemente articuladas por Calderón, el «dramaturgo del tiempo».

Ése podría ser, en efecto, el mayor título de gloria del que a menudo es llamado, por otra parte, el «dramaturgo del honor». Motivo más o menos intensamente presente en toda la obra calderoniana, el honor no pasa, sin embargo, de ser sólo un medio —sólo un lenguaje, podría decirse— para continuar realizando un constante y mucho más amplio interrogante sobre el tiempo humano. Y este cuestionamiento es el que se prolongará cuando, al salir de la crisis a la vez personal y colectiva de los años 1644-1649, se dibujen las nuevas orientaciones de la segunda fase, mucho menos fecunda, de la actividad teatral de Calderón.

Este *segundo período* tiene como marco, casi exclusivamente, la corte, con los escenarios «a la italiana» del Coliseo del Buen Retiro, del Salón dorado del Alcázar de Madrid y del teatro de bolsillo de la Zarzuela. En ellos se despliega toda la ciencia de los «ingenieros» llegados de Italia que adaptan para España un sistema escenográfico caracterizado por cuatro elementos: un espacio teatral muy a menudo cerrado e iluminado por una luz artificial; la existencia de un telón de boca; el uso de decorados en perspectiva que permiten, gracias a paneles corredizos, frecuentes mutaciones; la utilización intensiva, finalmente, de complejas tramoyas de efectos múltiples. Retendremos, junto al precursor Cosme Lotti, organizador de las fiestas reales entre 1626 y 1643, los nombres de Baccio del Bianco y de Anton Maria Antonozzi, reemplazados, en la época de Carlos II, por los españoles Josef Caudi y Gabriel Jerónimo. Estas nuevas posibilidades escénicas explican la mayor frecuencia de los temas míticos, sean semihistóricos —con los temas de la generosidad de Alejandro hacia Apeles y Campaspe (*Darlo todo y no dar nada*, 1651), de la compasión de Coriolano ante las lágrimas de su madre (*Las armas de la hermosura*, 1652) y de la identidad perdida de Heraclio (*En la vida, todo es verdad y todo mentira,* 1658-1659)—, o bien mitológicos: *Eco y Narciso* (1661), el díptico formado por *Apolo y Clímene* y *El hijo del sol, Faetón* (1661), la derrota amorosa de Hércules, humillado por Yole (*Fieras afemina amor*, 1669-1670) o la reinvención del mito de Prometeo finalmente liberado de su roca del Cáucaso (*La estatua de Prometeo*, hacia 1670-1674). Y son también estas condiciones nuevas las que explican, en parte, el papel más acentuado de la música, con el nacimiento de la ópera en España y la aparición de esta fórmula muy especial que recibirá más tarde el nombre de *zarzuela*: sirven para construir una intriga las historias de Ulises, Caribdis y Escila (*El golfo de las sirenas*, 1657), de Venus y Adonis (*La púrpura de la rosa*, 1660) o de Céfalo y Procris (*Celos aun del aire matan*, ¿1660?).

A decir verdad, el conocimiento que tenemos de esta parte de la producción calderoniana, recién redescubierta por la crítica, sigue siendo muy insuficiente. En ella, el dramaturgo prosigue el examen sistemático de las posibilidades ofrecidas (o rechazadas) para el engrandecimiento heroico y la conquista de la gloria. Se asiste al fracaso repetido de las tentativas de usurpación por parte de la instancia paterna, que ahora encarnan más a menudo, en la línea abierta por Semíramis, personajes de madres castradoras como Liríope o Tetis. Y en ella, finalmente, se celebra el triunfo de la instancia filial, con la salvación encontrada por hijos (Heraclio, Prometeo) capaces de una palingenesia de formas múltiples. Queda que, hoy día, estamos muy lejos de una interpretación satisfactoria de esas «certidumbres»: tal vez sea porque nos falta poder medir el impacto exacto, sobre esas nuevas figuraciones del heroísmo aristocrático, de la brutal limitación del espacio imperial en una España muy debilitada, así como del considerable estrechamiento del espacio escénico de un teatro de corte consagrado exclusivamente a la ilusión óptica de la perspectiva a la italiana.

3. El campo cómico

Las cosas pasan de manera muy diferente, en cambio, con la producción cómica de Calderón que, desde el punto de vista tipológico, se puede repartir en tres grandes sectores: las comedias de capa y espada (que pertenecen casi todas al primer período), las comedias de palacio (repartidas a lo largo de toda su carrera) y el teatro menor, es decir, las obras cortas (escritas en su mayoría después de 1640, o sea, esencialmente durante el segundo período).

Siempre situadas en la ciudad y en el mundo contemporáneo, las comedias de capa y espada tienen como tema único, proyectado sobre el telón de fondo de la vida cotidiana, las aventuras amorosas de los caballeros y de las damas de la nobleza media o inferior. Éstas son las coordenadas espaciotemporales y el status sociodramático de los protagonistas de más de una veintena de obras, análogas por la complejidad de sus intrigas y, a la vez, muy diferentes por la renovación inaudita de las soluciones estructurales inventadas para su ejecución. Señalaremos las dos obras maestras de 1629: *La dama duende* y *Casa con dos puertas*, así como una serie de títulos sacados de proverbios o concebidos según el modelo paremiológico: *El hombre pobre todo es trazas* (1627), *No hay burlas con el amor* (1635), *No hay cosa como callar* (1638-1639), *No siempre lo peor es cierto* (¿hacia 1640?), *Guárdate del agua mansa* (1649), *Dar tiempo al tiempo* (1650), *También hay duelo en las damas* (hacia 1650), y por fin, la última del género, *Cada uno para sí* (1652).

A diferencia de las obras precedentes, en que la acción se inscribe en lo cotidiano o contemporáneo, las comedias palaciegas (o cortesanas, o de fábrica), lo más común es que tengan como marco cortes extranjeras (sobre todo la de los principados italianos), en las que, en épocas más o menos indeterminadas y sin referencia ninguna a alguna verdad histórica, evolucionan reyes, príncipes y miembros de la (alta) nobleza que se dedican, en medio de aventuras a veces extraordinarias, al logro de sus sublimes amores.

Citemos, entre un conjunto de unas treinta comedias, *El galán fantasma* (1635), *Basta callar* (dos versiones, hacia 1639 y 1652) y *Afectos de odio y amor* (¿hacia 1658?).

Finalmente, el teatro breve o menor, exhumado desde hace poco por la crítica, se compone, en el estado actual de nuestros conocimientos, de una treintena de textos, con entremeses (*El desafío de Juan Rana*, antes de 1663; *El dragoncillo*, s.f.), jácaras, que son la paródica puesta en escena del mundo del hampa, y mojigangas donde están más acentuados los efectos visuales, burlescos y carnavalescos (*Las visiones de la muerte*, ¿hacia 1673-1675?).

Como todo universo cómico teatral, el de Calderón se constituye lógicamente según el principio de la inversión de las situaciones angustiantes que estructuraban su mundo trágico. Desde ese punto de vista, la angustia dominante que, a pesar de sus conflictos incesantes, compartían representantes de la instancia paterna y representantes de la instancia filial, era el temor opresivo a una exclusión de la *civitas honoris*, fuera de la cual no puede subsistir ni transmitirse el honor, es decir, para el héroe aristocrático, la única vida verdadera. Angustia característica de separación o de pérdida que la terapéutica cómica calderoniana se esforzará por conjurar mediante la elaboración dramática de varias fantasías de triunfo. Ordenadas según el grado de intensidad de su *vis comica*, se pueden distribuir someramente en tres categorías: en la primera, la de las comedias serias, la victoria tomará la forma de una recuperación siempre renovada del objeto perdido, con la correlativa promoción de las figuras femeninas positivas (las «buenas hijas»); en la segunda, la de las comedias antiheroicas, será conjuración grotesca de las amenazas a veces representadas por los «malos hijos»; en la tercera, la del teatro breve, se establecerá el reino de la utopía burlesca. Fantasías complementarias, a decir verdad, en la medida en que manifiestan una idéntica ilusión de victoria sobre la muerte, en un mundo en el que está reafirmado, en definitiva, que «no siempre lo peor es cierto».

Título de una comedia de Calderón, este proverbio podría servir de fórmula emblemática a todas esas comedias de capa y espada donde se asiste al oscurecimiento momentáneo de una verdad finalmente recobrada. Es el caso de la inocente Leonor, protagonista de esta obra: puesta en peligro, por la intervención inoportuna de un amante rechazado, de perder para siempre el amor del perfecto caballero de honor que es Carlos, la heroína deberá actuar de manera que su verdad, que se ha hecho «sospechosa» por el azar de las circunstancias, se convierta en verdad deslumbradora, al término de un proceso en todo punto comparable al del eclipse solar:

LEONOR: Pero, ¿qué importa, qué importa
que en lo aparente y supuesto
se conjuren contra mí
estrella, fortuna y tiempo,
si en la verdad han de hallarse
todos de mi parte, haciendo
lo que el sol con el eclipse,
que aunque borre sus rayos,
no por eso, no por eso
deja, a pesar de las sombras,
de salir después, venciendo
la vaga interposición
que ya le juzgaba muerto?
Yo al fin, contra cuantas nieblas
mi esplendor deslucen, pienso
coronarme victoriosa.[1]

Para representar escenográficamente esa «vaga interposición», Calderón, con una precisión a menudo calificada de «matemática» o de «silogística», aplicará todas las técnicas de ocultamiento posibles (pasajes secretos, mobiliario móvil, efectos de capa, oscuridades propicias, discursos interrumpidos o mal percibidos, etc.), en el marco de espacios dramáticos de una exigüidad siempre reforzada (sobre todo cuartos con balcones superpoblados). Y, bajo la doble presión de esta empresa de desorientación y de esta geografía coercitiva, galanes y damas tendrán que recorrer el camino que va de la iluminación primera del amor en el honor a la iluminación última del honor en el amor. Ya no es el momento, como en las comedias de Lope o de Tirso, para las felices victorias logradas sobre la vieja generación, como consecuencia de burlas urdidas sin cesar por alegres jóvenes. Ahora, para que puedan disiparse las confusiones sembradas por una Fortuna igualmente perversa para todos, se instaura como una «colaboración familiar» que tiende, más allá de las oposiciones violentas debidas a los azares de tal o cual peripecia, a la salvaguardia de ese patrimonio compartido que es el honor de la comunidad nobiliaria. Por eso se borra de manera sensible el lugar ocupado por el personaje paternal: ya no es objeto de la regresión infantil que tenía en las obras cómicas del período anterior, y

1. *No siempre lo peor es cierto*, ed. de Luis Villaverde y Lucila Fariñas, Barcelona, Hispam, 1977, vv. 97-113.

la función que tenía de garante del honor se ve a menudo cumplida por un protagonista joven (hijo, amigo del hijo, hermano de la dama...). De ahí, sobre todo, la promoción notable del papel de la mujer, invitada a tomar, sin salir de su status de vasalla, una parte activa en ese combate por el honor, como lo da a entender el título de alcance paremiológico inventado por Violante, la protagonista de *También hay duelo en las damas*, para que —dice ella— «en los archivos del tiempo/"también hay duelo en las damas"/quede al mundo por proverbio».[2]

Lejos de enfrentarse en una guerra de sexos y de implicarse en un conflicto de generaciones, héroes y heroínas de las comedias calderonianas aparecen más bien como miembros de una misma fraternidad heroica, rivalizando entre sí por efecto de una noble emulación. Y unos y otros llegan a preservar el esplendor de su gloria sabiendo subordinar a los imperativos permanentes de su yo transpersonal los impulsos repentinos de su yo sentimental (ese lugar donde nacen y florecen el amor, la amistad, los celos, la compasión, el dolor, la cólera, el miedo, la venganza...). Así se afirma una ética gloriosa, cuyas normas primeras serán, estratégicamente indispensables, una hábil capacidad de silencio (*Basta callar*) y una activa virtud de paciencia (*Dar tiempo al tiempo*). Sólo esas virtudes, cuya exaltación no tiende a una denuncia *a contrario* de la hipocresía, ni a una glorificación de la resignación, permitirán a los personajes disipar la equivocidad constitutiva, pero no definitiva, de los signos y llevar a cabo, mediante la observación rigurosa de las exigencias del honor, la edificación de su fama.

Se comprenderá, en esas condiciones, que el tono de esas obras esté muy a menudo marcado por el patetismo, modalidad más ampliamente dominante aún en el sector —más vasto, pero que ha envejecido mucho— de las comedias palaciegas. En su atmósfera confinada y un poco afectada, la *vis comica* alcanza, en efecto, su grado más bajo, como testimonia la distancia que va de la ebriedad triunfal de las comedias palatinas de Lope o de Tirso a la tonalidad general de la derrota amorosa de la Diana de Suecia (*Afectos de odio y amor*). Por eso, si se quiere redescubrir cierta intensidad cómica, será necesario dirigirse hacia las comedias antiheroicas, donde Calderón hace burla y escarnio de los pecados de las diferentes categorías de «malos hijos». Hay pecados veniales, como esos bloqueos que conducen a algunos jovenzuelos a intentar escapar del imperio de Venus (la Beatriz en *No hay burlas con el amor*), o algunos donceles «volubles»

2. *También hay duelo en las damas*, BAE, IX, p. 136 c.

que rechazan el código aristocrático del amor (el don Juan de *No hay cosa como callar*, el don Alonso de *No hay burlas con el amor*, el don Félix de *Guárdate del agua mansa*). Más grave, sin embargo, que las graciosas crisis de crecimiento de esos adolescentes del amor prontamente llevados al arrepentimiento, el arcaísmo antediluviano del ingenuo provinciano Toribio Cuadradillos (el figurón de *Guárdate del agua mansa*) lo obliga, en medio de carcajadas, a una autoexclusión susceptible de engendrar en los espectadores el sentimiento de un triunfo compensatorio en el momento en que España se hunde en el anacronismo. Y la sarcástica eliminación de los falsarios que son Diego de Luna (*El fingido astrólogo*, antes de 1632) y Diego Osorio (*El hombre pobre todo es trazas*), culpables de no saber diferenciar entre la ficción legítima y la mentira ilícita, entre la burla autorizada y la trampa indelicada, responde a un papel idéntico de socorro de la ciudadela aristocrática amenazada por las modernísimas mentiras del Interés.

Su castigo será, pues, ejemplar, sin que nunca, sin embargo, se ponga el acento en el alcance satírico de semejante condena. Es que la función de estas obras sigue siendo, prioritariamente, la de asegurar una restauración terapeútica mediante la risa, función que vuelve a encontrarse, pero en otro nivel, en el mundo fantástico-burlesco del teatro breve. En Calderón comprende una treintena de obras cortas, escritas principalmente para acompañar a los autos sacramentales. Su autor, en la línea iniciada por Quevedo y magníficamente desarrollada por Quiñones de Benavente, se dedica, en las antípodas de los valores que sostienen su universo trágico, a fundamentar una utopía para reír: un mundo donde se pueda cumplir el sueño de una comunión renovada con la felicidad originaria de antes de la entrada en una existencia regida por el código del honor. En ellas se celebran, por ejemplo, la apoteosis de un anti-Gutierre, encarnado por Juan Rana, simplón cobarde dominado por su mujer, o también, la completa inversión del esquema de *El alcalde de Zalamea*, las burlas victoriosas que un soldado dragón astuto trama a costa de unos rústicos codiciosos (*El dragoncillo*, reelaboración muy significativa de un tema folclórico tratado medio siglo antes por Cervantes en *La cueva de Salamanca*).

4. El campo sacramental

Estos entremeses, por supuesto, ajenos a la sátira, no tenían tampoco alcance subversivo o contestatario. Su naturaleza deliberadamente inversiva correspondía a su función de contrapunto obligado no sólo de las comedias, que enmarcaban y cuyos interludios aseguraban, sino también de las piezas eucarísticas llamadas autos sacramentales. Representados cada año, con motivo del Corpus, en un tablado escénico situado al aire libre y colocado delante de los carros móviles que llevaban los decorados y la tramoya, estas obras en un acto constituyen la coronación festiva del año litúrgico en la muy ortodoxa España de la Contrarreforma. Y no es ninguna casualidad si después de 1649, Calderón se convierte en el único proveedor para Madrid de esas obras alegóricas que regularmente le encarga el ayuntamiento. Es que, en el curso de un primero y ya fecundo período —hasta 1648, cuando el número de autos anuales se redujo de cuatro a dos y el de los carros pasó, por el contrario, de dos a cuatro—, Calderón fue llevando el género a su punto de perfección, al establecer una relación rigurosa, y no ya accesoria o coyuntural, entre las celebraciones propiamente rituales del Corpus Christi y las obras teatrales asociadas con ellas.

En efecto, sólo la ciencia teológica del «dramaturgo de la escolástica» le permitió delimitar, articular y explorar sistemáticamente los aspectos conexos del único e invariable asunto, tema o motivo de las obras sacramentales, a saber el dogma central de la Eucaristía. De ahí la posibilidad de una clasificación «temática», con autos dogmáticos: *El día mayor de los días* (1678); autos histórico-teológicos: *Primero y segundo Isaac* (1658); autos apologéticos: *El sacro Parnaso* (1659); autos morales: *El gran teatro del mundo* (entre 1633 y 1636); o, finalmente, autos hagiográficos: *La devoción de la misa* (1658). Clasificación que, a su vez, debe compaginarse con otro tipo de repartición, hecha según los argumentos o «historias» tomados de los campos más variados para las necesidades de la aplicación alegórica, es decir, para conferir una representabilidad dramática a las «cuestiones de la Sacra Teología».

Aparecen entonces como fuentes el Antiguo Testamento: los sueños interpretados por José en *Sueños hay que verdad son* (1670); el Nuevo testamento: el buen samaritano de *Tu prójimo como a ti* (dos versiones, antes de 1635 y hacia 1656); la mitología: *El divino Orfeo* (dos versiones, antes de 1635 y 1663); la historia: las dos partes de *El santo rey don Fernando* (1671); la leyenda: *La lepra de Constantino* (entre 1647 y 1657); los sucesos contemporáneos: *El nuevo palacio del Retiro* (1634). También se echa mano de las ficciones anteriores: *La vida es sueño* (auto, dos versiones, 1636-1638 y 1663), *El pintor de su deshonra* (auto, hacia 1645), sin que nunca se excluyan, por otra parte, algunas «invenciones» específicas: *No hay más Fortuna que Dios* (1652-1653).

Nos encontramos, pues, ante un conjunto de más de setenta unidades, muy homogéneo en su coherencia teológica y, a la vez, muy variado en las modalidades de su realización propiamente literaria. A lo que conviene agregar, explicitada por muchas declaraciones reveladoras de una conciencia artística cada vez más aguda, una constante renovación de las formas de expresión. Es considerable, al respecto, el camino recorrido desde la simplicidad del sistema alegórico y de la puesta en escena de las primeras producciones (una media de mil trescientos versos), hasta la complejidad de los textos largos del segundo período (alrededor de dos mil quinientos versos) con, por ejemplo, el desdoblamiento de las figuras del demonio y del pecado (como en *El pastor Fido*, 1678), o también la sutileza creciente de los medios teatrales empleados para la traducción física de la arquitectura teológica (agrupamientos simbólicos de los personajes; efectos técnicos, escenográficos y musicales).

En la actualidad todo esto puede medirse mejor, gracias al establecimiento de una cronología mucho más fidedigna que la que existe para el teatro profano. En cambio, lo que sigue siendo muy impreciso, apenas desea uno pasar de la descripción a la interpretación, es la relación de esas mutaciones estructurales y formales con la ideología del siglo XVII, en este caso con las variaciones observables en el seno del pensamiento católico del período en cuestión. Y lo que es verdad para este sector particular de la producción calderoniana vale también para el conjunto de su obra. Estamos lejos, en efecto, de poseer en la actualidad análisis críticos que den cuenta globalmente de la coherencia del universo entero artístico de ese gran dramaturgo, que supo ser uno de los primeros escritores europeos en representar dramáticamente la tragedia de un mundo en que la palabra de Dios ya no es sino muy difícilmente audible y que, a la vez, sigue afirmándose como el «poeta de la Redención por el dogma». En esta ambivalencia reside sin duda una de las explicaciones de la fortuna muy desigual que, durante los tres siglos de su recepción en Europa, conoció el teatro de Calderón. En Francia, en el período clásico y neoclásico, Calderón no aparece realmente sino a través de pálidas adaptaciones únicamente de sus comedias de capa y espada, consideradas como las más válidas debido a la misma tendencia «realista» que explicará el éxito de *El alcalde de Zalamea*. En cambio, será el Calderón trágico y «teológico» el que seducirá a la Alemania romántica del siglo XIX por su dimensión simbólica y por su carácter algo «prewagneriano» de obra de arte «total». Ya delimitados estos dos polos extremos, la crítica calderoniana oscilará de uno a otro. Así se contemplará, para limitarse sólo al ejemplo de España, la entrada en el purgatorio, al salir de la lenta degradación de su imagen en el curso del siglo XVIII, de un Calderón rechazado en nombre del naturalismo burgués (Marcelino Menéndez Pelayo). Luego habrá, aun antes de la recuperación crítica de la posguerra realizada por la escuela inglesa (Alexander A. Parker y Edward M. Wilson), una primera resurrección debida a los estudios pioneros de Ángel Valbuena Prat. Desde entonces, el lugar de Calderón no ha dejado de crecer, gracias a los esfuerzos conjugados de investigadores y hombres de teatro, que cada vez en mayor número quieren devolver al autor de *La vida es sueño* el rango de dramaturgo modelo que había ocupado entre los poetas dramáticos de su tiempo.

Discípulos y epígonos

Al igual que puede decirse que en España, en el siglo XVII, todos los autores de teatro son discípulos, cada uno a su manera, de Lope de Vega, se puede afirmar en lo que concierne a la *segunda comedia*, que todos los dramaturgos han sido marcados, quien más, quien menos, por la impronta del poderoso sistema dramático calderoniano.

Estos autores dramáticos son legión y con su número atestiguan la primacía, al menos cuantitativa, en esa época, del teatro, convertido incuestionablemente en el género literario más estimado y más productivo. Dará alguna idea de este fenómeno la lista siguiente en absoluto exhaustiva, de autores llamados «secundarios», enumerados aquí según el orden cronológico de su nacimiento:

— Álvaro Cubillo de Aragón (1596-1661);
— Jerónimo de Cáncer y Velasco (1599-1655);
— Antonio Enríquez Gómez (llamado Fernando de Zárate, 1600-1663);
— Francisco de Rojas Zorrilla (1607-1648);
— Pedro Rosete y Niño (1608-¿1659?);
— Antonio de Solís y Ribadeneyra (1610-1686);
— Juan Matos Fragoso (¿1610?-1692);
— Juan Vélez de Guevara (1611-1675);
— Antonio Coello y Ochoa (1611-1652);
— Cristóbal Monroy y Silva (1612-1649);
— Agustín Moreto y Cavana (1618-1669);
— Francisco Antonio de Monteser (¿1620?-1668);
— Juan Bautista Diamante (1622-1687);
— Sor Juna Inés de la Cruz (1651-1695);

— Francisco Antonio Bances Candamo (1662-1704);
— Antonio de Zamora (¿1664?-1728);
— José de Cañizares (1676-1750).

A través de esta relación, por incompleta que esté, se percibe primero el triunfo total de un molde dramático considerado ahora, al salir de la era de las polémicas, como «[...] la acción más admirable para las [naciones] extranjeras, que es la comedia», como «el poema más arduo para intentado y más glorioso para conseguido».[3] Pero se adivina también, más allá de la universalidad de una fórmula teatral de notable estabilidad, la existencia proliferante de subgéneros y de subcategorías cuyos avatares sucesivos (desde la fuerte promoción de unos hasta la relativa desaparición de otros) ayudarán —en el marco de una tendencia general, pero no exclusiva, a la refundición—, a definir mejor la evolución general de ese teatro. Para lograrlo nos limitaremos a la presentación razonada de la obra de tres de los más importantes de esos dramaturgos llamados de «segundo orden» —que corresponden, respectivamente, a la generación del primer Calderón, a la del segundo Calderón, y luego a la de su posterioridad inmediata—, a saber, Francisco de Rojas Zorrilla, Agustín Moreto y Cavana y Francisco Antonio Bances Candamo.

1. Rojas Zorrilla

Hijo de un militar toledano, reside desde la edad de tres años en Madrid, donde se desarrolla toda su carrera dramática que, como para Calderón, le permitirá, con otros méritos, obtener el hábito de Santiago (1645). Fuera de una quincena de obras escritas en colaboración —una práctica muy característica de la época, cuando cada autor se encarga de redactar, toda o en parte, una de las tres jornadas de una obra a partir de un boceto definido en común—, cuenta en su activo con unas treinta y seis comedias (de ellas veintitrés editadas en dos *partes*, de 1640 y 1645), así como nueve autos sacramentales.

Como para la producción calderoniana, es fácil distinguir, en la obra de Rojas, dos campos principales, que son el campo trágico, numéricamente más importante (veintiséis «tragedias»), y el campo cómico, sin duda esté-

3. José Pellicer de Tovar, *Idea de la Comedia de Castilla* (1635), en Federico Sánchez Escribano y Alberto Porqueras Mayo, *Preceptiva dramática española del Renacimiento y el barroco*, Madrid, Gredos, 1972, 2.ª ed., pp. 264 y 265.

ticamente más válido (una decena de comedias). Se comprueba, pues, como en Calderón, una notable extensión del teatro trágico, teniendo además la producción de esos dos grandes autores numerosos rasgos en común, estructurales y formales. Por ejemplo, la configuración de los dramas del honor, donde el héroe llega a proceder a la erradicación del amor (a la automutilación de su yo sentimental), para alcanzar la preservación de su gloria (la conservación de su yo fundamental). Pero el joven Rojas no es el joven Calderón. Hombre de la misma generación, concibe la problemática del honor como un conflicto entre dos instancias incompatibles; pero la solución dramática que da a ese angustiante dilema no es más que un subterfugio, que muy pronto elimina toda forma de tensión y por eso mismo impide el nacimiento de una verdadera emoción trágica. Así sucede en el drama vivido por García del Castañar, el héroe del único drama campesino —una similitud más con Calderón— atribuido a Rojas y titulado: *Del rey abajo ninguno* o *El labrador más honrado* (¿antes de 1645?). En el momento de matar a Blanca, su esposa inocente pero cortejada por un galán que él toma por el rey, el más noble de los labradores es víctima de un malestar. Debilidad pasajera, pero que deja al tiempo el cuidado de disipar todas las amenazas del destino, creadas, a decir verdad, por una serie de malentendidos y equívocos.

Se trata de una insistente tendencia que puede traducirse bajo varias formas, no desprovistas de originalidad, y que acreditan todas a Rojas como el dramaturgo de la ilusión trágica. Así los desenlaces «con truco» de los dramas llamados a veces «de Caín y Abel»: *No hay ser padre siendo rey* (1635); *El Caín de Cataluña* (antes de 1644). O bien —singular transposición al ámbito trágico de la nueva división del trabajo honorífico promovida por Calderón en sus comedias— la solución inaudita de una venganza asumida, frente a la carencia marital, por una esposa violada antes de su matrimonio e injustamente dejada sin defensa frente a las pretensiones de su seductor (*Cada cual lo que le toca*, antes de 1644). O también —con una persistente promoción dramática de la mujer, convertida en primera protagonista de la venganza de honor— la atmósfera macabra de obras a veces calificadas por la crítica de «neosenequianas», cuando se multiplican las escenas de horror y se amontonan los cadáveres (*Progne y Filomena*, 1636; *Morir pensando matar*, antes de 1642).

Cierto que algún día se pudo considerar a Rojas como el único trágico español del siglo XVII, pero queda ese amplio repertorio de tragedias formales que nunca está informado por una auténtica visión trágica. Por eso, a pesar de sus indiscutibles logros en la dramatización del horror o en la exploración de figuras patológicas,[4] esta parte de su obra ha resistido de manera muy desigual la erosión del tiempo, mientras que su producción cómica, menos rica, tuvo, por el contrario, una fortuna más regular y más favorable.

> Se recordará, sobre todo, célebre por su gran intensidad cómica, la obra titulada *Entre bobos anda el juego* (hacia 1638). Se trata, como la comedia calderoniana *Guárdate del agua mansa*, de una comedia de figurón, personaje característico de un subgénero llamado luego a tener un desarrollo excepcional. Y, al igual que en la pieza de Calderón, se llega, en el desenlace, a una autoexclusión que acepta el fantoche burlesco que hace de protagonista. Pero allí terminan las similitudes, porque la distancia que separa al «paleofigurón» de Calderón del «hiperfigurón» de Rojas es grande. El primero, hidalgo inocente, en todos los sentidos del término, era más incapaz que malo, más impotente que antipático: niño atrasado, su retraso mental servía para ofrecer a los caballeros modernos la oportunidad de un triunfo adecuado para conjurar la angustia de un público confusamente consciente de una progresiva inadaptación a la historia. Pero no queda nada de esa inofensiva benignidad en el segundo, don Lucas del Cigarral. Falso noble con un patronímico que no proviene de su casa sino de un cigarral construido recientemente a orillas del Tajo, tirano respecto de todos los que de una manera u otra dependen de su dinero, Lucas es grosero y desaseado, avaro y charlatán, irascible y sectario: y es que, hombre de negocios con ribetes de escribano y asomos de chalán, Lucas el mercader encarna el imperio repelente de la Mercancía, cuyo espectro planea sobre los valores de honor, amor y generosidad de los héroes aristocráticos del enredo amoroso. Por eso, al final de la obra, Rojas, dentro de la coherencia del despotismo de su personaje, hace que imponga a todos su propia renuncia al matrimonio al que aspiraba, para evadirse en un solipsismo autárquico, garante de su eclipse dramático.

Liberación fácil para sus nobles rivales, pero liberación no obtenida, como en la *primera comedia*, gracias a la invención de unos protagonistas capaces de urdir admirables burlas. Ya se acabó el momento de las comedias que consagran el éxito de una empresa de conquista liberadora llevada a cabo por galanes y damas que desempeñan los primeros papeles. Ahora se contentarán con una victoria final debida sólo a la decisión del protagonista omnipresente de una verdadera farsa.

4. Dietrich Briesemeister, «El horror y su función en algunas tragedias de Francisco de Rojas Zorrilla», *Criticón*, 23, 1983, pp. 159-175.

Y de una farsa que no se basa únicamente en las extravagancias bufonescas del personaje principal. La degradación caricaturesca se extiende igualmente a otros personajes, como su hermana, Alfonsa, o a uno de sus rivales, Luis, el cultiparlista. Más aún, el conjunto de la comedia manifiesta una contaminación de procedimientos propios del teatro breve; será también el caso de otras creaciones de Rojas, tales como *Abre el ojo* (antes de 1645), con los coros de su final, o bien *Lo que son las mujeres* (antes de 1645), con su desenlace «sin casamiento y sin muerte».

Se comprende que Ángel Valbuena Prat haya podido decir de esas obras muy singulares que no eran en realidad más que «entremeses amplificados». Queda que Rojas, en la vertiente cómica de su producción teatral —al igual que en la vertiente trágica, sin omitir la refundición de obras antiguas—, aparece de nuevo con toda su fuerza, no desprovista de flaquezas, de una verdadera originalidad. Cercano en esto a Calderón, realiza, aunque a otro nivel, una búsqueda sistemática de las soluciones nuevas que piden los tiempos modernos, con una capacidad de invención de la que, en un contexto distinto, y a partir de presupuestos totalmente diferentes, sólo Moreto sabrá dar prueba en la generación siguiente.

2. Moreto

Cuando, al final de la desastrosa década de 1640, los teatros vuelven a abrir progresivamente sus puertas, se ha producido una fractura profunda, que ha modificado considerablemente el paisaje teatral en España. Algunos de esos cambios ya han sido mencionados en la presentación del segundo período de Calderón. Nos limitaremos aquí, pues, a recordar dos elementos específicos, que un poeta dramático de aquella época, Álvaro Cubillo de Aragón, nos ayudará a percibir mejor. Escuchemos lo que dice en la *Carta que escribió el autor a un amigo suyo, nuevo en la Corte*:

> ...Si a la comedia fueres inclinado,
> y dejares tu casa, estimulado
> de tus propios dolores,
> nunca vayas a ver en ella horrores...

Tengo por muy poco hombre, y por menguado
al que va a la comedia, muy preciado
de oír cosas de seso,

que el tablado no se hizo para oír eso.
Si gustas de las veras, aquel rato
vete a oír un sermón, que es más barato

mas la comedia, búscala graciosa,
entretenida, alegre, caprichosa,
y breve...

Luego sigámoslo en el *Retrato de un poeta cómico*, que nos presenta a un «moderno poeta»

de libros de comedias rodeado
de Lope, Mescua, don Guillén, Luis Vélez, Montalbán, Villaizán...
y muy ocupado en
...revolcar [se] en la poesía
de estos grandes sujetos,
aplicar trazas y roer concetos.[5]

Propósitos no desprovistos de ironía, pero que no por eso dejan de manifestar claramente dos rasgos mayores del teatro de esta tercera generación. Hay, primero, una voluntad explícita de escribir un teatro de diversión, aunque se pague, en lo que concierne a la producción «seria», el precio de una edulcoración de lo trágico. Hay, luego, en el nivel de la elaboración dramática y de la escritura, una clara propensión, a partir de una reutilización sistemática del repertorio anterior, a un sincretismo que se traduce concretamente por una verdadera «técnica del centón». Se nota aquí una gran diferencia con la primera época de las refundiciones, caracterizada por la fuerza creativa de autores que trabajaban a partir de la observación de un teatro vivo y muy a menudo recibido en el mismo acto de la representación. Triunfa ahora la conciencia de situarse en un después de la *comedia nueva*; ésta, en la segunda época de las refundiciones, se transforma en una reserva de «comedias antiquísimas», en las que escoger se-

5. Álvaro Cubillo de Aragón, *El enano de las Musas*, cit. en Álvaro Cubillo de Aragón, *Las muñecas de Marcela*, ed. Ángel Valbuena Prat, Madrid, Ediciones Alcalá, pp. 20 y 21.

lectivamente tramas, episodios inconexos, procedimientos técnicos, pensamientos ingeniosos, etc.

Hasta tal punto que será Moreto, situado en la perspectiva de las dos características que acabamos de definir, el que aparecerá como el dramaturgo más significativo de su época.

Hijo de ricos comerciantes, vive una apacible y caritativa existencia de prebendado; recibe las órdenes menores en 1642 y se ordena sacerdote en 1657. Además de una veintena de obras escritas en colaboración, su teatro se compone de unas cuarenta comedias, que se reparten de manera casi igual entre un campo (muy poco) trágico o, más bien, serio, y un campo cómico, donde figuran todas sus obras maestras y que completa un importante conjunto de una treintena de obras cortas (entremeses, bailes, loas...).

La preeminencia cómica del que fue llamado el «Terencio español» no deja, pues, lugar a dudas. Se inscribe, a su vez, en la evolución de la comedia desde la época de Lope y de Tirso. Se confirma, por ejemplo, la desaparición de la comedia palatina en beneficio de la comedia palaciega o comedia de fábrica, según un movimiento ya observado en Calderón en obras como *Afectos de odio y amor*. Basta con comprobar, en lo que respecta a Moreto, el abismo que separa dos obras construidas sobre el idéntico motivo de la dama rebelde al amor y finalmente obligada a aceptar sus dulces cadenas: quiero hablar de *El perro del hortelano* de Lope de Vega (¿hacia 1613?) y de *El desdén con el desdén* de Moreto (entre 1652 y 1654). Toda la problemática del casamiento desigual que sostenía la creación lopesca —y daba lugar, en la fase final de su resolución, a una explosión lúdicra que desembocaba en una farsa paródica plena de fantasía— sólo da paso en este caso al ballet, por cierto admirablemente ordenado, de las vicisitudes del amor y del desamor que se profesan alternativamente dos protagonistas de un rango social casi idéntico.

No es, por lo tanto, en esta subespecie dramática, a pesar de la perfección de sus mecanismos, donde se encuentra la expresión más fuerte de la *vis comica* de Moreto. Ésta se manifiesta en un grado superior en unas comedias de figurón y, en particular, en la más conocida de ellas *El lindo don Diego* (antes de 1662), refundición de una comedia de Guillén de Castro, *El Narciso en su opinión* (antes de 1625).

Excelente ejemplo de la habilidad recreadora de un Moreto que sabe explotar a fondo «la brava mina» de la *primera comedia*, esa obra permite al

> mismo tiempo apreciar toda la originalidad de un dramaturgo que somete la reorganización de los materiales aprovechados al firme designio de una exploración innovadora. Porque el lindo don Diego —cuya entrada en escena Moreto retrasa al igual que hace Molière con Tartufo— es un figurón fuera del orden común. Hidalgo de la Montaña de Burgos, patán vulgar y falto de delicadeza, su piramidal autolatría lo lleva a no observar ninguna de las reglas de la comunidad civilizada y, lo que es peor, a inventar, para tratar de imponerlo, un nuevo código del amor y del honor. Atila, según él mismo dice, del mundo femenino, ese superhombre, que es una submujer, sólo conoce una obligación (el cuidado de su persona y el amor a sí mismo), sólo un honor (el de una elegancia sin tacha y sin mancha), sólo una religión (la de su cuerpo divino). Lo que es más, su talento —un verdadero genio para torcer palabras y cosas, con constantes distorsiones y selecciones semánticas— le permite orientar en su provecho todas las situaciones desfavorables. Como lo muestra un episodio enteramente nuevo agregado por Moreto en la trama tomada de Guillén de Castro (vv. 1755-2496), el lindo don Diego logra siempre, en efecto, salvarse y colocar a sus interlocutores en una posición de inferioridad, hasta que por poco lleguen al triunfo las maniobras solapadas de ese figurón hipócrita. Verdadero Tartufo del egocentrismo, don Diego no es un «paleofigurón» grotesco pero inofensivo, ni tampoco un «hiperfigurón» despótico, pero dispuesto a desvanecerse en los espejismos de una megalomanía autoeliminadora; no, es un figurón peligroso, malvado y patibulario, un noble degenerado convertido en un infame «villano» y que merece con creces la exclusión final que se le impone en el último momento.

Es fácil imaginar, en esta obra excepcional, toda la ambigüedad de una comicidad que, por momentos, parece rozar el drama. Una ambigüedad que no existe, en cambio, en otras reelaboraciones, como *El parecido en la corte* (antes de 1650), refundición de *El castigo del penséque* de Tirso (antes de 1613), o bien *No puede ser guardar una mujer* (antes de 1660), refundición de *El mayor imposible*, de Lope de Vega (antes de 1615). Y una ambigüedad que ya no tiene razón de ser cuando se aborda el «teatro breve», al que Moreto consagra una parte no desdeñable de su actividad.

3. «Teatro breve» y comedia burlesca

A diferencia de los grandes dramaturgos de la primera generación (Lope, Tirso, Alarcón y Guillén) o aun de Rojas, pero a ejemplo de Calderón o de Antonio de Solís, Moreto, en efecto, no desdeña escribir piezas cortas («teatro menor») que son inseparables de las representaciones de las obras del «teatro mayor» (comedias y autos sacramentales) para el que sirven a modo de prólogo (*loas*), de intermedios (*entremeses* propiamente dichos en sus diversas formas) o de remate (*fines de fiesta*).

Lo cual significa que, también en este caso, los autores son legión. Casi todos los citados *supra* (pp. 212-213) han participado, poco o mucho, en la elaboración del *corpus* inmenso y todavía muy mal conocido de ese «teatro breve». Pero conviene agregar a sus nombres los de Luis Quiñones de Benavente (¿1593?-1651, al menos ciento cuarenta obras); de Francisco Bernardo de Quirós (1594-1658, una veintena de obras); de Sebastián Rodríguez de Villaviciosa (1618-¿1672?, una veintena de obras); de Vicente Suárez de Deza (que publica una cuarentena de obras en 1663); de Francisco de Avellaneda (1622-¿1675?); de Manuel de Leon Merchante (1626-1680); de Gil López de Armesto (que publica en 1674 una recopilación de *Sainetes y entremeses representados y cantados*); de Francisco de Castro (1675-1713, con los tres volúmenes, en 1702, de su *Alegría cómica*).

Todos, en definitiva, ya sean dramaturgos que practican todos los géneros o bien escritores especializados sólo en la composición de obras cortas, son los discípulos, a menudo mediocres y a veces infieles, del más importante de ellos, el «metrópoli de los bailes» y «pontífice del entremés», Luis Quiñones de Benavente. Él es quien lleva a su término la evolución iniciada por Quevedo y libera al «teatro breve» de cualquier tentación de una pintura más o menos realista de las costumbres. Verdadero inventor de una «nueva manera de reír», confiere una amplitud sin precedentes al repertorio temático y metafórico de las obras cortas, gracias a una prodigiosa capacidad para dramatizar las situaciones más variadas, que toma del mundo de la escena, de la literatura o de la vida. Paralelamente, elabora una síntesis renovadora de todos los procedimientos legados por la tradición y, rompiendo con las categorías existentes, prefigura la evolución posterior del teatro hacia el arte lírico por la creación de especies nuevas, como los entremeses cantados o los bailes entremesados. A su vez, esta omnipresencia gradual de los elementos coreográficos y musicales no hace sino subrayar la dimensión fantástica de un universo donde la estilización cómica señala un proceso más simbólico que naturalista, donde reina una propensión a la mascarada y a la arlequinada, donde la actualidad, finalmente, está sometida a una alegorización cargada, no sin gran habilidad metafórica, de una intensa fuerza cómica. Un teatro, en una palabra, que se constituye como un mundo de libertades fantasmagóricas y que, al invertir las tensiones de la comedia y de su heroísmo aristocrático, encuentra su expresión más significativa en el espectáculo de la asunción bufonesca de un simplón inocente, perdido ante las complejidades del laberinto del mundo, antihéroe primitivo, cobarde y no desprovisto de connotaciones homosexuales, el famoso Juan Rana.

Por cierto, la moralización creciente de la segunda mitad del siglo tratará de reintroducir en ese «teatro breve» elementos de sátira de costumbres con finalidad ética. Pero la irrealización liberatoria, tiene, con Monteser, Moreto, Calderón y Solís, hermosos días por delante, tanto más cuanto que tiene libre curso en otro ámbito, concebido éste en el marco muy preciso de las representaciones organizadas para Carnaval: las comedias burlescas, cuyo estudio, a partir de los jalones marcados por Frédéric Serralta,[6] aún está por realizarse. Ese género «referencial» por excelencia se basa en la parodia de cualquier tema (mito, leyenda, motivo o trama dramática...) que goce de una amplia difusión, y se constituye como un haz de referencias a los aspectos más variados de un patrimonio común, sea éste cultural, folclórico o lingüístico... Se vuelve a encontrar, pues, en esas comedias de disparates, la tendencia al sincretismo que caracteriza a la época, mientras que su estructura estrictamente inversiva, hecha de una constante subordinación al material parodiado, hace muy poco creíble la pretendida dimensión satírica o subversiva que a veces se les ha atribuido. Tales son esas refundiciones en chanzas, cuyo modelo más cabal es *El caballero de Olmedo*, de Francisco Antonio de Monteser, representado el último día de Carnaval del año 1651 ante los cortesanos del Buen Retiro.

Este último detalle —la representación en el palacio del príncipe— no deja de tener interés. Nos remite a un fenómeno que el segundo Calderón ya nos ha permitido observar: la transformación cada vez más sensible de la corte en centro preponderante de la actividad dramática creadora. Esta mutación provoca la ruptura definitiva de la compleja unidad que soldaba, en el recinto de los teatros públicos urbanos (los corrales), la comunidad momentáneamente indiferenciada que formaban los destinatarios socialmente heterogéneos de la Comedia. La separación, ahora, está consumada. Y desde este punto de vista, Moreto —cuyo éxito, en España como en el extranjero, será por lo menos igual, hasta fines del siglo XVII, al de Calderón—, puede ser considerado como el último de los grandes autores «po-

6. Frédéric Serralta, «La comedia burlesca: datos y orientaciones», en *Risa y sociedad en el teatro español del Siglo de Oro*, París, CNRS, 1980, pp. 99-129.

pulares», es decir de los que escriben prioritariamente para los corrales. Otros, por el contrario, ya habían reorientado decididamente su producción hacia los escenarios reales, como Antonio de Solís o, ya lo hemos visto, Calderón. Pero el paso decisivo lo dará en el último cuarto del siglo Francisco Antonio Bances Candamo, que fue el primero en recibir, hacia 1687, el título oficial de «dramaturgo del rey».

4. Bances Candamo

Nacido en la provincia de Asturias, estudia la carrera en Sevilla, y perdidos ya sus protectores, se traslada a Madrid. Muy pronto se convierte en el proveedor oficial de los teatros reales, a la vez que ejerce cargos en la administración de Hacienda, con numerosos desplazamientos que serán otras tantas interrupciones en una carrera teatral algo irregular.

La obra literaria más importante de Bances, autor de una treintena de comedias, paradójicamente, no es una obra de teatro, sino un tratado teórico titulado, en su tercera versión, *Teatro de los teatros de los pasados y presentes siglos. Historia scénica griega, romana y castellana. Preceptos de la Comedia española sacados de las Artes poéticas de Horacio y Aristóteles y del uso y costumbre de nuestros poetas y teatros, y ajustados y reformados conforme la mente del doctor Angélico y Santos Padres.*[7] En ella se expresa una radicalización de las tendencias castradoras que habían aparecido en 1635 en un opúsculo de José Pellicer de Tovar, otro teórico, autor de una *Idea de la Comedia de Castilla. Preceptos del teatro de España y arte del estilo cómico moderno.*[8] Sobre la base de una reinterpretación moralizante de los preceptos aristotélicos y, sobre todo, de una lectura pretendidamente tomista o cristiana del tópico de la superioridad de la poesía sobre la historia, Bances define un «arte reformado» que es, en realidad, una perfecta inversión del *Arte nuevo de hacer comedias en este tiempo*, redactado a comienzos del siglo por Lope de Vega.

Estamos muy lejos, en efecto, de la dialéctica fecunda que, en la época de la *primera comedia*, existía entre experiencia y arte, cuando este último

7. Tres versiones (ninguna terminada) entre 1689 y 1694. Véase la edición de Duncan W. Moir, Londres, Tamesis Books, 1970.

8. *Idea de la Comedia de Castilla. Preceptos del teatro de España y arte del estilo moderno cómico.* Texto en *Preceptiva*, citado *supra* nota 3, pp. 263-272.

> se constituía, a partir de la observación curiosa de obras contemporáneas, como un conjunto flexible de métodos y prácticas sometidas a una permanente reelaboración. En Bances, en cambio, arte y experiencia viva parecen ignorarse. La ciencia dramática ya no es una constante adaptación realizada en el mismo movimiento una mira prospectiva; es ahora una suma de conocimientos recibidos, un cuerpo de preceptos heredados y sistematizables a partir de una observación retrospectiva de obras del pasado. El objetivo de la operación es obvio: se trata de formar productores a fin de llegar a la educación de los consumidores. Y el método a seguir puede resumirse en una palabra: la censura. Será la lima de la censura la que garantizará una producción teatral limpia e inculpable, una vez forjado un cuerpo de censores debidamente retribuidos por el poder. Será también esa misma censura la que presidirá la elaboración de los criterios teóricos cuya validez Bances quiere asentar históricamente: la historia que esboza —la primera historia oficial del teatro español del siglo XVII— será una historia-censura, una reinvención mítica del pasado teatral cercano, teniendo como modelo absoluto, frente a las perversiones lopescas, la pureza calderoniana.

La cosa es patente: todo el esfuerzo de Bances está dedicado a la constitución de un teatro «limpio». Un teatro «limpio» en el plano teórico, según una perspectiva de la que no renegarán los hombres de la Ilustración: harán suya su voluntad de un examen crítico de las obras del pasado, su preocupación por promover tanto la instrucción de los autores como la del pueblo, su creencia en los poderes de la razón para canalizar y rectificar la tradición, su interna aspiración a un control riguroso y pertinente de la actividad teatral por el Estado laico... Y un teatro «limpio» en el plano práctico: la propia producción dramática de Bances será un teatro aséptico, destinado casi exclusivamente al público restringido de la corte. De esta dramaturgia para príncipes, donde triunfa una decorosa técnica del «decir sin decir», recordaremos sobre todo las comedias «historiales», donde florecen las alusiones a los problemas políticos de la época, y sobre todo a la difícil sucesión al trono de España: *Por su rey y por su dama* (1685), *El esclavo en grillos de oro* (1692), o *La piedra filosofal* (1693). Pero no hay que confundirse: a pesar de la definición, por el mismo Bances, de su teatro como arte áulico y político, este arte resultará solamente áulico y nunca se convertirá en político, si con esto se entiende un arte comprometido capaz de desarrollar, metafórica o alegóricamente, un análisis en profundidad de los problemas de su época. El compromiso de Bances, a decir verdad, nunca supera el nivel de la alusión superficial o de la recomendación muy general de moral (de moral política, en este caso), tal como puede encontrarse, en otros planos, en otras muchas obras producidas por él para la corte, como la zarzuela *Cómo se curan los celos y Orlando furioso* (1692), o la comedia mitológica *Duelos de Ingenio y Fortuna* (1687).

De modo que, para encontrar todavía algunos vestigios de la virtud política de la *primera comedia* —esta capacidad para figurar metafóricamente, con miras a elucidar sus fundamentos, la experiencia histórica—, será más provechoso volverse, en ese fin de siglo, hacia dos autores «populares», más receptivos a las evoluciones profundas de la historia: Antonio de Zamora y José de Cañizares. No es que dejen de escribir obras para la corte; pero lo esencial de su producción, concebida para los corrales, sabe integrar las novedades de la época, de una época que se ha convertido, para España, en la de una radical crisis de conciencia. Respetando y a la vez trastornando las categorías del mundo teatral que reciben en herencia —en particular con una promoción sin precedentes de la comedia de figurón—, su obra aparece como un homenaje a la tradición, y, conjuntamente, como una neomodernización sin nostalgia. Por eso mismo, resulta ser la mejor de las introducciones a la historia del teatro del siglo XVIII, durante el cual se desarrolla, por otra parte, la mayor parte de su actividad dramática.[9]

MARC VITSE

9. Véase J. Canavaggio, *Historia de la literatura española. Siglo XVIII*, tomo IV, Barcelona, Ariel, 1995.

CAPÍTULO IX

ÚLTIMO RESPLANDOR DE LA PROSA: GRACIÁN

La prosa, de Quevedo a Gracián

Dominada y, de alguna manera, enmarcada por dos autores de primer plano, Quevedo y Gracián, la prosa española tal como se desarrolló en el apogeo del barroco casi no ha sido estudiada de manera satisfactoria si no es a través de la obra de esos dos genios fascinantes. A muchos escritores dignos de interés se les conoce todavía mal (con excepción, sin embargo, de Saavedra Fajardo sobre el que volveremos más adelante) y muchos temas siguen confusamente tratados. Al no pretender colmar esas lagunas por medio de una investigación de primera mano, limitaremos nuestro propósito a una descripción sintética de los géneros y de las corrientes de ideas más representativas, así como a la evocación de las personalidades literarias más originales.

La prosa barroca no rompió en absoluto con las formas cultivadas en la época de Carlos V o de Felipe II (el diálogo, la epístola, las misceláneas). Simplemente se volvió más política, más atenta a la experiencia concreta del individuo percibido en su realidad cotidiana, más social. Pero se tiñó de pesimismo, fruto en parte, pero en parte solamente, de una amarga toma de conciencia de lo que es necesario llamar la decadencia histórica de España. Así se explican las dos grandes direcciones que toma la prosa de ideas y que hemos decidido seguir a nuestra vez en este corto capítulo. Por una parte, el hombre social es visto preferentemente a través del espejo deformante de la sátira, del localismo y de los cuadros de costumbres. Es la hora del «hombre crítico» (*el crítico*, término cuya promoción se puede seguir cómodamente a partir del comienzo del siglo XVII) y del regreso a Luciano.

Por otra parte, el hombre moral es sobre todo objeto de análisis de conducta centrados en las artes de prudencia: concebidas como medios de conservación de sí, implican inteligentes tácticas de autocontrol y de dominio del otro. El moralista es, pues, en un principio, un pedagogo, luego un historiador y finalmente un político, término superior de la jerarquía de las excelencias, que califica al perfecto hombre desengañado. Las consecuencias de esa orientación, con la constitución de esa «razón de Estado de sí mismo» gracianesca de la que se volverá a hablar, son considerables: como ha señalado Asunción Rallo, se llega a una cultura progresivamente cerrada, basada en una herramienta lingüística profundamente elitista.

Tal es el camino, «crítico» y «político», que hemos decidido tomar en el curso de las páginas siguientes. Somos conscientes del interés de todo lo que hemos dejado a un lado en el camino: la literatura religiosa (en especial la teología especulativa, las biografías edificantes y la elocuencia sagrada), los escritos de los científicos, de los gramáticos y de los bibliógrafos. Pero ésa es la dura ley a la que no podíamos sustraernos cuando se quieren evitar las enumeraciones fastidiosas y estériles. Advertido el lector, sabrá perdonarnos.

1. Diálogos, misceláneas y cuadros de costumbres

El primer grupo de escritores sobre el que quisiéramos detenernos rápidamente está compuesto por individualidades muy dispares que, en ningún caso, podrían constituir un movimiento estético particular, ni ser reunidos en una corriente de ideas de perfiles homogéneos. Algunos fueron grandes eruditos clásicos, como Cascales, otros son más conocidos como poetas (Bartolomé Leonardo de Argensola), la mayoría fueron las dos cosas a la vez. También la escritura, usada en unos y otros con más o menos facilidad o una mayor capacidad de invención, abarca manifestaciones muy variadas, de la polaridad abiertamente picaresca y boccacciana, representada por Liñán y Verdugo, a la docta y equilibrada de un Cascales.

El interés que esos escritores, muy numerosos y de producción a menudo abundante, ofrecen a nuestros ojos es a la vez formal y documental. Desde el punto de vista formal, representan la culminación de géneros muy cultivados en la época del Renacimiento (literatura epistolar, dialogada y viajes principalmente), pero, también, su adaptación a los gustos y a la mentalidad de un público diferente, así como a situaciones inéditas creadas tanto por la irrupción de una cultura «de masas» (Maravall) como por la aparición de nuevas mediaciones. Desde este punto de vista, recurrir a la sátira y a la voluntad de informar, más que a la de formar, presente en la mayoría de los escritos que vamos a citar, nos parece fundamental porque revela un profundo cambio de actitud, signo a su vez de un cambio radical del papel del escritor en la sociedad. Esto es lo que explica la importancia de los aspectos referenciales o documentales, tan presentes en esta literatura y tan apreciados por los enamorados del Siglo de Oro. Sin embargo, hay que cuidarse de no tomar por oro todo lo que reluce y, en tanto no se disponga de trabajos circunstanciados sobre los sistemas de representación y las formas de inscripción de la ideología dominante en ese tipo de producciones, se deberá considerar esos «testimonios» con circunspección.

Francisco Cascales (¿1559?-1642) es el primer autor que hemos elegido recordar. Sus *Cartas filológicas*, selección de treinta cartas publicada en 1634 (pero que estaban listas para la edición desde 1626), no podían ser, según la advertencia del mismo autor, ni «familiares», ni «serias», sino «cultas»; no tienen por objeto la diversión, ni tampoco la reflexión política, sino el deseo de hablar de temas profesionales (por eso el adjetivo de «filológicas») y de «cosas de humanidad, curiosas y llenas de reflexión», propias de los hombres de buena sociedad. Su propósito está perfectamente logrado, a pesar del peso de la erudición clásica, que sobrecarga el texto de citas para uso de una elite culta. Las cartas discurren con penetración y sentido crítico sobre los temas más variados y más actuales (Góngora y Lope de Vega, las armas y las letras, la educación de las jóvenes o la historia de Murcia, patria del escritor, etc.). De esta manera, parecen abrir el camino a una nueva forma de epístola, polémica y crítica, destinada a un brillante futuro en el siglo XVIII.

Los diálogos sobre el tema del viaje se reúnen en dos obras atractivas, una inspira en parte la idea de la otra: *El viaje entretenido* de Agustín de Rojas (1572-1635), publicada en Madrid en 1603, y *El pasajero* de Cristóbal Suárez de Figueroa (1571-1644), aparecida también en la capital, pero más tarde, en 1617.

En los dos casos, la forma dialogada es un puro pretexto para hacer más cómoda la introducción de todo tipo de temas, casi siempre de actualidad. En lo que respecta al primero, la finalidad didáctica, característica de los diálogos de la época anterior, está totalmente olvidada, mientras que en *El pasajero* está muy presente, dándole al texto un tono de arte de la prudencia o de manual de avisos útiles. Agustín de Rojas, por otra parte, escribió su *Viaje* con la intención de insertar en él sus composiciones poéticas, en la actualidad poco estimadas (las más logradas son jácaras en la mejor vena rufianesca y prostibularia). En él se encuentra igualmente intercalado un relato de ambiente sentimental, *Leonardo y Camila*, muy convencional. *El viaje entretenido* es sobre todo leído —y apreciado— en la actualidad por las informaciones de primera mano que aporta sobre la vida teatral de la época, bien conocida por el autor a través de las peripecias de una existencia galante y aventurera. En cuanto a *El pasajero*, se trata de una obra minuciosamente trabajada y de gran calidad literaria, debida a la pluma de este jurista al que sus funciones oficiales llevaron a vivir largos años en Italia. Las observaciones más interesantes del autor se refieren al tema de la literatura y de los hombres de letras, y señalaremos la extrema agresividad que manifiesta respecto de Lope de Vega. Finalmente, puntos de vista dispersos sobre la policía de las ciudades y el problema de los pobres traslucen la amistad (y la unicidad de puntos de vista) que unía a Suárez de Figueroa y a Cristóbal Pérez de Herrera.

La literatura de costumbres, abundante en el Siglo de Oro, a veces también inédita en la actualidad o mal editada, no siempre es de una calidad ejemplar. La deslucen esencialmente, en muchos casos, el exceso de localismo y la búsqueda pesada del *concepto*, de la agudeza o de la expresión ingeniosa. Citamos sólo tres nombres: Antonio Liñán y Verdugo, del que nada se sabe; Juan de Zabaleta (hacia 1610-1670), cronista oficial del rey y rico terrateniente; y finalmente el fecundo y truculento Francisco Santos (1617-hacia 1700), autor de dos obras famosas: *Las tarascas de Madrid* y *Día y noche en Madrid.*

Liñán y Verdugo es el autor de una *Guía y avisos de forasteros que vienen a la Corte*, publicada en Madrid en 1620, especie de diálogo puesto en escena por un narrador que transmite las palabras de los interlocutores. El pretexto es poner sobre aviso respecto de la conducta a observar en la gran Babilonia que es Madrid a un joven gentilhombre recién llegado. Estos avisos son ocho (cómo elegir alojamiento, cómo elegir sus amigos, qué compañías deben evitarse, cómo escapar de la ociosidad, etc.). La sucesión de avisos está cortada por breves relatos llamados «novelas y escarmientos», en número de catorce, que son un comentario novelesco, con una finalidad ejemplar, de las advertencias hechas previamente. Estos relatos, de corte italiano (véase *supra*, cap. III), se desarrollan todos en ambientes picarescos y fustigan los defectos de las gentes depravadas de la capital, por otra parte bien conocidos y explotados por numerosos autores. A pesar de la intención moralizadora, muy pesadamente presente, el estilo es notable por su fluidez y su relativa simplicidad.

Autor de comedias (dentro de la influencia de Calderón y a veces en colaboración con él) así como de escritos didácticos y filosóficos, Zabaleta es ante todo conocido por *El día de fiesta por la mañana* (1654) y *El día de fiesta por la tarde* (1660). Se trata de una serie de retratos de tipos madrileños trazados en un estilo hiperbólico a menudo de gran efecto. La pesadez de los comentarios morales también en este caso hace la lectura de esos cuadros a menudo árida (hasta el punto de que en el siglo XIX se hizo una edición «aligerada»). Sin embargo, ese universo de gran colorido, salido directamente de la picaresca y de Quevedo, aún conserva intacta su fascinación.

Finalmente, Francisco Santos marca una especie de culminación de esa corriente. Sus preocupaciones didácticas y morales, que se relacionan a veces con el último avatar de la picaresca, no se unen solamente en una exuberancia más o menos dominada, a un gusto por el cuadro de costumbres a lo Zabaleta; se inscriben a menudo en un objetivo alegórico donde se trasluce la influencia de Quevedo y de Gracián. Muy apreciado a comienzos del siglo XVIII, en la actualidad debe lo más claro de su renombre a su *Día y noche en Madrid*, visión satírica de los defectos de la sociedad de la capital.

2. Los arbitristas

Los *arbitristas* son reformadores, dicho de otra manera, escritores políticos. Pero en ningún caso se trata de «filósofos» o de teóricos del gobierno de la ciudad. Su reflexión nunca es abstracta, nunca abandona el terreno de la observación concreta de fenómenos económicos o sociales precisos. Eran funcionarios, letrados, economistas o religiosos, que proponían al poder diagnósticos sobre los males que aquejaban al país y los medios para remediarlos que llamaban *arbitrios*: de ahí el nombre con el que se los conoce, corriente en el Siglo de Oro, pero con un sentido más restringido, peyorativo, puesto de moda por los escritores satíricos.

Esta corriente comenzó hacia mediados del siglo XVI: el famoso *Memorial para que no salgan dineros de estos reynos*, dirigido por el Contador general Luis Ortiz a Felipe II, en 1558, puede servir de cómodo punto de referencia; cesó un siglo más tarde, al agotarse visiblemente la inspiración reformadora a partir de los últimos años del reinado de Felipe IV. Lejos de ser un fenómeno marginal, el arbitrismo movilizó a centenares de ingenios, a menudo muy brillantes, y en el período que va de 1550 a 1670 se cuentan más de mil doscientos escritos en ese estilo. Sucedía frecuentemente que esos autores fueran al mismo tiempo poetas o novelistas, como José Camerino —por desgracia poco conocido—, uno de los más interesantes entre los escritores «menores» de la decadencia. Pero es verdad que la inquietud principal de esos autores no era literaria o formal; por eso, en principio fueron estudiados por los historiadores de las ideas, de la economía y de la sociedad, que vieron en sus escritos, con justa razón, una de las tentativas más lúcidas y mejor documentadas para captar los mecanismos de la crisis económica y de la descomposición social que paralizaban a España en esa época. En la actualidad son apreciados sobre todo como informadores de las realidades económicas. Pero la finura y el alcance de las observaciones más generales que debemos a esos autores (en particular a los más grandes, que citaremos más adelante) superan esta estrecha esfera de competencia; unidos a una calidad de la prosa muy notable, hacen de sus obras, a nuestro parecer, textos esenciales, indispensables para comprender no sólo la realidad histórica del Siglo de Oro, sino también el conjunto de sus expresiones artísticas, en su significación económica y social global.

Hubo varias corrientes en el seno del arbitrismo (demográfico o natalista, financiero o «metalista», agrario, industrial, fiscal, colonial, militar, político o constitucional, etc.); pero lo propio de esos escritos o, al menos, de los más ricos y más perspicaces, es considerar conjuntamente la totalidad de los problemas en los que se debate la nación, a partir de una idea motriz que estructura toda la reflexión. Tal es el caso de los autores más importantes: Martín González de Cellórigo, con *De la política necesaria y útil restauración a la República de España y estados della, y del desempeño universal de estos Reynos* (1600); Sancho de Moncada, y su *Restauración política de España* (1619); Pedro Fernández de Navarrete, y su *Conservación de monarquías y discursos políticos* (1626); Miguel Caxa de Leruela, y su *Restauración de la antigua abundancia de España* (1631); Francisco Martínez de Mata, autor de un *Memorial a razón de la despoblación y pobreza de España y su remedio* (1650), así como del *Epítome* (1659). Habría que añadir un sexto nombre, el del extremeño Pedro de Valencia (1555-1620), más conocido como humanista y como amigo y defensor de Góngora que como economista y escritor político. Esperemos que la edición crítica de sus *Obras completas* que está a punto de aparecer, otorgue, por fin, a ese gran espíritu la estatura que tiene.

Más allá de sus debates, muy técnicos, sobre el papel de la moneda en la economía, los arbitristas son grandes porque verdaderamente crearon en España la conciencia de la decadencia y dieron a los reformadores del siglo XVIII un punto de apoyo interno esencial. Su demostración es clara y está exenta de cualquier demagogia. España se había empobrecido, se había despoblado, su industria estaba arruinada, su riqueza era malversada por los extranjeros que la colonizaban, los españoles huían del trabajo productivo. Para establecer su constatación, esos observadores «patriotas» e informados se vieron llevados a analizar los efectos de la presión fiscal, del desorden monetario y de la política militar de los Habsburgo, con una lucidez que los honra. También la tentativa de alguno de ellos por rehabilitar el trabajo manual es de las más interesantes. Defensores, en su mayoría, de valores muy alejados de los que imponía la ideología aristocrática dominante, tales como el esfuerzo, la racionalidad, el orden, la instrucción, la paz social, la gestión eficaz, la productividad y el enriquecimiento, son los últimos representantes de una mentalidad «burguesa» agonizante. Finalmente, por su obsesión por el «aumento» y la «conservación» de las monarquías (y de la monarquía española en particular), aparecen fuertemente unidos a la corriente política del tacitismo.

3. El tacitismo

La influencia ejercida por Tácito sobre los teóricos españoles del Estado de la Contrarreforma impuso el término «tacitismo», sin que por ello éste se corresponda con una corriente de pensamiento homogénea y bien definida. Según José Antonio Maravall, las razones del entusiasmo por el historiador latino pueden ser resumidas como sigue: el naturalismo (es decir, la posibilidad de limitarse, con gran rigor en el análisis, al plano natural de la experiencia); el método inductivo; una técnica de observación inteligente; y el recurso, finalmente, a finos matices psicológicos en materia política.

La principal novedad que presentan los ensayos políticos del siglo XVII reside, en efecto, en la separación que en ellos se realiza entre el análisis rigurosamente político y el discurso teológico y moral. Durante la época de los humanistas del siglo anterior, los tratados de educación de príncipes proponían normas de conducta a los gobernantes, con exclusión de cualquier examen de los problemas políticos como tales. El pensamiento de Maquiavelo, que preconizaba un arte de gobernar puramente técnico y separado de los principios morales y religiosos (la «razón de Estado») chocaba con las teorías defendidas en la Península, de carácter fuertemente providencialista, que conferían al Estado una finalidad trascendente. Por eso Tácito fue asimilado fácilmente a Maquiavelo en la España del Renacimiento: al igual que él, aparecía como un maestro, en su intento por establecer un análisis político y crítico autónomo. Ése es el sentido de la condena del padre Pedro de Rivadeneyra, uno de los que encabezan la corriente opuesta al florentino, en su obra más importante, *Tratado de la religión y virtudes que debe tener el príncipe cristiano para gobernar y conservar sus Estados, contra lo que Nicolás Maquiavelo y los políticos de ese tiempo enseñan* (Madrid, 1595).

En el siglo XVII, el pensamiento moral y religioso fue relegado a la esfera de lo individual, mientras que la reflexión sobre los asuntos de Estado adquiría autonomía propia, desarrollándose en el terreno de un tecnicismo muy especial. Este desplazamiento, característico de la mentalidad llamada «barroca», iba a permitir el triunfo de Tácito y entonces, como no han dejado de subrayar muy bien los especialistas, de un maquiavelismo subterráneo, aunque vuelto a pensar en términos de compatibilidad con el ideal moral cristiano, dicho de otra manera, adaptado al espíritu de la Contrarreforma. Porque Tácito no había sido prohibido, mientras que Maquiavelo fue incluido en el primer Índice de la Inquisición española (1559). Pero eso no es todo y, como indica muy pertinentemente José Luis Abellán, el tacitismo no fue una simple máscara para uso de algunos pocos discípulos de Maquiavelo, ni una especie de tercera vía, a mitad de camino entre el maquiavelismo y el erasmismo: en buena parte, parece haber sido recibido como una prolongación lógica de esta última corriente de pensamiento, asegurando de esta manera la continuidad, en la filosofía política española clásica, entre las ideas del humanista de Rotterdam y el neoestoicismo característico de la madurez del Siglo de Oro.

Sin embargo, se estuviera con o contra Maquiavelo, en toda la Europa del siglo XVII se asistía a la construcción del Estado absoluto, cuya racionalidad se basaba, en gran parte, en la intuición del autor de *El príncipe*, para quien el Estado pertenecía a una esfera natural autónoma, regida por leyes propias sin relación alguna con las de la ética. En otros términos, y para retomar el análisis de Pierre Mesnard, «el hombre barroco se caracteriza [...] por la aceptación del dato. Del dato integral: del hombre, no sólo reducido a sus pasiones y a sus vicios (como lo pintaba el secretario florentino), sino dotado de las fuerzas de la razón, ellas mismas incrementadas por el aporte de virtudes infusas. Para emplear el lenguaje de nuestros contemporáneos, diremos que un Rivadeneyra o un Saavedra Fajardo nos dan una fenomenología integral del hombre, racional, pecador y socorrido por la gracia. Cuando ese hombre se convierte en príncipe o ciudadano, se adivina todo el interés de las consideraciones políticas a las que puede dar nacimiento».[1]

1. P. Mesnard, «Introduction» en J. A. Maravall, *La philosophie politique espagnole, au XVIIe siècle dans ses rapports avec l'esprit de la contre-Réforme*, París, Vrin, 1955, p. 13.

El pensamiento de Tácito se conoció en Europa desde comienzos del siglo XVI, gracias a la edición romana de 1515 y, sobre todo, a la obra del humanista Andrea Alciato, que hizo otras dos ediciones así como un comentario en latín, y que retomó muchas de sus máximas en sus famosos *Emblemas*. Porque la difusión de Tácito y su suerte en la época barroca son inseparables del estilo sentencioso y conciso que lo caracteriza, y que hacía de sus escritos una mina de aforismos reutilizables en forma de máximas comentadas o de emblemas. Otros italianos contribuyeron a que se conociera (Boccalini y Ammirato, en especial); pero, en España, aunque ya estuviese presente de manera más o menos difusa (a través sobre todo de Furió Ceriol y Antonio Pérez), el paso decisivo lo constituyó la obra de Justo Lipsio: en especial la traducción de Bernardino de Mendoza, en 1604, de sus *Seis libros de la República*, formados por un ordenamiento de sentencias antiguas en las que Tácito ocupa amplio lugar. De este mismo año data el primer escrito político original en castellano donde la influencia del autor de los *Anales* es manifiesta, la *Doctrina política civil* de Eugenio de Narbona, incautada por el Santo Oficio. Desde entonces, a medida que el siglo avanza, las defensas de Tácito se multiplican, a pesar del vigor de la tradición adversa; los comentarios y las traducciones se suceden, signo evidente de la asimilación y aceptación de la idea de razón de Estado. Antonio de Herrera nos aporta un buen ejemplo de esta evolución, ya que en 1591 tradujo uno de los libros más representativos de la corriente antimaquiavélica, *Della ragione di Stato* de Giovanni Botero (1583), y en 1616 propuso una versión castellana de Tácito. Pero el mayor escritor político tacitista del Siglo de Oro fue Baltasar Álamos de Barrientos (1555-1643), personaje importante, amigo del muy florentino Antonio Pérez, lo que le valió algunos sinsabores.

> Álamos de Barrientos desea, en su *Tácito español, ilustrado con aforismos* (1614) hacer de la política una ciencia, construida independientemente de la moral, aunque tarde o temprano sea necesario encontrar puntos de contacto, adecuaciones entre las dos. Tal ciencia es experimental, y es la historia la que sirve de campo de investigación, a fin de inducir de ella la regla aplicada al caso presente. Esto es posible, porque el hombre es definido por un conjunto de afectos cuyos determinantes generales no cambian con el tiempo. Estos últimos son de cuatro tipos. Los hombres en principio están determinados por su ser fisiológico (teoría de los humores y de las inclinaciones particulares). Pertenecen luego a una familia o a un ambiente que transmite, hereditariamente por así decirlo, ciertos hábitos y maneras de ver, unidas al status social relacionado con ese medio. En tercer lugar, los hom-

bres se definen en relación con su ser socioprofesional («el estado y la profesión») en su doble dimensión, política y de comunicación. Finalmente, el último determinante es la nación, entendida como el conjunto de caracteres comunes al grupo que el príncipe debe gobernar. Se ven fácilmente los horizontes nuevos que abría a la ciencia política peninsular esta inserción de la persona en lo social, sobre todo después de haber definido, en una línea muy «maquiaveliana», la utilidad, la conveniencia y la conservación como los tres criterios de juicio prioritarios en materia de «discursos de Estado».

Tal actitud, resueltamente experimental e inductiva, aproxima singularmente a Álamos a los más «modernos» entre los europeos de su época, como Bacon y Galileo; en España tuvo una fuerte oposición. No obstante, lejos de ser un incrédulo, término que no significa nada en el contexto de la España de la Contrarreforma, Álamos coloca siempre en el centro de su reflexión la necesidad de pensar las relaciones que necesariamente deben mantener la moral y la política. En esto casi no difería de Saavedra Fajardo, el tacitista más «integrado», como se dice hoy, y del que conviene hablar ahora.

4. Saavedra Fajardo

Hombre político más que de letras, Saavedra Fajardo nunca pretendió vivir de su pluma, lo que, por otra parte, no quería decir gran cosa en su época, a pesar de la excepción notable representada por Lope de Vega; nunca pensó, por otra parte, en crearse un tipo de vida que le permitiera consagrarse a la escritura. Autor, sin embargo, de una obra considerable, tanto por su extensión como por su interés, ofrece una de las más brillantes ilustraciones de esa categoría de escritores no profesionales que tomaron la política como campo de acción y de los que tan numerosos y notables ejemplos ofrece la historia de las letras españolas.

Su carrera fue la de un alto funcionario al servicio de la diplomacia de su país. Nacido en el seno de una familia noble y poderosamente implantada en el reino de Murcia, estudió derecho en Salamanca, después de haber empezado una carrera eclesiástica en su tierra (pero sin recibir las órdenes mayores); a la edad de veintidós años se convirtió en secretario privado del embajador de España ante la Santa Sede, el cardenal Gaspar Borja, que lo llevó a Roma en 1608. Rápidamente ocuparía puestos mucho más importantes: entre 1612 y 1617 ejerció las funciones de Secretario de Estado y Guerra en el virreinato de Nápoles; de 1617 a 1623, las de secretario de la embajada de España en la Ciudad eterna; luego fue nombrado procurador del rey como premio por sus excelentes servicios. Dejó Roma en 1633 para realizar importantes misiones diplomáticas a través de Alemania, teatro de operaciones de la guerra de Treinta Años. Supo cumplirlas tan bien que en 1643 fue nombrado miembro del Consejo de Indias e, inmediatamente después, ministro plenipotenciario para las negociaciones de Münster, que llevarían al tratado de Westfalia. Éste fue el punto culminante de su carrera, muy cercano, es verdad, al final de su vida.

La obra de Saavedra Fajardo es casi exclusivamente política. Fuera de algunas composiciones en versos latinos o castellanos que nos ha dejado, y que merecen poca consideración, sólo su primera obra, la *República literaria*, escapa a esta definición.

Escrito de juventud compuesto, con toda verosimilitud, hacia 1612 y retocado en una fecha ulterior, este relato satírico no fue publicado hasta después de la muerte de don Diego y tuvo una historia editorial compleja, ya que sólo apareció con su auténtico título y con el nombre de su verdadero autor en 1670. Se trata de un sueño a la manera de los escritos de Luciano de Samosata (pero, por supuesto, desprovisto de cualquier irreligiosidad), en el que el joven escritor, en un estilo inspirado, fustiga el mundo de las letras, fosilizado, separado de la realidad y desprovisto de todo sentido práctico. Saavedra Fajardo volvería al estilo de Luciano al final de su vida, en un curioso opúsculo en forma de diálogo titulado *Locuras de Europa*, que no se publicó hasta 1748, en Alemania, y en 1787 en España. Sus protagonsitas son Luciano y Mercurio que, discurriendo sobre la situación internacional a comienzos de la década de 1640, caracterizada por una locura guerrera generalizada que sólo sirve a los intereses de Francia, plantean una requisitoria bien informada contra la política de Richelieu.

Además de esos escritos «comprometidos», por así decir, en los que prevalece su genio satírico, Saavedra Fajardo compuso tres tratados de reflexión política, y en razón de ellos su nombre pasó a la posteridad.

Las *Introducciones a la política y razón de Estado del Rey Católico don Fernando* fueron escritas hacia 1630. Circularon manuscritas y sólo en 1886 se imprimieron. Tanto desde el punto de vista formal (por la búsqueda de una expresión concisa y contundente que se avecina al aforismo) como desde el del método y las ideas, se trata de una especie de condensación de lo que será la obra de la madurez. El autor intenta, en efecto, hacer coexistir en el análisis el recurso tradicional de la reflexión sobre las formas de gobierno y las lecciones sacadas de la experiencia inmediata, con la práctica efectiva de los hombres políticos reales (la historia de España y el rey Fernando).

La primera parte de la *Corona gótica, castellana y austríaca* apareció en Münster en 1646. La obra nunca fue terminada. Más tarde, el cronista real Alfonso Núñez de Castro realizó una continuación, que aprovechaba las notas del autor. Ésta apareció en 1671. Saavedra Fajardo presenta de entrada su *Corona gótica* como el complemento de su gran tratado sobre la educación del príncipe, publicado tres años antes (pero que hemos guardado para el final, teniendo en cuenta su importancia). La obra, en efecto, está concebida como una suma de ejemplos tomados de la historia, que pueden servir para la formación moral y política de los futuros gobernantes. La ciencia histórica es así concebida, en la más pura obediencia a Tácito, como fuente de enseñanzas políticas, de reflexiones sobre la razón de Estado. Pero este escrito obedece igualmente a imperativos de actualidad. Se trata de la historia de España, cuyas fundaciones visigóticas se presentan como constituyentes del origen de la Europa moderna y cuyo conocimiento permite legitimar el imperio español, ese imperio en mal estado que una guerra sin fundamento histórico pretende destruir en el momento en que Saavedra Fajardo escribe.

La obra mayor de nuestro autor diplomático se titula *Idea de un príncipe político cristiano representada en cien empresas*. Se la suele designar con el título más corto de *Empresas políticas*. Fue publicada por primera vez en Munich en 1640 y ligeramente aumentada en una segunda edición, aparecida en Milán dos años más tarde. Dedicada al príncipe heredero Baltasar Carlos, la obra se presenta como un tratado de educación política y moral, en la más pura tradición del género, salvo en lo que se refiere a la forma, ya que Saavedra Fajardo eligió la alegoría para exponer su doctrina, glosando una serie ininterrumpida de empresas, procedimiento hasta entonces inédito para este tipo de escritos. Su razón es pedagógica, según el autor; pero, innegablemente, esa elección obedece al entusiasmo que sentía el espíritu de la época —barroco, como todos saben— por una forma de expresión plural, ingeniosa y concentrada, aparecida en realidad en pleno Renacimiento.

La literatura emblemática, puesta de moda en Europa por el italiano Alciato un siglo antes (1531), adquirió importancia en España: gracias a la traducción de su *Emblematum libellus*, realizada por Bernardino Daza en 1549, al provecho que sacó de él Juan de Mal Lara en su *Philosophía vulgar*

(1568) y a los comentarios muy eruditos que sobre él que hizo *El Brocense* (1573). En 1581, Juan de Borja publicó en Praga sus *Empresas morales*, y ocho años más tarde apareció en Segovia el más importante de los libros de emblemas españoles, los *Emblemas morales* de Juan de Horozco y Covarrubias, que tuvo un gran éxito. En la importante introducción teórica de su obra, que constituye toda la primera parte, este autor establece una distinción entre *empresa* y *emblema* (en esa época, empleados casi siempre indistintamente): la *empresa* tiene un objetivo político y se preocupa del bien común, mientras que el *emblema* es más bien moral y apunta al comportamiento individual. Saavedra Fajardo retuvo esta lección. Señalaremos también dos recopilaciones de emblemas posteriores a la de Juan de Horozco y Covarrubias, los *Emblemas moralizados* de Hernando de Soto, publicados en Madrid en 1599, y los *Emblemas morales* del célebre autor del *Tesoro de la lengua castellana o española* (Madrid, 1610), Sebastián de Covarrubias y Horozco, hermano de Juan. Sin embargo, todo lleva a creer que fue en otra parte, en los *Emblemata politica* de Jacob Bruck Augermunt, donde Saavedra Fajardo encontró en parte sus fuentes de inspiración.

Los *Emblemas políticos*, a pesar de la ausencia de cualquier plan, obedecen no obstante a una lógica minuciosa, tanto en su desarrollo temático como en su armazón conceptual. Para resumir, ésta es su economía general, según González Palencia: *Emblemas* I a VI, De la educación del príncipe; *Emblemas* VII a XXXVII, De las acciones del príncipe; *Emblemas* XXXVIII a XLVIII, De la actitud del príncipe hacia sus súbditos y hacia los extranjeros; *Emblemas* XLIX a LVIII, De la actitud del príncipe hacia sus ministros; *Emblemas* LIX a LXXII, Del aumento y conservación del reino; *Emblemas* LXXIII a XCIX, De los males y calamidades interiores y exteriores; y finalmente *Emblemas* C a CI, De la vejez del príncipe.

Como el título completo de los *Emblemas políticos* indica, la exposición de Saavedra Fajardo se dedica antes que nada a definir una de las ideas centrales en la reflexión política de los autores españoles del Siglo de Oro, la idea del príncipe cristiano. En el punto de partida encontramos la constatación pesimista de la maldad general de los hombres, que el príncipe sólo puede vencer gracias al arte de la política, en el que debe ser experto. Por eso, además de la excelencia personal y las virtudes cristianas que debe poseer, también ha de dominar la técnica política, de manera que religión y ciencia del Estado puedan armonizarse y definir unitariamente su conducta de príncipe «político-cristiano». La clave del modelo de educación propuesto por Saavedra Fajardo, la regla de oro en materia de conducta, es la prudencia, que volveremos a encontrar más adelante en Baltasar Gracián.

Pero, para nuestro diplomático murciano, y ése es uno de los rasgos más personales de su pensamiento, la prudencia no podría ser solamente política, debe ser también cristiana, y el análisis de la virtud del príncipe debe situarse tan lejos del maquiavelismo como de la actitud cristiana tradicional. ¿Qué significa esto?

Saavedra Fajardo no es un creador de sistemas, un teórico. Para él la política es antes que nada cuestión de práctica, de experiencia. Por eso, en el momento de escribir apela a todos los recursos, usando tanto su erudición clásica como sus reflexiones de profesional de la política o los lugares comunes sobre la moral y sobre la razón de Estado, sacados de la literatura especializada de su época. Esto es lo que le ha valido ser tachado de poco original, de simple representante del frente antimaquiavélico oficial español. Ver las cosas de esta manera sería no comprender lo que tiene de particular la cristianización de la razón de Estado perseguida por Saavedra Fajardo, qué fundamentos teológicos quiere dar a la ciencia política. En realidad, su pensamiento es, con toda evidencia, mucho más complejo, y su antimaquiavelismo de fachada tal vez oculta un tacitismo más profundo y activo. Esto es lo que muestra de manera convincente André Joucla-Ruau. Saavedra Fajardo basa su reflexión en el reconocimiento de una esfera de lo político autónoma, regida por leyes propias y apuntando técnicas particulares. Su filosofía, totalmente contenida en el concepto de lo «político-cristiano», no es más que una tentativa de síntesis, de armonización entre esas normas y esas técnicas políticas, y los preceptos de la moral cristiana. Esto es lo que se llama con propiedad el tacitismo español.

Así, nuestro escritor diplomático, según la expresión de José Luis Abellán, expresa de manera particularmente sugestiva la crisis de su siglo, la figura del hombre barroco a caballo entre dos mundos.

Baltasar Gracián

Baltasar Gracián y Morales nació en 1601 en Belmonte, cerca de Calatayud, la antigua Bilbilis romana de la que siempre pretenderá haber salido, en una voluntad mítica de filiación con Marcial, el célebre autor latino de mordientes epigramas.

Su familia es menos modesta de lo que se creyó. A los dieciocho años, Gracián entra en la exigente e intelectual Compañía de Jesús. En ella ocupará varios puestos: profesor de filosofía, de letras, de Escrituras, de teología moral (casuística), en su querida pero estrecha provincia de Aragón, donde se desarrollará prácticamente toda su carrera. Jesuita, es profesor, predicador, confesor, es decir será un maestro en el arte de la palabra pedagógica, pública, confidencial, siempre adaptada al auditorio o al interlocutor, persuasiva, elocuente, insinuante, educada y aguzada en el sentido de la mayor eficacia. Su obra, que ilustra perfectamente el refinamiento teórico, casuístico y psicológico de la cultura jesuítica de la época barroca, es un interrogante ético y estético sobre un Verbo, una Escritura que no cesa de cuestionar, un Libro que no cesa de tejer en un fulgurante anticipo de nuestra modernidad.

El mecenas aragonés Lastanosa, fastuoso señor que mantiene una brillante corte literaria y artística en un suntuoso palacio, célebre en toda Europa, lo alienta a escribir y publica sus primeras obras: *El héroe* (1637), y *El político don Fernando* (1640). El virrey de Aragón, el duque de Nochera, se fija entonces en Gracián, al que hace su confesor, y el padre Baltasar lo sigue a Madrid, donde predica con gran éxito. En 1642 aparece *Arte de ingenio* seguido, en 1646, por *El discreto*. En 1647, *Oráculo manual y arte de prudencia* condensa, en trescientos aforismos, las teorías políticas y morales de las obras precedentes, con un alcance universal que no se dirige sólo al cortesano, sino al hombre simplemente. En 1648, Gracián publica la versión aumentada de su *Arte de ingenio*, con el título de *Agudeza y arte de ingenio*. Abandonando finalmente el seudónimo de Lorenzo Gracián, que le había permitido publicar sus libros sin someterlos a la censura eclesiástica, el jesuita, bajo nombre de García de Marlones, anagrama del suyo, publica en 1651, la primera parte de su novela *El criticón*, alegoría filosófica de la vida humana, dividida en cuatro estaciones que calcan las edades de la vida. La Compañía, alarmada por el aparente nihilismo del libro y por la audacia de este jesuita que, emancipado de su protector, en infracción con los votos de obediencia y de pobreza, se edita a sí mismo rechazando someterse a la censura, le impone un silencio que él no respeta. Con su transparente seudónimo de Lorenzo Gracián, Baltasar Gracián reincide con la segunda parte de *El criticón* (1653) y recibe una severa sanción. Después de una publicación religiosa de circunstancias (*El comulgatorio*, 1655), firmada con su verdadero nombre y sometida a la autorización, el rebelde persiste y publica la tercera y última parte de su novela en 1657. Murió en 1658.

La manía biográfica de cierta crítica se ha dedicado muy a menudo a perseguir en la obra de Gracián la anécdota pro o antijesuita que habría justificado sus problemas con la Compañía. Ahora bien, el mismo Gracián nos invita, no sin fineza casuística, a distinguir entre el padre Baltasar y el escritor *Lorenzo* Gracián, que firma de tal suerte, hasta 1651, los libros profanos que no siente la necesidad de someter a la censura eclesiástica, ya que no son de su competencia. Aunque el seudónimo es transparente, no es molestado en absoluto durante quince años. Con la Primera Parte de *El criticón*, que firma con el anagrama tan transparente de García de Marlones, las cosas cambian: la Compañía sufría los graves ataques jansenistas y era conveniente no ofrecer más blanco a la crítica por un laxismo mundano excesivo. Se pide en principio al padre Baltasar no que amordace a Lorenzo, sino que respete la regla sometiendo sus libros a la censura previa que exige ese momento. El escritor no se siente comprometido por los votos de jesuita y reincide en 1653, firmando de nuevo Lorenzo la segunda parte de su novela.

Ya no es la amonestación, sino el tiro ajustado de los superiores contra ese rebelde, y la sanción disciplinaria. Baltasar se inclina para preservar a Lorenzo: sufre, da pruebas de buena voluntad, predica, participa en una publicación oficial piadosa. Su *Comulgatorio*, de pura obediencia jesuítica, es debidamente firmado «Baltasar Gracián, de la compañía de Jesús» y comporta todas las autorizaciones religiosas requeridas.

> En su nota «Al lector» escribe: «entre varios libros que se me han prohijado, éste solo reconozco por mío, digo legítimo». ¿Es decir (como ha dicho demasiado rápidamente una crítica española a menudo clericalista y dominada por la preocupación de declarar inocente a la Compañía de Jesús), que Gracián, lavado de toda sospecha de anticonformismo religioso, desautorizaría sus precedentes obras? La hipótesis es absurda, ya que apenas dos años más tarde, persistiría publicando con el nombre de Lorenzo la última parte de *El criticón*. La frase de nuestro casuista y estilista se debe entender literalmente: este libro es el único «legítimo» porque es el único al que le da un reconocimiento oficial de paternidad, firmándolo con su verdadero nombre de padre Baltasar. En cuanto a los otros, es extravagante imaginar que los desautoriza: son «ilegítimos» respecto de su nombre; pero los hijos bastardos, por ser adulterinos, no son menos amados, y a menudo son más queridos que los otros, porque son hijos del amor y no del deber. Y también de esta irónica manera los reconoce oficialmente. En efecto, no sólo los cita luego, sino que explica en qué éste es semejante (por el formato de bolsillo en el que se mantiene) y diferente, porque se dirige esta vez al «Sentimiento» y no ya a la «Prudencia» o al «Ingenio» como los otros. En una palabra, lejos de ser rebelde respecto de la Compañía, Gracián, con una hermosa «reserva mental», redobla ese jesuitismo que se reprochaba a su orden para aplicarlo a su persona: aparta el espíritu ateniéndose estrictamente a la letra, a las letras: Lorenzo no es Baltasar y la mano derecha ignora lo que hace la izquierda.

Infringiendo una vez más promesas, regla y voto de obediencia, Gracián publica, pues, en 1657, el último tomo de su libro, que cierra tan perfectamente su obra, con su nombre de escritor y sin ninguna autorización eclesiástica. En su «Nota al lector», hace esa confesión patética cuando se sabe, como él sabía, que firmaba, con su último libro, su desgracia: «Confieso que hubiera sido mayor acierto el no emprender esta obra, pero no lo fuera ya el no acabarla.«

Fiel a su más profunda verdad y vocación, el padre Baltasar de la Compañía de Jesús, que había hecho del Verbo, de la Escritura, del Libro, su más profunda religión, sacrificaba una vez más, pero totalmente esta vez, su tranquilidad y su vida a Lorenzo Gracián, escritor. Públicamente castigado, dimitido de sus cargos, murió algunos meses después de haber terminado la publicación del tomo final de su libro de vida, *El criticón*.

1. Los primeros tratados, o el arte de triunfar

Diez años separan *El héroe* del *Oráculo manual*: diez años de un recorrido que jalonan cuatro tratados colocados bajo el signo del arte de triunfar. En *El héroe*, de una extrema concisión, Gracián traza el modelo ideal del príncipe cristiano al que propone una «razón de Estado» de sí mismo, que ha asimilado las lecciones de Maquiavelo. Más breve aún, *El político don Fernando* propone audazmente como ejemplo a los reyes presentes y futuros al aragonés Fernando el Católico, que Maquiavelo ya había tomado como modelo. Esta celebración ditirámbica de un rey del pasado es, *a contrario*, una crítica implícita del monarca español reinante. Distinguiendo entre mala y buena razón de estado puesta al servicio de la religión católica, Gracián da así a la «dirección de intención» de las casuísticas jesuitas una aplicación política ejemplar. Seis años más tarde, *El discreto* impone, en Europa, durante dos siglos, el nuevo ideal del hombre discreto. Y finalmente, al año siguiente, el *Oráculo manual* quiere ser el manual de bolsillo, de un cinismo tranquilo, del que hace carrera y aspira al éxito y quisiera formar parte de una elite no ya social, sino del mérito. Invirtiendo de manera utilitarista el código ontológico platónico, en ese manual se afirma la moral del éxito, más allá del bien y del mal. Éstas son las líneas de fuerza de esta moral que conviene sacar a la luz, una moral condensada en la colección de aforismos que constituye el *Oráculo manual*.

La multitud, dice Gracián, es despreciable, pero necesaria para el «héroe», para el aspirante al logro social, que debe usarla o desusarla, pero de la que depende totalmente, a la vez que trata de quebrar las trabas de esta dependencia. Gracián, en consecuencia, propone un ideal de autarquía que hace del hombre que se ha liberado de todas las servidumbres un verdadero dios, impenetrable «si no por naturaleza, por semejanza». *El héroe*, desde la primera frase, dirige «Al lector» esta declaración: «¡Qué singular te deseo!», significativa dedicatoria. Gracián escribe para el individuo, para una singularidad de la que codifica los derechos exclusivos, unilaterales, frente a la colectividad, que por definición se considera hostil: «La vida del hombre es milicia contra la malicia del hombre». Esta singularidad, en el mar de lo vulgar, es una insularidad, una soledad. Pero los tratados de Gracián no son libros ascéticos que tienden al retiro por desprecio del mundo. Son manuales pragmáticos con miras al éxito social del individuo que aplique sus preceptos. Por lo tanto, excluida la hipótesis de una soledad de ángel o bestia, estos primeros tratados son una serie de consejos exhortativos o prohibitivos para vivir con los otros, percibidos no como libertades iguales a la mía, sino como opresores en potencia, para liberarse de los otros alienándolos, para sacar provecho de ellos sin que ellos lo saquen de nosotros.

Hay dependencias internas que es necesario yugular antes de poder liberarse de las opresiones externas y subyugar a los otros. Primera urgencia: «No puede uno ser señor de sí, si primero no se comprehende». Cada hombre posee en sí dos polos opuestos, una cualidad y un defecto dominante. Hay, pues, que «conocer su realce rey, la prenda relevante, cultivando aquélla y ayudando a las demás». Inversamente, conviene «conocer su defecto rey [...] Para ser señor de sí, es menester ir sobre sí». Este «ir sobre sí», en sí, es en alguna medida un Superyó implacable, la ley del mundo interiorizada.

Ninguna excusa se concede a los que contrarían su genio, a los que desconocen su verdadero talento, porque, entre defecto y cualidad, tenemos la facultad divina de elegir, poseemos ese libre albedrío que, según los jesuitas, es nuestra parte divina. No hay, pues, fatalidad, no hay determinismo, somos libres en nuestras elecciones. Nuestra naturaleza es imperfecta, pero perfectible por la voluntad y el arte. Así, hay que hacer más rentables nuestras cualidades por el trabajo. En cuanto a los defectos, la cima del arte sería hacer de ellos cualidades. Hay que corregirlos, pues, o en su defecto, ocultarlos, porque es axioma fundamental del mundo que: «Las cosas no pasan por lo que son, sino por lo que parecen.»

Como consecuencia de este inventario de nuestras fuerzas y de nuestras debilidades, dos precauciones primordiales son necesarias; se aconsejan dos

> ocultamientos fundamentales: antes que nada, «escusar el varón atento sondarle el fondo», hacerse impenetrable sobre sus capacidades y sus límites, usar la sombra y la luz; después de eso, enmascarar sus voluntades, es decir sus pulsiones, sus deseos, sus sentimientos, sus gustos. Estas servidumbres involuntarias de las que hay que liberarse se deben a las potencias engañosas que son la imaginación, los sentidos, las emociones o la sensibilidad. Se trata, pues, de enfriar, frenar, refrenar, calmar los ardores, los entusiasmos, la espontaneidad, la impaciencia, los impulsos: desdichadas debilidades que serían blanco de maniobras adversas. Al reflejo, hay que oponer la reflexión.

Gracián está, pues, en el mismo terreno de los moralistas tradicionales que combaten las debilidades del hombre. Pero en este caso no es por voluntad moral que hay que extirparlas, sino porque, en esa razón de Estado del individuo, el éxito exige que se subordinen todos los medios a su fin: «El que vence no necesita de dar satisfacciones [...]. Nunca se pierde reputación cuando se consigue el intento. Todo lo dora un buen fin, aunque lo desmienten los desaciertos de los medios.»

En ese maquiavelismo tranquilo de la vida cotidiana, Gracián aconseja también liberarse de debilidades, de escrúpulos de conciencia, de delicadezas de sentimiento que son dependencias culturales interiorizadas.

> La reserva mental, sin romper con la moral, a menudo está unida a ella por un hilo, el del equilibrio: «sin mentir, no decir todas las verdades». La falta se relativiza o se agrava según su grado de discreción o de publicidad. En cuanto a la caridad cristiana, no es un obstáculo insuperable: «Nunca por la compasión del infeliz, se ha de incurrir en la desgracia del afortunado». Por el contrario, está bien «conocer los afortunados para la elección, y los desdichados para la fuga». Aun los sentimientos más fuertes se reducen a la razón, es decir, al interés. La simpatía es sospechosa si no está corregida por el estudio. El amor y el odio casi no son apremiantes para la conciencia gracianesca.

Las dependencias externas —fortuna, medio, siglo— tampoco tienen un poder fatal. Es inteligente consultar para preservarse, como es bueno violentar a veces a la Fortuna: cuestión de orientación y de dirección. El Héroe camaleónico debe adaptarse. Debe «ser al uso [...] gustar a lo moderno [...] acomódese el cuerdo a lo presente, aunque le parezca mejor lo pasado». Y, tal vez, en esta moral provisional, en esta espera de su hora, es donde hay que situar la paradoja de este código de buena conducta personal, para uso de una singularidad a quien se le aconseja «no dar en paradojo para huir de vulgar [...] huir la nota en todo».

Pero hay otras amenazas sobre nuestra independencia. Frente —enmascarado— a su medio, el Héroe es un «varón desengañado», pero que mantiene las ilusiones en los otros. Mientras obra «siempre sin escrúpulos de imprudencia», cuida, sin embargo, de «no ser tenido por hombre de artificio», consistiendo el mayor artificio en ocultarlo.

> Aunque solitario y no solidario, el Héroe sigue siendo tributario del entorno. Debe «saber sufrir necios». Lanza sondas antes de actuar, para juzgar reacciones, y posee el arte de «saber pedir», pero de saber rechazar. Y es capital calibrar bien la palabra de otros, sonda o agudeza para tantear el corazón o tentar el alma, porque «está librada la defensa en el conocer, y queda siempre frustrado el tiro prevenido». Más peligrosas todavía, nuestras propias palabras, que pueden convertirse en cargos contra nosotros, de manera que sólo hay que hablar como en testamento: cuantas menos palabras, menos pleito, porque «a tantos pagan pecho, a cuantos se descubre». Paralelamente, si es indispensable penetrar en los otros y en sus designios, ésta es la prudencia elemental para uso del dependiente: «nunca partir secretos con mayores». De la misma manera, la singularidad prudente deberá «escusar vitorias del patrón», sobre todo en cualidades de las que se jacta.

No parece haber otra alternativa en el universo de Gracián. Las relaciones entre los seres están reguladas por una red de obligaciones de las que el Héroe trata de deshacerse a la vez que capta en ellas a los otros, o vela por mantenerlas con el hilo más tenue de la dependencia al menos recíproca. En estas condiciones, cualquier deuda de amor o de amistad, cualquier obligación es una esclavitud, y la ingratitud es la independencia del corazón enamorado de la libertad: «guste más que dependan dél muchos, que no depender él de uno».

Pero si el rechazo del favor, que nos compra más que lo que nos da, es una estratagema para no depender, por el contrario, es requerido hacer lo inverso para ganar al otro a nuestros intereses, para hacer de él nuestro esclavo. Nunca hay comercio de dos libertades: aquí son incompatibles, y una libertad sólo se paga con la servidumbre de la otra. Asistimos al combate elemental de dos singularidades, iguales tal vez momentáneamente, pero entre las que se instaura una relación de fuerzas sigilosa, donde la astucia es la cortesía de la violencia, como la galantería es el cumplido del deseo: sinuosa relación, nunca fija, siempre inestable, y que puede volver a ser cuestionada, de amo a esclavo, uno actuando por llegar a serlo, y el otro para seguir siéndolo.

> Por eso un «saber obligar», transformar el favor que se recibe en gracia que se hace, tomar la cortesía del otro creándole una deuda de lo que debía ser reconocimiento de nuestra parte. Se recordará simplemente, a este respecto, que «jugar de la verdad», «jugar de la ausencia», «hacerse desear», son aforismos, entre otros, de esencia donjuanesca, siendo la confesión explícita «tener la atractiva; atraer voluntades; conseguir la gracia universal; ganar el afecto; hacer bien a todas manos; amar para ser amado». Pero, una vez más, no se trata de gratuidad estética, lúdicra o sensual. Se trata de agradar para agredir, de seducir para reducir. La seducción sólo es un arma eficaz y agradable al servicio de la ambición. Para esto, es necesario, pues, «hallarle el torcedor a cada uno [...]. Todos son idólatras: unos de la estimación, otros del interés, y los más del deleite. La maña está en conocer estos ídolos para el motivar, conociéndole a cada uno su eficaz impulso: es como tener la llave del querer ajeno».

Y hemos vuelto al fin tal vez último, o finalidad primera, narcisista y ambigua. El amor del otro, su admiración o su dependencia a nuestro respecto, nos eleva altares, nos devuelve la imagen esperada de nosotros. Pero sólo la imagen, porque si sé que llevo la máscara y, si me consagran dios, soy el único en saber que mi divinidad no es por esencia, sino por semejanza.

> Paradoja de la seducción: ¿violentar tu conciencia para castigarte de reinar en la mía? En efecto, en el juego de la seducción ¿quién es libre y quién dependiente? Para ser agradable al otro, dice Gracián, «se puede uno confiar que lo que le agrada a él en los otros, también les agradará a ellos en él». Dicho de otra manera, voy a imitar al otro, y en el espejo narcisista que le tiendo, voy a tomarlo en su propia imagen. Pero esta imagen en principio me había seducido. Tal vez porque también me tendía un espejo deformante y demasiado halagador de mis encantos.

En ese mundo cerrado, no se emancipa uno por la violencia del león, sino por la máscara del zorro. Gracián da todo un arte de preservarse, de protegerse, de esquivarse: «todo lo favorable, obrarlo por sí; todo lo odioso, por terceros». Su arte supremo es, tal vez, el de saber apartarse. «Saberse dejar, ganando con la fortuna» y marcharse, pero reservándose siempre la última carta: «siempre ha de quedar superior, y siempre maestro».

El Héroe, finalmente, opone la ausencia a la solicitación. No enfrenta los problemas, los esquiva, no lucha contra los vicios, como lo hará en *El criticón*, les huye: es virtuoso, por defecto. Su arte supremo, metonímico, es estar allí sin estar exactamente; estar, pero estar al lado; hablar aquí, pero pensar en otra parte; apuntar aquí, pero golpear allí. Está el Héroe y su sombra: sólo se confunden en la oscuridad. En la luz, hay un desfase entre el alcance del personaje y la sombra alcanzada por la persona: la parte que afecta darse y la que se niega, irreductible. El Héroe campa en un mundo cerrado que ha descartado cualquier sensibilidad, donde todo está planificado, programado. Como un dios o un cerebro centralizado, al abrigo de cualquier piratería de sus designios impenetrables, sondeando las opiniones, penetra en los pensamientos del otro y reina sobre sus deseos. Su fortaleza aseptizada contra las agresiones del exterior es, sin embargo, transparente; vive permanentemente en una casa de cristal, porque necesita, aun solo, «obrar siempre como a vista»: el personaje ha invadido la persona, la máscara que preservaba su libertad ha hecho de él su prisionero, y el Héroe se encuentra atrapado en la telaraña de las miradas admirativas del otro.

2. El arte del ingenio

Versión aumentada del *Arte de ingenio*, *Agudeza y arte de ingenio* está en el centro de la filosofía gracianesca del lenguaje y de la escritura, una filosofía de una asombrosa modernidad a la luz de la teoría del significante.

Este libro es tanto una retórica como una poética del estilo barroco «conceptista», percibido en una ecléctica visión diacrónica que va desde los autores latinos, como Marcial, Séneca, Lucano (representantes del «Siglo español» de Roma), a los más audazmente contemporáneos, como Góngora, pasando por los Padres de la Iglesia y los retóricos del siglo XV. Para el jesuita, la agudeza es al espíritu lo que la belleza es a los ojos y la armonía a los oídos, siendo la figura ideal el *concepto*, su expresión verbal, que sería a la vez necesariamente bella, armoniosa y deleitosa para el intelecto.

Gracián analiza en él la agudeza y el concepto. Detalla su funcionamiento por paridad/disparidad, simetría/disimetría, consistiendo la elegancia suprema en acercar dos términos a los que todo parecía separar y en separar lo que se creía absolutamente cercano, por un rasgo fulgurante que, pasado el asombro de la sorpresa, muestra como evidente al espíritu maravillado lo que en principio pareció enigma o paradoja. Esta permanencia de la paradoja y del desprenderse de las máscaras entre los objetos y las palabras a los que se separa o une, contrariamente a las costumbres o a las perezas del sentido común, en la acrobacia vertiginosa de la sorpresa que desbarata siempre la espera, introduce una zapa permanente del lenguaje y de las actitudes en un universo donde nada es definitivo ni está definido. El lenguaje no puede ser más una moneda de paridad estable de la comunicación, sino un intercambio en moneda hueca, chueca de quien se hace el sueco, siempre elástica, inflacionista o sobrevalorada, según los intereses del caso o de la casa.

También podría decirse que esta estética de Gracián desemboca en una ética sutil: en efecto, si el mundo es un enigma, si vivimos rodeados de tinieblas, si la religión se basa en los misterios, no por eso el universo es opaco e insensato; el ingenio es esa chispa divina cuyo brillo permite, por el espacio de un instante, apresar el hilo perdido del laberinto y reencontrar el camino de la claridad final del sentido. De esa manera, la metáfora en libertad vigilada en los clásicos, que veían en ella «un pomposo montón de falsedades resplandecientes», tan desacreditada por los jansenistas, porque era una máscara diabólica sobre la verdad que no necesita pantalla, reencuentra, por el contrario, en el jesuita, su función primordial: comparación abreviada que permite conocer lo desconocido por lo conocido, es un relámpago de luz del ingenio sobre el enigma del mundo. El mundo, como el cielo y Dios, es impenetrable: el estilo, a su imagen, debe ser oscuro, enigmático. El ingenio es, pues, esa pequeña llama que, por una ascesis progresiva de la inteligencia, puede devenir aprehensión de un Sentido total, donde hay que aplicar todas nuestras fuerzas para descubrirlo: el ingenio profano es, de tal suerte, la sombra terrestre del Espíritu Santo.

El ámbito de la retórica, reducido a la ornamentación, se encuentra en este libro ampliado por una implícita teoría de la *figura argumentada*, que subordina la gratuidad del juego de palabras a la eficacia demostrativa. El aspecto antológico de la obra —donde Gracián, en relación con la primera redacción, introduce un número impresionante o redundante de ejemplos tomados esencialmente de poetas aragoneses o jesuitas, en lo que durante mucho tiempo se vio la marca de una ausencia de discernimiento entre lo mejor y lo peor— no es sino el tributo a la amistad, a la solidaridad de la tierra y de la confraternidad y una hermosa prueba del eclecticismo literario de Gracián que toma lo bello donde lo encuentra, sin exclusiva ni prejuicios, entre los sostenedores del culteranismo o entre los partidarios del conceptismo, entre los que practican la forma breve o en los de estilo amplio, en los laudatorios de una escritura simple o entre los celebradores del estilo oscuro, entre los autores profanos o entre los religiosos, en la prosa o en el verso, en la literatura nacional o extranjera. Este libro es un libro de placer en el que Gracián se da el gusto de hablar de lo que y los que ama, a la vez que les da la satisfacción de incluirlos en ese florilegio tanto de la amistad y de la admiración como del hombre culto.

Arte de ingenio, se habrá constatado, es el único de sus libros que Gracián arregló, aumentó, dándole el complemento de la *Agudeza* para hacer de él *Agudeza y arte de ingenio*. En un autor tan minucioso, cuya atención y cuidado que ponía en sus obras son conocidos, que el privilegio del que goza ese tratado tiene valor de signo. Sucesivamente, en sus libros, el jesuita se dirigió al «candidato de la fama», al aspirante al gobierno, al hombre de salón, al hombre en general en el *Oráculo* y, finalmente, al orador, al escritor y al poeta, al hombre que maneja el verbo y la escritura, que quiere pulir su genio, por la cultura del ingenio. La *Agudeza* tiene en común, con todos sus libros, proponer al lector un código para el triunfo, con tal de que tenga la ambición, la voluntad de poderío, heroica, política, mundana o artística.

Entre los aproximadamente diez años que separan *El héroe* (1637) y la *Agudeza* (1648), el paralelismo del proyecto de Gracián está claramente expresado, desde el primer capítulo del primero, «¡Oh tú, varón candidado de la fama! Tú, que aspiras a la grandeza, alerta al primor...», al que cierra este período en la *Agudeza*: «¡Oh, tú, cualquiera que aspiras a la inmortalidad, con la agudeza y cultura de tus obras, procura de...!»

Agudeza y arte de ingenio es, pues, una bisagra nítida entre las dos fases de la producción de Gracián: como «arte», tratado didáctico, mira hacia la primera parte, hacia el pasado, pero, justamente como técnica literaria, mira hacia el futuro, hacia la única ficción ofrecida por el jesuita, hacia *El criticón*. Obra teórica de un escritor, este tratado reflexiona tanto sobre la producción pasada del jesuita como planifica la obra futura: la *Agudeza* es, literalmente, un espejo que *refleja* la experiencia literaria pasada y *reflexiona* sobre la práctica por venir. En los dos casos: *reflejo, reflexión*. En sí mismo, este tratado es un análisis de los mecanismos y del funcionamiento del concepto llevado a sus más íntimos reductos como el simple fonema, que anuncia desde muy lejos los trabajos sobre el juego de palabras de los románticos alemanes, el de Freud, y se anticipa a ciertas investigaciones formalistas del *nouveau roman* francés.

Tema de asombro, con el eclecticismo de la obra: la constante proclamación de originalidad, su culto de la modernidad, en aparente contradicción a tanta referencia al pasado, antiguo o medieval. En efecto, Gracián quiere ser francamente original y moderno: de «teoría flamante» califica su *Agudeza,* subrayando «lo nuevo y lo exquisito» de su libro en su nota «Al lector». Por otra parte, toda la primera parte de su producción literaria es un himno a la singularidad, a la originalidad, a la novedad. La precedencia, la primacía son las cualidades que hacen, literalmente, al «Príncipe», el que es el «primero». Por eso siempre conviene buscar nuevas vías hacia la gloria, siendo las más originales atajos hacia la celebridad:

> Es, pues, destreza no común inventar nueva senda para la excelencia, descubrir moderno rumbo para la celebridad. Son multiplicados los caminos que llevan a la singularidad, no todo sendereados. Los más nuevos, aunque arduos, suelen ser atajos para la grandeza.

En los primeros tratados, no hay nostalgia alguna por otro tiempo, ningún culto al pasado en el jesuita, sino, por el contrario, la afirmación constante de la superioridad del presente sobre el pasado: «Más se requiere hoy, para un sabio, que antiguamente para siete; y más es menester para tratar con un solo hombre en estos tiempos, que con todo un pueblo en los pasados.»

> También importa ser «hombre en su siglo». Hay que amar a la moderna y aun la virtud, lejos de ser eterna, debe estar a la moda. Y hasta la verdad, perdiendo su calidad de intemporal, debe adoptar el aire de la época: «el estilo es el que pide el tiempo», dice su *Comulgatorio* y «hasta el saber ha de ser al uso». En la *Agudeza*, ya no es simplemente el saber sino el pensamiento el que debe estar a la moda: «importa mucho el pensar al uso, no menos que la gala del ingenio». La imitación es naturalmente condenada en beneficio de la invención. Por lo tanto, está el Gracián que hace profesión de fe de la modernidad y declara: «La erudición en cosas modernas suele ser más picante que la antigua y más bien oída, aunque no tan autorizada. Los dichos y hechos antiguos están muy rozados; los modernos, si sublimes, lisonjean con su novedad.» Pero está también el Gracián que relativiza la modernidad que, en un tiempo fundamentalmente circular, sólo puede ser una ilusión de novedad.
>
> Esta dialéctica entre culto a la novedad y cultura antigua se aclarará en la «crisis» III de *El criticón*: nuestra inconstancia es una marca de nuestra naturaleza pecadora. No son las obras maestras las que se gastan, somos nosotros los que nos cansamos: lo hermoso no envejece, son nuestros ojos los que envejecen y ya no saben ver la belleza antigua, eclipsada por la primera novedad que pasa. Así, lejos de acusar y de recusar la herencia antigua, Gracián propone toda una manera sutil de apropiársela: «Redimen esta civilidad del gusto los sabios con hacer reflexiones nuevas sobre las perfecciones antiguas, renovando el gusto con la admiración.»

Hoy diríamos que Gracián propone una «relectura», una reinterpretación, una revivificación del pasado a partir del presente.

> Al igual que no se pone uno las vestimentas de sus antepasados, sólo es posible adornarse con sus títulos y con su nobleza si se es capaz de reactivarlos, de *reactualizarlos*. Paralelamente, los modelos de heroísmo propuestos, Hércules, Alejandro, César, Augusto, etc., no son fantasmas que hay que exhumar, sino que tienen una función de arquetipos, de esencias nietzscheanas que se podrían investir del exterior para tomar cuerpo y vida nuevos y acceder a nuestra modernidad. La misma Verdad, por eterna e intemporal que sea, debe disfrazarse de verdad a la moda para ser considerada como tal. De ahí la necesidad de la metáfora, de la alegoría, para acomodar al gusto del día las verdades de siempre.

De manera que no hay, en la *Agudeza*, contradicción como puede decirse que existe entre los polos antiguo y moderno, «culteranista» y «conceptista», «asiático» y «lacónico», sino un sistema asistemático de piratería cultural, un alegato por lo heterogéneo, aun lo heteróclito y lo heterodoxo intelectual, que se niega al dogmatismo y a las doctrinas fijadas. Sobre todo, esta asombrosa meditación retrospectiva abre implícitamente un camino a un tipo de posmodernidad: la historia no es lineal, es legítimo dar del pasado una interpretación presente que lo actualice. La historia no es percibida como un desarrollo lineal continuo tendido hacia un mítico progreso, sino como una circularidad (claramente expresada en el capítulo sobre «La rueda del tiempo» de *El criticón*), un regreso *en la diferencia* y no en lo idéntico.

Si se vuelve ahora a los ejemplos del tratado, es necesario, ciertamente, señalar la hermosa tolerancia de Gracián: Antiguos y Modernos, poetas del cancionero medieval y vanguardia, glorias locales aragonesas y castellanas, españoles y extranjeros, pequeños y grandes, célebres o anónimos, lacónicos o asiáticos, todo cohabita en él lo más democráticamente del mundo.

> Sin embargo, si se mira bien, se siente en el jesuita como una insatisfacción. Si Góngora y Marcial son los autores más citados y más alabados, no dejan de estar circunscritos a especialidades bien precisas y casi siempre es a título de una simple cualidad particular ya que la mayoría de los nombres citados se encuentran en esta lista de laureados. En suma, en sesenta y tres discursos en los que detalla un número impresionante de conceptos, de figuras del ingenio (afirmando, por otra parte que, como las estrellas, su número es infinito) se siente, en Gracián, una nostalgia no formulada: ninguno de los escritores y poetas que elige para servir de ejemplo colma su deseo inconfesado del Autor total que, por sí solo, representaría el rostro multifacético de la agudeza, los proteiformes rostros de un Ingenio perpetuamente

cambiante. Y esos autores, solicitados generalmente para un tipo preciso de figura, caen bajo el reproche de esas agudezas, más unas que únicas, uniformes pues, a las que denunciaba de entrada.

Este Autor ideal no lo encuenta ni entre los Antiguos ni entre los Modernos. Pero todos esos rasgos dispersos que ha tomado en unos y otros, rompecabezas dispersado, fragmentos diseminados de una imagen perdida en un espejo quebrado, reconstruidos, recompuestos, forman el retrato mítico, la *imago* fantasmagórica e imposible del Autor total soñado. Entonces, el libro total buscado en vano, Gracián lo encuentra en sí mismo: *El criticón* es el voto secreto cumplido del crítico y del teórico de la *Agudeza*.

3. *El criticón*

La redacción de *El criticón* (1651-1657) ocupa los últimos años de la vida de Gracián y corona con brillo singular la carrera del escritor. El título —*Suma de críticas*— se explica por el hecho de la división de la obra en una serie de «crisis», término que hay que entender en el sentido más etimológico y arcaico de «juicio» (del griego *krisis*, «decisión», derivado de *krinein*, «discernir», «decidir», «juzgar»). Así Gracián unía de entrada la dimensión moral de su obra con la actividad intelectual de análisis.

Tal voluntad de «crítica», asociada al tono deliberadamente pesimista que prevalece en la novela, ha llevado a muchos especialistas a establecer una cesura, a menudo demasiado acentuada a nuestro parecer, entre la primera serie de escritos del autor donde está expuesto ese «arte de la prudencia», esa «razón de Estado de sí mismo», que se acaban de analizar, y el universo de *El criticón*. En *El héroe*, en *El discreto* o en su *Oráculo manual*, Gracián aceptaría la realidad del mundo tal como es y se dedicaría a la elaboración de un manual del perfecto hombre de corte destinado a los candidatos al triunfo aquí en la tierra. En *El criticón*, por el contrario, tomando conciencia de la vanidad de semejante triunfo mundano, el autor afrontaría la realidad, proporcionándonos un juicio desengañado sobre los seres y las cosas. Esto es verdad pero revela una profundización y una voluntad de síntesis más que una ruptura, como han subrayado numerosos autores. Por otra parte, la figuración alegórica de *El criticón* se anuncia en el último capítulo de *El discreto* («culta repartición de la vida de un discreto») y en el aforismo 229 del *Oráculo manual* («saber repartir su vida a lo discreto»). También los discursos LVI y LVII de *Agudeza y arte de ingenio* («de la agudeza compuesta fingida en especial» y «de otras especies de agudeza fingida») exponen, por así decir, el arte poética puesta en práctica en *El criticón*. Finalmente, el punto de vista es el mismo (el hombre es lobo para el hombre y todo en la tierra sólo es lucha, combate encarnizado), el pesimismo también se afirma por todas partes. Lo que ha cambiado es la estrategia: al pasar de la actitud práctica a la actitud crítica, del «arte de la prudencia» a la sapiencia, Gracián restableció, en *El criticón*, la primacía del orden de las razones morales sobre el de las acciones, de la idea sobre la cosa, del ser sobre la apariencia. Pero ya es el momento de describir este relato poco trivial.

Una novela alegórica

Obra de concepción grandiosa, organizada con un cuidado particular, *El criticón* se presenta como una inmensa alegoría de la vida humana tomada a través de la correspondencia tradicional entre edades y estaciones. La Primera Parte (Zaragoza, 1651) reagrupa en trece «crisis» las dos primeras edades de la vida y lleva como título *En la primavera de la niñez y en el estío de la juventud*. La Segunda Parte (Huesca, 1653) se titula *Juiciosa cortesana filosofía en el otoño de la varonil edad*. También tiene trece «crisis». En cuanto a la tercera (Madrid, 1657), en doce «crisis», se corresponde muy naturalmente con *En el invierno de la vejez*.

El relato comienza con el naufragio de Critilo frente a las costas de Santa Elena. En la isla, encuentra a un adolescente solitario y salvaje, criado por los animales. Lo llamará Andrenio y le enseñará la lengua de los humanos, lo que permitirá al joven héroe expresar su emoción frente a las cosas de la naturaleza (la belleza del universo, la asombrosa armonía de los contrarios), en un discurso retomado por Critilo y comentado por él de manera filosófica. A partir de entonces, captamos la naturaleza simbólica de esta relación, mostrada de entrada por el juego en el nombre de los dos protagonistas. Critilo es el hombre de la civilización, el ser racional dotado del espíritu de discernimiento y de prudencia. Es el «crítico» en una palabra. Frente a él, Andrenio representa al hombre natural que obedece a los impulsos del instinto. Queda así planteada la estructura antitética de la novela: el viaje de los dos protagonistas, rico en peripecias igualmente simbólicas, permite a Gracián oponer dos concepciones de la vida.

Un navío español que hace la ruta hacia la Península ibérica los recoge a bordo. Nuestros dos héroes hacen de este modo su entrada en el mundo de los hombres. Y Critilo es el que instruye a Andrenio: «Es ya tiempo de abrir los ojos, que es menester vivir alerta». La vida de Critilo en Goa sólo ha sido sinsabores y desilusiones. Está en busca de su amada Felisinda (nombre transparente que habla de la felicidad ilusoria que todo hombre persigue), llevada a España cuando llevaba en su seno el fruto de sus amores. Los dos desembarcan en Andalucía y empiezan su peregrinación alegórica a través del mundo y la vida, que los llevará hasta Roma, y de allí a la isla de la Eternidad, después de recorrer España, Francia, Alemania e Italia. Visitan Sevilla y Madrid, las dos «Babilonias» españolas donde reinan la humana locura y el engaño universal. Andrenio, ingenuo, acepta ser el huésped de Falimundo (el Falso-Mundo), mientras que Critilo prefiere ir al palacio de Artemia, la Razón, donde se desarrolla una importante discusión sobre la armonía de la naturaleza, imagen de su Creador, así como sobre el hombre, la mayor maravilla de la creación. Más tarde Andrenio es víctima de los sortilegios de Falsirena, que simboliza los encantos engañosos de las mujeres. Finalmente son conducidos por Egenio a la Feria del Mundo, que «divide los amenos prados de la juventud de las ásperas montañas de la edad varonil» y donde todo se vende. Así termina la Primera Parte.

La segunda lleva a nuestros peregrinos a Aragón (patria de Gracián, que alaba sus cualidades, sin dejar de señalar, sin embargo, sus defectos), donde Argos el clarividente los conduce hasta la «Aduana general de las Edades» y les da una lección de desconfianza universal. A su paso por Huesca, Critilo y Andrenio no dejan de ser conquistados por «los prodigios de Salastano» y de su morada (se trata, por supuesto, de Lastanosa, amigo y protector de Gracián). Pasan entonces a Francia, donde el interés los encierra en la Prisión de oro. Los saca de allí el Hombre alado y asisten al Consejo general del Mundo, dominado por el monstruo Vulgacho (la espantosa multitud de los idiotas), visitan la morada de la Fortuna, encuentran a la ninfa de las Artes y de las Letras. Después se sitúa la importante travesía del desierto de Hipocresía (*El yermo de Hipocrinda*), episodio central que, de hecho, es un violento ataque contra Port-Royal, como lo ha demostrado Benito Pelegrin. El relato continúa a través de Alemania donde otras enseñanzas esperan a los dos viajeros. Entre los episodios más logrados, señalaremos la visita del inmenso palacio de la Tierra que afean el Mundo, el Demonio y la Carne, la estancia en casa de Virtelia (La Virtud) o también el paso por la ciudad de Honoria; el acceso está dominado por el temible «puente de los peros», contra los que tropiezan los desdichados candidatos al honor, que caen en el río del Reír. Gracián se entrega aquí a una larga y minuciosa crítica de las formas del honor mundano que completa el episodio siguiente («El trono del Mando»), donde Critilo y Andrenio aprenden que no hay poder sin virtud. Este recorrido por la edad viril termina con el ascenso de los Alpes de Vejecia, donde un «varón juicioso» encierra en la casa de los locos (llamada «la jaula de todos») tanto a los que carecen de juicio como a los que tienen demasiado.

En el curso de su último periplo, los dos peregrinos conocen en primer lugar los «Honores y horrores de Vejecia», luego se encuentran con el Descifrador que les ofrece sus competencias para aprender a leer el libro del mundo y el del corazón de los hombres, el más impenetrable de todos (*El mundo descifrado*). En Italia atraviesan los dominios de la Apariencia, del prudente Conocimiento y de la Soberbia. Después de bifurcarse por caminos opuestos, Critilo y Andrenio se encuentran en una vía media, pasan delante de la gruta de la Nada, custodiada por la Ociosidad y el Vicio, y llegan por fin hasta Roma, «término de la tierra y entrada católica del cielo». En la Ciudad eterna, el Cortesano les dice que Felisinda está allá arriba y no en la tierra (*Felisinda descubierta*), y les hace ver el futuro por medio de la Rueda del Tiempo. Bajan al albergue de la Vida y un Pasajero los avisa del peligro que corren y les muestra las cuevas de la Muerte. Ésta trata de llevárselos, pero el Inmortal les indica el camino de la isla de la Inmortalidad, donde el Mérito les permite penetrar en la Morada de la Eternidad. Así, Critilo y Andrenio triunfan en una empresa en la que la mayoría fracasa. El que quiera seguir sus pasos, nos dice Gracián, «tome el rumbo de la virtud insigne, del valor heroico, y llegará a parar al teatro de la fama, al trono de la estimación y al centro de la inmortalidad».

El arsenal crítico

De una isla a la otra, el relato itinerante, iniciático y simbólico, apela a todos los recursos. El autor utiliza sin cesar su vasta cultura, tanto clásica como moderna, profana o sagrada. Sin embargo, por interesante o iluminador que pueda ser, no nos detendremos en el tema de las fuentes de Gracián, tratado en la mayoría de los manuales y del que se podrá tener una idea a través del recorrido temático que viene a continuación.

La historia progresa según los imperativos demostrativos del escritor, perdiendo muy pronto todo carácter novelesco para hacerse «filosófica», en el sentido que se da a ese término cuando se aplica, por ejemplo, a los relatos de Voltaire o de Swift. Pero *El criticón* presenta tal multiplicidad de temas, tal acumulación de alegorías, de símbolos, de metáforas, de imágenes y juegos de palabras, que al lector le es difícil dominar esa brillante abundancia. Es que Gracián, en su deseo de abarcarlo todo, hilvana, sin preocupación aparente de rigor, fábulas y comentarios moralizadores. Sólo la trayectoria general de los héroes, orientada hacia la vejez y el desengaño, es siempre perceptible. Pasar revista a todos los aspectos de la crítica gracianesca sería imposible. Hemos elegido, para mayor claridad de la exposición, distinguir dos pisos, por así decirlo: por un lado, los contenidos críticos de superficie (muy bien analizados por Adolphe Coster, que nos servirá de guía), por el otro, los grandes temas que dan al libro su lógica profunda y que constituyen de alguna manera el fondo común del discurso de los moralistas clásicos.

En *El criticón*, Gracián explora la mayoría de los temas de la literatura satírica y moral de su época, hasta el punto de que su «novela» puede concebirse como una verdadera suma crítica que aborda sucesivamente la teoría del gusto (crítica del juicio estético), la reflexión sobre los pueblos y sobre las formas de gobierno (crítica de la «razón política»), el inventario, finalmente, de los vicios y las virtudes que determinan la significación moral de las acciones humanas (crítica de los fundamentos éticos de la existencia). El ámbito religioso, ya se habrá observado, no ha sido objeto de ningún examen crítico, tanto desde el punto de vista antropológico como desde el de la revelación. Para Gracián, espíritu profundamente católico y romano, el dogma y la doctrina definidos por el Concilio de Trento constituyen la roca sólida e incuestionable sobre la que reposa el edificio construido por la razón crítica. Pero el Gracián de *El criticón* no es ni un Descartes ni un Leibniz, es un teólogo y además orador sagrado y hombre de letras. Es decir, que sería vano buscar en sus análisis una comprensión filosófica de lo real basada en un método, principios y conceptos. Su discurso opera siempre en extensión, es descriptivo y obedece a imperativos de actualidad. Éstos son de tres tipos: reaccionar contra cierta «desmoralización» nacional, atacar a los enemigos de España (la herejía forma parte de éstos) y defender la Compañía de Jesús contra sus detractores (Port-Royal). En suma, *El criticón* es antes que nada la obra de un militante y de un artista particularmente dotado.

Entre los temas más destacados, algunos se remontan a la más alta Antigüedad y son perfectamente convencionales, aunque fácilmente se pueda ver en ellos apuntar más de un rasgo autobiográfico. Así las mujeres son vistas a través de la imagen misógina medieval (Eva, la que tiende la manzana a Adán, etc.). Son criaturas diabólicas, enemigas de los hombres y representantes del mal. Son pura carne, puro objeto sensual. Ese lugar común, marcado por la ideología represiva del pecado, era, por otra parte, recurrente en los escritos de los jesuitas desde el origen de la Compañía. También lo que se dice sobre los oficios y sobre los estados no pretende lograr adhesión por su originalidad. Los soldados son cobardes y fanfarrones; los sastres, mentirosos por profesión; los médicos matan a los pobres que caen en sus manos. Los criados, nos dice, son los enemigos jurados de sus amos. Esto es lo más interesante, ya que tal visión —antagonista o belicista— de las relaciones sociales, sitúa directamente a Gracián en una corriente de pensamiento de extrema importancia en la época (se la podría calificar, pero es un enorme anacronismo, de «fundamentalista» o de «integrista»). Ahora bien, el itinerario de los héroes de *El criticón*, cada vez más orientado hacia lo divino, matiza fuertemente esta visión de las cosas en beneficio de un compromiso religioso innegable. Pero volveremos a encontrar la guerra más adelante.

En este libro hay numerosas observaciones sobre el clero, pero hay que tener en cuenta que la carga del «yermo de Hipocrinda» apunta sólo a los jansenistas (no insistiremos en este punto y remitimos a los trabajos de Benito Pelegrin). El resto es superficial y casi folclórico, nos sentiríamos tentados de decir, a pesar de una violencia innegable: la lujuria, la codicia, la hipocresía, la impertinencia, etc. Otras flechas, más envenenadas (piénsese en particular en III, 6, donde nos revela que los superiores de los conventos reclutan a los más mediocres a fin de manipularlos mejor...), remiten a la *Crítica de reflección* y al debate sobre la naturaleza rebelde de Gracián y sus relaciones con la Compañía.

La crítica del vulgo necio toma otra dimensión y actúa en un registro muy diferente. Es uno de los temas fundamentales de *El criticón* y muestra todo el aristocraticismo, el elitismo de Gracián que la empresa de la *Agudeza* había desarrollado ampliamente. *Vulgo* se opone a *persona*, y esta antítesis es una de las figuras supremas que gobiernan toda la visión antagonista del mundo gracianesco. Es la singularidad heroica frente a la ignorancia y al odio mayoritarios. Se llega a ser *vulgo* por el camino de la bondad fácil, por simplicidad, por falta de carácter, cuando se empieza a decir que sí a todo el mundo. Pero los dos peregrinos de *El criticón* forman una unidad. La singularidad de Critilo es indisociable de la ignorancia de Andrenio: los dos se salvan.

Terminaremos este recorrido de superficie con el tema más recurrente, sin ninguna duda, de *El criticón*: el de las naciones. Gracián había sacado el análisis del carácter de los pueblos de una novela publicada en Londres y en París en 1603, *Satyricon* de John Barclay (por lo demás gran enemigo de los jesuitas), donde el tema se relacionaba con el clima y las calidades de la tierra. Gracián le agrega numerosas ideas comunes de la época, cierto aire político del momento, así como comprobaciones personales, a menudo muy inesperadas o curiosas, resultantes de su experiencia profesional en varias regiones de la Península.

Los españoles son orgullosos, pero tienen nobleza. Son sobrios, muy apegados a la religión católica, pero poco devotos. Es el primer pueblo de la tierra, a imagen de su país, tan rico en productos de todo tipo que los extranjeros codician. Principalmente deben ser temidas tres cosas: sus vinos, sus mujeres y su sol. Antítesis de los españoles, los franceses están dominados por la codicia. No dudan en ejercer los oficios más viles para enriquecerse, en España especialmente. Pero la nobleza francesa tiene grandeza de ánimo, cultura y honestidad. Las mujeres sólo se dignan casarse con hombres que hayan tomado parte en una campaña militar (Coster piensa que, con esto, Gracián critica a la nobleza española de su época, poco entusiasta de la idea de hacer la guerra). Sin embargo, aunque trabajadores e industriosos, los franceses son desleales, ávidos y ligeros. Afectan delicadeza y son afeminados (tema muy difundido en la literatura antifrancesa de la época). Al hacer el juicio que permite establecer quién ha alcanzado la edad madura (II, 8), los franceses son excluidos de la compañía de las personas de mérito.

A los italianos se los muestra como a los reyes del engaño. Desde su punto de vista, la política es sólo la ciencia de la astucia y de la duplicidad. Son perezosos y viven de las malas artes. Los alemanes, por su parte, además de incorregibles bebedores, permitieron la Reforma y con eso está dicho todo. Los ingleses son hermosos y no les falta gusto. Pero —¡ay!— son grandes herejes. No olvidemos que Gracián escribió en la época de Cromwell, el regicida y aliado de Mazarino. Los japoneses, finalmente, hombres valientes, son llamados «los españoles de Asia» (II, 8).

De la misma manera, a las naciones interiores, por así decir, les pasa revista el autor de *El criticón*. En este discurso sobre las diferencias regionales es donde se encuentra el mayor número de claves autobiográficas, delicadas y aun imposibles de descifrar. Así su animosidad respecto de los valencianos, recurrente y absoluta, ha hecho correr mucha tinta sin que por eso haya sido explicada. También la simpatía que muestra Gracián hacia los catalanes, verdaderos amigos y campeones de la fidelidad, sigue siendo oscura, tanto más por cuanto había condenado la tentativa de secesión de 1640. De su Aragón natal, ya lo hemos dicho, hace un elogio sostenido, fácil de comprender, pero también deplora «la falta de grandeza de los corazones». En lo que respecta a Andalucía, Gracián sólo retiene lugares comunes («se habla mucho y se obra poco», I, 10) y su aversión profunda por «la vil ganancia» que simboliza el mercantilismo de Sevilla.

Sin embargo, la política de Gracián no se reduce en *El criticón* a un florilegio de sentencias ingeniosas, más o menos hábilmente insertadas en las peripecias de la fábula. Se puede detectar cómodamente una reflexión más profunda que coloca a nuestro autor en la prolongación de las comprobaciones amargas de los arbitristas o de un Quevedo: por ejemplo, cuando denuncia la fuga del «oro» (II, 3), entiéndanse los metales preciosos de América, hacia Europa donde va a enriquecer a franceses, holandeses y genoveses. En esto Gracián retoma la famosa temática de la decadencia, y sus palabras tienen un indiscutible valor de testimonio. Pero su punto de vista es antes que nada moral y teológico. Moral, en la medida en que busca el origen de la catástrofe nacional en la desafección ibérica hacia las virtudes del trabajo, de la solidaridad y de la caridad. Teológica, ya que la Providencia gobierna el mundo y los españoles, según él, merecen un escarmiento.

El espíritu elitista de Gracián encuentra en la teoría del poder su más directa aplicación. Sólo los grandes hombres pueden presidir el destino de los pueblos. Contrariamente a lo que preconizaba la utopía platónica, para Gracián, los reyes no deben ser filósofos ni los filósofos reyes. El autor de *El criticón* propone una síntesis superior, basada en el modelo individualista del *discreto*, de la «razón de Estado de sí mismo»: el gobernante debe ser *persona*, poseer virtud y honestidad, a la manera de los sabios y los santos. Cada uno saca su santidad de su excelencia particular, con tal de que su esfuerzo esté orientado hacia el bien, es decir, que sea virtuoso (véase *Oráculo manual*, 300: «En una palabra, santo»).

Pero sabemos que ése no es el grado supremo de humanidad según Gracián, para quien sólo el Desengañado, héroe de la Prudencia e infatigable pasajero de la vida, puede anular esa consagración. Acabamos de enunciar algunos de los temas profundos que conviene explorar en este momento.

Una temática de la existencia

Bajo la abundancia crítica de superficie, el discurso del moralista se ordena según una temática perfectamente coherente. Ésta responde, en efecto, a un solo y mismo tema fundamental: cómo conducir su vida en medio de sus semejantes. Estos temas de la existencia que estructuran la reflexión moral clásica son cuatro: el *homo viator*, el *theatrum mundi*, la guerra y la prudencia. Muy antiguos en su mayoría, se hallan también en las otras literaturas europeas y conservan, particularmente en nuestros autores españoles, una gran resonancia religiosa (además de Gracián, pensamos en primer lugar en Calderón de la Barca, pero los místicos ya les habían sacado un gran partido en el siglo precedente).[2]

El tema ordenador por excelencia, el que rige toda la representación moral de la existencia, es el del *viator*. «En vano ¡oh peregrinos del mundo, pasajeros de la vida!, os cansáis en busca desde la cuna a la tumba de esta

2. Seguimos a Louis Van Delft y su estudio sobre *Le moraliste classique*, París, Droz, 1982, pp. 173-234.

vuestra imaginada Felisinda...» (III, 9). Tales expresiones u otras semejantes (con términos como viajeros, extranjeros, pasajeros, paseantes, etc.) califican sin tregua la actividad de Critilo y de Andrenio. Es que para Gracián, así como para todos los moralistas clásicos, la vida sólo es paso, travesía, encaminamiento del hombre hacia su verdadero destino. De experiencia en experiencia, el *viator*, puesto a prueba sin cesar, descubre poco a poco que no hace más que pasar de un lugar a otro, pero que el tiempo pasa también y que se acerca al término. De ahí ese tono trágico que acompaña a menudo la toma de conciencia del ineluctable pasar. Pero en Gracián no hay angustia existencial (tan fuerte, justamente, en Pascal). El tema del *viator* está al servicio de lo apologético, como todos los otros por lo demás. El camino de los peregrinos de *El criticón* es una ascensión hacia Dios ahorrando todo temor y todo temblor porque, lo veremos más adelante, su guía es la prudencia y su pasaporte el *desengaño*.

Íntimamente unido al tema del *viator*, el del *theatrum mundi* encuentra en el mismo momento, en la pluma de otro gran contemporáneo de Gracián, Calderón de la Barca, su más radical y su más grandiosa expresión. Pero no vamos a desarrollar aquí esta comparación. La teatralización de la existencia resulta del sentido mismo de la peregrinación del *viator*. Si lo importante no es la travesía, sino el puerto donde nos espera Aquel del que nos viene el ser, entonces es toda la realidad la que ve, por así decirlo, diluirse su esencia para convertirse en apariencia. En el escenario del mundo, los seres no son más que reflejos, los rostros máscaras y la vida, en suma, un simulacro. Ese gran engaño del mundo proviene de la naturaleza corrompida del hombre y de su ceguera total. Hay que abandonar el sueño, ha llegado el momento de abrir los ojos. El teatro de la existencia requiere una radical toma de conciencia. Es el sentido de la comedia cuyo director de escena es Dios. Volvemos a encontrarnos con la terapéutica del desengaño.

«La vida del hombre es milicia contra la malicia del hombre» (*Oráculo manual*, 13). El camino del *viator* está sembrado de emboscadas, un peligro diferente lo amenaza en cada nueva etapa. En el escenario del mundo, reina la violencia, signo de la ruptura entre el orden humano y el orden divino. Vivir es estar en estado de guerra permanente; contra los enemigos exteriores (la suerte, los demás), pero también, y esto es lo más importante, contra los que uno lleva dentro. Porque el hombre no tiene enemigo más cruel que sí mismo. A este tema de la guerra, tan fecundo en Gracián, van unidos brillantes párrafos sobre la ambición, el dinero, la vana presunción, el antagonismo entre la razón y las pasiones o el debate sobre lo útil y lo honesto. Pero *El criticón* subraya con fuerza particular el contenido espiritual de esta meditación (que el autor también había llevado a cabo en otra parte, en un marco más laico o mundano, y ahora sitúa en la esfera de la apariencia) y, al radicalizarla desde el punto de vista religioso, le da una dimensión ásperamente desesperada, de un pesimismo, se podría decir, metafísico, trascendental. Esta violencia, esta guerra cuyo teatro es el corazón del hombre, muestra el desorden supremo causado por el pecado y la espantosa soledad del hombre sin Dios. Pocos mortales desean en realidad abrir los ojos, pocos de ellos llegan a la sabia desilusión, al desengaño heroico.

El medio para convertirse en ese «varón desengañado, cristiano sabio» (*Oráculo manual*, 100) es la prudencia. Pero la prudencia en *El criticón* ya no es una simple técnica. Gracián, cuando elaboraba la retórica de aquella «razón de Estado de sí mismo» tan famosa, había bebido ampliamente en el arsenal práctico de la prudencia y, de hecho, sus escritos revestirán la forma de manuales, guías «políticas» para uso del «mundo». Conocer a los hombres era proveerse de los medios para captar con seguridad la mejor ocasión de actuar. Así, la «singularidad heroica» gracianesca, forma superior, o supremamente inteligente, del «arte de llegar» mantenía un lazo privilegiado —y sin duda sospechoso— con el «interés» de los mundanos. Todo ello queda invertido en *El criticón*. La prudencia se ha convertido en una verdadera ética y aun más allá o de este lado, en una exigencia de compromiso definitivo y *a priori*. Colocado en una encrucijada de caminos, el peregrino del mundo debe elegir entre el orden humano y el orden divino. El camino que toma el prudente Critilo no es una vía media, la del conformismo o la mediocridad, aun en el sentido moral más elevado de este término. El camino de *El criticón* es radical. Pero también aquí se impone una elección. Comprometido a fondo, es verdad, enemigo de todo término medio, el *viator* prudente puede optar por el *contempus mundi* o por «el amor del mundo». Gracián no vacila y elige el primero: sólo el orden cristiano es real. La prudencia es pues estrategia salvadora, es un avatar de la virtud. Su táctica, la crítica, entiéndase la toma de conciencia o el desengaño. El círculo se ha cerrado, el hombre universal se une al hombre inmortal, «en una palabra, santo: que es decirlo todo de una vez» (*Oráculo manual*, 300).

4. La fortuna de Gracián

Cada época tiene sus modas o sus centros de interés que son difíciles de explicar. La atención particular que se dedica hoy a los fenómenos discursivos, a los sistemas de representación y a las técnicas de la comunicación naturalmente ha colocado al Gracián de la *Agudeza* en primer plano. Justa compensación, si se piensa, como señala Benito Pelegrin,[3] que esta obra del autor español más traducido, junto con Cervantes, nunca había sido trasladada a otra lengua. Pero, en la actualidad, Gracián no sólo es el padre incomparable de una retórica sentida como asombrosamente moderna. En el momento en que un cierto deseo de pensamiento cualitativo, de filosofía idealista se deja sentir por todas partes, el impecable teórico de las estrategias del aparentar que fue nuestro jesuita tiene de nuevo algo que decirnos. Al menos es lo que pensaba Vladimir Jankélévitch.[4] Por supuesto, el que se reconoce es el «político», el hombre de la «razón de Estado de sí mismo», no el «Hombre desengañado», de *El criticón*, camino hacia el Cielo. De cualquier manera, el éxito un poco mundano que tiene hoy Gracián corona con justicia casi un siglo de esfuerzos por parte de eruditos apasionados y de universitarios empecinados, españoles y franceses en su mayoría. Hacia 1900, en efecto, tuvo lugar el redescubrimiento del virtuoso aragonés. Antes del siglo XX, Gracián había pasado un largo purgatorio a ambos lados de los Pirineos.

> En España, el autor de *El criticón* no marcó las letras de manera indeleble. Pero carecemos de estudios sobre el tema. Si se omite el impacto fulgurante, pero temporal, de la *Agudeza* en esa mitad del siglo XVII, la obra de Gracián, a pesar de numerosas reediciones entre 1663 y 1784 (hablamos de las *Obras completas*, pues las obras sueltas no fueron reeditadas, salvo raras excepciones, después de 1700), estuvo marginada, rechazada por una crítica poco inclinada a gustar la prosa muy difícil y muy «barroca» del jesuita. Pero fue imitado de manera más o menos directa (se trata a veces de un pillaje caracterizado por numerosos autores de segundo orden, especializados en la literatura ascética, política, histórica o retórica). Esos escritores eran en su mayoría eclesiásticos, y los jesuitas aportaban, no hay que asombrarse, un buen contingente de «admiradores». Al tratarse en la mayoría de los casos de infraliteratura o de obras de interés más que limitado, el lector comprenderá que se omita la lista, fácilmente consultable, por otra parte, en las bibliografías especializadas.

El genio de Gracián fue reconocido en toda su grandeza en el extranjero, en Francia sobre todo, como Coster ha demostrado ampliamente.

3. En su traducción *Art et figures de l'esprit*, París, Seuil, 1983.
4. *Le Je-ne-sais-quoi et le Presque rien, 1: La manière et l'occasion*, París, Seuil, 1980.

La influencia de Gracián en el pensamiento alemán se señaló hace ya tiempo. Esta influencia se ejerció en dos terrenos de importancia desigual: la literatura jurídica, política y moral anterior al romanticismo, y la filosofía del siglo XIX. Evidentemente esta última y, más en particular las figuras de Schopenhauer y de Nietzsche son las que han retenido la atención de los especialistas en el autor aragonés. Pero conviene ser prudente. Cierta actitud crítica común —en la superficie—, cierta postura pesimista frente al destino moral del hombre, cierto aire de familia en la expresión no pueden bastar para hacer de Gracián un precursor de esos filósofos. Él se situaría más bien en sus antípodas.

Por cierto, se sabe la gran admiración que sentía Schopenhauer por Gracián y tenemos todos en la memoria su carta a Keil del 16 de abril de 1832: «El filósofo Gracián es mi escritor preferido. He leído todas sus obras. Su *Criticón* es a mi parecer uno de los mejores libros del mundo». Sin embargo, nada más alejado de *El mundo como voluntad y representación* que la percepción teológica, estrictamente de acuerdo con el catolicismo romano, de Gracián. El famoso pesimismo de los dos autores no se produce en el mismo nivel. Para Gracián éste es táctico y está circunscrito a la esfera del mundo concreto. Más allá de la prisión de ceguera en que están encerrados los hombres pecadores, está la liberación del mundo de la Eternidad, de las verdades reveladas inmutables, garantizadas por el dogma. También respecto de Nietzsche se buscaría en vano cualquier relación que pudiera hacer remontar hasta el autor de *El criticón* conceptos tan fundamentales como los de «genealogía de la moral» o «eterno retorno». Sin embargo, las relaciones que unen a los tres pensadores no se limitan a la fascinación que podían ejercer la penetración psicológica del jesuita y el fulgor de su expresión. El encuentro tiene lugar en el camino de la reflexión moral: Gracián había abierto una vía —la teoría de la práctica de la prudencia del mundo— que cerraría el autor de *Ecce Homo*.

RAPHAËL CARRASCO
BENITO PELEGRIN*

* «La prosa de Quevedo a Gracián» así como los subcapítulos «*El criticón*» y «La suerte de Gracián» fueron escritos por Raphäel Carrasco; Benito Pelegrin es el autor de la parte titulada «Baltasar Gracián», con exclusión de los dos subcapítulos mencionados.

CRONOLOGÍA

	LITERATURA ESPAÑOLA	ACONTECIMIENTOS
1598	Lope de Vega, *La Arcadia.*	Muerte de Felipe II. Ascenso al trono de Felipe III. Gobierno del duque de Lerma. Nacimiento de Zurbarán.
1599	Mateo Alemán, *Guzmán de Alfarache*, I.	Epidemia de peste en España. Nacimiento de Velázquez.
1600	Cellórigo, *Memorial. Romancero general* (9 partes). Nacimiento de Calderón.	
1601	Mariana, *Historia general de España.* Nacimiento de B. Gracián.	Partida de la corte a Valladolid.
1602	Lope de Vega, *La hermosura de Angélica.* *Rimas humanas.*	
1603	A. de Rojas, *El viaje entretenido.*	Ocho compañías de actores son declaradas «de título».
1604	M. Alemán, *Guzmán de Alfarache*, II. Lope de Vega, *El peregrino en su patria.* *Romancero general* (12 partes). Lope de Vega, inicia la publicación de las partes de sus *Comedias.* Quevedo, *El Buscón* (1.ª versión).	Paz con Inglaterra.
1605	Cervantes, *Don Quijote*, I. López de Úbeda, *La pícara Justina.*	Nacimiento de Felipe IV.

	P. Espinosa, *Flores de poetas ilustres.*	
1606		Regreso de la corte a Madrid.
1608		Las compañías «de título» aumentan a 12. Primera ordenanza sobre la policía de los teatros.
1609	Juan de la Cueva, *El ejemplar poético.* Lope de Vega, *El arte nuevo de hacer comedias.*	Tregua de los doce años. Comienzo de la expulsión de los moriscos.
1611	Carrillo y Sotomayor, *Libro de la erudición poética.* Covarrubias, *Tesoro.*	
1612	Góngora, *Polifemo.* Lope de Vega, *Pastores de Belén.* Salas Barbadillo, *La hija de Celestina.*	
1613	Cervantes, *Novelas ejemplares.*	
1614	Góngora, *Las Soledades.* Cervantes, *Viaje del Parnaso.* Lope de Vega, *Rimas sacras.*	Muerte de El Greco.
1615	Cervantes, *Ocho comedias.* *Don Quijote*, II.	
1616	Muerte de Cervantes.	Muerte de Shakespeare.
1617	Cervantes, *Trabajos de Persiles y Sigismunda.* Cascales, *Tablas poéticas.* Suárez de Figueroa, *El pasajero.*	
1618	Góngora, *Fábula de Píramo y Tisbe.* Villegas, *Eróticas o amatorias.* Espinel, *Marcos de Obregón.*	Caída de Lerma. Comienzo de la guerra de los treinta años
1619	S. de Moncada, *Restauración política de España.*	
1620	Salas Barbadillo, *El perfecto caballero.*	
1621		Muerte de Felipe III. Ascenso al trono de Felipe IV. Gobierno de Olivares.
1622	Muerte de Villamediana.	Canonización de santa Teresa. Cosme Lotti, escenógrafo italiano en Madrid.
1623	Comienzos como dramaturgo de Calderón.	
1624	Lope de Vega, *Novelas a Marcia Leonarda.*	

	Jáuregui, *Discurso poético.*	
	Tirso de Molina, *Los cigarrales de Toledo.*	
1626	Fernández de Navarrete, *Conservación de monarquías.*	
	Quevedo, *El Buscón.*	
	Política de Dios.	
	Alcalá Yáñez, *El donado hablador.*	
1627	Quevedo, *Los Sueños.*	
	Muerte de Góngora.	
1630	Lope de Vega, *Laurel de Apolo.*	
	Primera edición conocida de *El burlador de Sevilla.*	
1631	Muerte de Guillén de Castro.	
1632	Lope de Vega, *La Dorotea.*	
1634	L. y B. Leonardo de Argensola, *Rimas.*	
	Lope de Vega, *Rimas divinas y humanas.*	
1635	Tirso de Molina, *Deleitar aprovechando.*	Inauguración del Buen Retiro. Guerra con Francia.
	Calderón, *La vida es sueño.*	
	Muerte de Lope de Vega.	
1637	B. Gracián, *El héroe.*	
	M. de Zayas, *Novelas amorosas y ejemplares.*	
1639	Muerte de Ruiz de Alarcón.	
1640	B. Gracián, *El político.*	Levantamiento de Cataluña. Secesión de Portugal.
1641	Saavedra Fajardo, *Empresas políticas.*	
	Paravicino, *Obras póstumas.*	
1642	B. Gracián, *Arte de ingenio.*	
1643	Muerte de Juan de Salinas.	Caída de Olivares.
1644	Quevedo, *Vida de Marco Bruto.*	
	Muerte de Mira de Amescua y de Vélez de Guevara.	
1645	Muerte de Quevedo.	
1646	*Vida de Estebanillo González.*	
	B. Gracián, *El discreto.*	
1647	B. Gracián, *Oráculo manual.*	Rebelión de Sicilia. Epidemia de peste.
1648	B. Gracián, *Agudeza y arte de ingenio.*	Rebelión de Nápoles. Independencia de los Países Bajos.
	Muerte de Rojas Zorrilla.	

1649	Quevedo, *Parnaso español.* Muerte de Tirso de Molina.	Paz de Westfalia.
1650	Quevedo, *La hora de todos.*	
1651	B. Gracián, *El criticón*, I.	
1653	B. Gracián, *El criticón*, II.	
1654	Zabaleta, *El día de fiesta por la mañana.*	
1657	B. Gracián, *El criticón*, III.	
1658	Muerte de Gracián.	
1659		Paz de los Pirineos.
1660		Muerte de Velázquez.
1664		Muerte de Zurbarán.
1665		Muerte de Felipe IV. Ascenso al trono de Carlos II.
1667		Gobierno de Juan José Austria.
1668		Paz de Aquisgrán.
1669	Muerte de Moreto.	
1678		Paz de Nimega.
1681	Muerte de Calderón.	
1682		Muerte de Murillo.
1688		Guerra de la Liga de Augsburgo.
1697		Paz de Ryswick.
1700		Muerte de Carlos II. Ascenso al trono de Felipe V.

BIBLIOGRAFÍA

El siglo XVII

CAPÍTULO I

UNA ÉPOCA DE CONTRADICCIONES

BENNASSAR, Bartolomé, *Histoire des espagnols*, I, París, A. Colin, 1986.

—, *La España del Siglo de Oro*, Barcelona, Crítica, 1983.

BROWN, Jonathan y ELLIOTT, John H., *A Palace for a King. The «Buen Retiro» and the Court of Philip IV*, Yale University Press, 1980. Traducción española, Madrid, Alianza, 1982.

CARO BAROJA, Julio, *Las formas complejas de la vida religiosa (Religión, sociedad y carácter en la España de los siglos XVI y XVII)*, Madrid, Akal, 1978.

CASTRO, Américo, *De la edad conflictiva (El drama de la honra en España y en su literatura)*, Madrid, Taurus, 2.ª ed., 1963.

CHEVALIER, Maxime, *Lectura y lectores en la España de los siglos XVI y XVII*, Madrid, Turner, 1976.

—, *Folklore y literatura. El cuento oral en el Siglo de Oro*, Barcelona, Crítica, 1978.

DOMÍNGUEZ ORTIZ, Antonio, «La crisis del siglo XVIII. La población, la economía, la sociedad», en MENÉNDEZ PIDAL, Ramón, *Historia de España*, t. XXIII, Madrid, Espasa-Calpe, 1989.

—, *La sociedad española en el siglo XVII*, Madrid, CSIC, 2 vols., 1963-1970.

—, *Los judeoconversos en España y América*, Madrid, MAPFRE, 2.ª ed., 1991.

ELLIOTT, John H., *Richelieu et Olivarès*, París, PUF, 1991.

FERNÁNDEZ ÁLVAREZ, Manuel, *La sociedad española en el Siglo de Oro*, Madrid, Gredos, 2.ª ed., 1989.

JOLY, Monique, *La Bourle et son interprétation (Espagne, XVIe-XVIIe siècles)*, Lille Toulouse, FIR, 1982.

KAGAN, Richard L., *Students and Society in Early Modern Spain*, Baltimore, The Johns Hopkins University, 1974. Traducción española: Madrid, Tecnos, 1981.

KAMEN, Henry, *La España de Carlos II*, Barcelona, Crítica, 1981.

MARAVALL, José Antonio, *La Philosophie politique espagnole au XVIIe siècle*, París, Vrin, 1955.

—, *Teatro y literatura en la sociedad barroca*, Madrid, Seminarios y Ediciones, 1972.

—, *La cultura del barroco. Análisis de una estructura histórica*, Barcelona, Ariel, 2.ª ed., 1980.

—, *La literatura picaresca desde la historia social*, Madrid, Taurus, 1986.

MARÍN LÓPEZ, Nicolás, «Meditación del Siglo de Oro», *Estudios literarios sobre el Siglo de Oro*, Universidad de Granada, 1988, pp. 12-29.

OROZCO, Emilio, *Introducción al barroco*, ed. de J. Lara Garrido, Universidad de Granada, 2 vols., 1988.

PELORSON, Jean-Marc, *Les «letrados» juristes castillans sous Philippe III. Recherches sur leur place dans la société, la culture et l'Etat*, Publications de l'Université de Poitiers, 1980.

SPITZER, Leo, «El barroco español», reed. en *Estilo y estructura en la literatura española*, Barcelona, Crítica, 1980, pp. 310-325.

VILAR, Jean, *Literatura y economía: la figura satírica del arbitrista en el Siglo de Oro*, Madrid, Revista de Occidente, 1973.

VILAR, Pierre, «Le temps du *Quichotte*», *Europe*, 34, 1956, pp. 3-16.

WARDROPPER, Bruce W., «Temas y problemas del barroco español», en RICO, Francisco, *Historia y crítica de la literatura española. III. Barroco*, Barcelona, Grijalbo, 1983, pp. 5-48 (completado por Aurora Egido en *Primer suplemento, III. 1*, Barcelona, Grijalbo, 1992, pp. 1-48).

CAPÍTULO II

LA NOVELA PICARESCA

Textos

ALCALÁ YÁÑEZ, Jerónimo de, *Alonso, mozo de muchos amos*, ed. de Cayetano Rosell, Madrid, BAE, t. XVIII, 1851, pp. 491-584.

ALEMÁN, Mateo, *Guzmán de Alfarache*, ed. de Francisco Rico, Barcelona, Planeta, 1983.

CASTILLO SOLÓRZANO, Alonso de, *Aventuras del bachiller Trapaza*, ed. de Jacques Joset, Madrid, Cátedra, 1986.

—, *Las harpías en Madrid*, ed. de P. Jauralde, Madrid, Castalia, 1985.

—, *La garduña de Sevilla y anzuelo de las bolsas*, ed. de F. Ruiz Morcuende, Madrid, Espasa-Calpe, 1922.

—, *La hija de Celestina. La niña de los embustes, Teresa de Manzanares, natural de Madrid*, ed. de A. Rey Hazas, Barcelona, Plaza y Janés, 1986.

CERVANTES SAAVEDRA, Miguel de, *Novelas ejemplares*, ed. de Harry Sieber, Madrid, Cátedra, 2 vols., 1980.

ENRÍQUEZ GÓMEZ, Antonio, *El siglo pitagórico y vida de don Gregorio Guadaña*, ed. de Charles Amiel, París, Ediciones Hispano-americanas, 1977.

ESPINEL, Vicente, *Marcos de Obregón*, ed. de Mª Soledad Carrasco Urgoiti, Madrid, Castalia, 1972-1973.

GARCÍA, Carlos, *La desordenada codicia de los bienes ajenos*, ed. de G. Massano, Madrid, Porrúa Turranzas, 1977.

GONZÁLEZ, Gregorio, *El Guitón Honofre*, ed. de Hazel G. Carrasco, Chapel Hill, The University of North Carolina, 1974.

LÓPEZ DE ÚBEDA, Francisco, *La pícara Justina*, ed. de J. M. Oltra, Madrid, Cátedra, 1992.

LUNA, Juan de, *Segunda parte del Lazarillo*, ed. de Joseph L. Laurenti, Madrid, Espasa-Calpe, 1979.

MARTÍ, Juan (Mateo Luján de Sayavedra), *Segunda parte de la Vida del pícaro Guzmán de Alfarache*, en VALBUENA PRAT, A., ed., *La novela picaresca española*, Madrid, Aguilar, 1943, pp. 579-702.

QUEVEDO, Francisco de, *El Buscón*, ed. de Pablo Jauralde, Madrid, Castalia, 1990.

SALAS BARBADILLO, Alonso Jerónimo de, *La hija de Celestina*, ed. de J. López Barbadillo, Madrid, 1907.

Vida y hechos de Estebanillo González, ed. de A. Carreira y J. A. Cid, Madrid, Cátedra, 2 vols., 1990.

Estudios

GENERALIDADES

BATAILLON, Marcel, *Pícaros y picaresca*, Madrid, Taurus, 1969.

BJORNSON, Richard, *The Picaresque Hero in European Fiction*, The University of Wisconsin Press, 1977.

CRIADO DE VAL, Manuel, ed., *La picaresca: orígenes, textos y estructuras*, Madrid, Fundación Universitaria Española, 1979.

DEL MONTE, Alberto, *Itinerario de la novela picaresca española*, Barcelona, Lumen, 1971.

DUNN, Peter N., *Spanish Picaresque Fiction*, Cambridge University Press, 1993.

EISENBERG, Daniel, «Does the Picaresque Novel exist?», *Kentucky Romance Quaterly*, 26, 1979, pp. 203-219.

IFE, Barry W., *Lectura y ficción en el Siglo de Oro. Las razones de la picaresca*, Barcelona, Crítica, 1992.

LÁZARO CARRETER, Fernando, *«Lazarillo de Tormes» en la picaresca*, Barcelona, Ariel, 1983.

MALKIEL, Yakov, «El núcleo del problema etimológico de *pícaro-picardía*. En torno al proceso de préstamo doble». *Studia hispanica in honorem R. Lapesa*, t. II, Madrid, Gredos, 1974, pp. 590-625.

MARAVALL, José Antonio, *La literatura picaresca desde la historia social*, Madrid, Taurus, 1986.

MOLHO, Maurice, Introduction à *Romans picaresques espagnols*, París, Gallimard, Bibliothèque de la Pléiade, 1968.

—, «El pícaro de nuevo», *Modern Language Notes*, 100, 1985, pp. 199-222.

PARKER, Alexander A., *Los pícaros en la literatura. La novela picaresca en España y Europa (1599-1753)*, Madrid, Gredos, 1971.

REY, Alfonso, «La novela picaresca y el narrador fidedigno», *Hispanic Review*, 47, 1979, pp. 55-75.

—, «El género picaresco y la novela», *Bulletin Hispanique*, 89, 1987, pp. 85-118.

RICO, Francisco, *La novela picaresca y el punto de vista*, Barcelona, Seix-Barral, 1982 (versión inglesa aumentada, Cambridge University Press, 1983).

SIEBER, Harry, *The Picaresque*, Londres, Methuen, 1977.

SOBEJANO, Gonzalo, «Un perfil de la picaresca: el pícaro hablador», *Studia hispanica in honorem Rafael Lapesa*, t. III, Madrid, Gredos, 1975, pp. 467-485.

SOUILLER, Didier, *Le Roman picaresque*, París, PUF, col. Que sais-je?, 1980.

LA VIDA DE GUZMÁN DE ALFARACHE

CAVILLAC, Michel, «Mateo Alemán et la modernité», *Bulletin Hispanique*, 82, 1980, pp. 380-401.

—, *Gueux et marchands dans le «Guzmán de Alfarache» (1599-1604)*, Institut d'Études ibériques et ibéro-américaines de l'Université de Bordeaux, 1983.

CAVILLAC, Michel y Cécile, «A propos du *Buscón* y du *Guzmán de Alfarache*», *Bulletin Hispanique*, 75, 1973, pp. 114-131.

CAVILLAC, Michel y LABOURDIQUE, Bernadette, «Quelques sources du *Guzmán* apocryphe de Mateo Luján de Sayavedra», *Bulletin Hispanique*, 71, 1969, pp. 191-217.

CROSS, Edmond, *Protée et le Gueux. Recherches sur les origines et la nature du récit picaresque dans «Guzmán de Alfarache»*, París, Didier, 1967.

GUILLÉN, Claudio, «Luis Sánchez, Ginés de Pasamonte y el descubrimiento del género picaresco», reed. en *El primer Siglo de Oro*, Barcelona, Crítica, 1988, pp. 197-211.

MCGRADY, Donald, *Mateo Alemán*, Boston, Twayne, 1968.

SOBEJANO, Gonzalo, «De la intención y valor del *Guzmán de Alfarache*», en *Forma literaria y sensibilidad social*, Madrid, Gredos, 1967, pp. 9-66.

LAS CONSECUENCIAS DE UN ÉXITO

CROS, Edmond, *L'Aristocrate et le carnaval des gueux. Étude sur le «Buscón» de Quevedo*, Montpellier, *Études Socio-critiques*, 1975.

—, *Ideología y genética textual. El caso del «Buscón»*, Madrid, Cupsa, 1980.

LÁZARO CARRETER, Fernando, «Originalidad del Buscón», en *Estilo barroco y personalidad creadora*, Madrid, Cátedra, 1974, pp. 77-98.

BLANCO AGUINAGA, Carlos, «Cervantes y la picaresca. Notas sobre dos tipos de realismo», *Nueva Revista de Filología Hispánica*, 11, 1975, pp. 313-342.

CASTRO, Américo, *Cervantes y los casticismos españoles*, Barcelona, Alfaguara, 1966.

BATAILLON, Marcel, «Estebanillo González, bouffon pour rire», *Studies in the Spanish Literature of the Golden Age presented to E. M. Wilson*, Oxford, Grant and Cutler, 1973, pp. 25-44.

DUNN, Peter N., *Castillo Solórzano and the Decline of the Spanish Novel*, Oxford, Blackwell, 1952.

HALEY, George, *Vicente Espinel and Marcos de Obregón. A Life and its Literary Representation*, Providence, Brown University Press, 1959.

HEATHCOTE, Anthony A., *Vicente Espinel*, Boston, Twayne, 1977.

JONES, Joseph R., «Hieroglyphics in *La Pícara Justina*», *Estudios literarios de los hispanistas norteamericanos dedicados a Helmut Hatzfeld*, Barcelona, Hispam, 1974, pp. 415-429.

LERNER, Isaías, «La oficialización de la novela picaresca: *Alonso, mozo de muchos amos*», *Filología*, 20, 1985, pp. 127-145.

—, «Alonso en América: el Nuevo Mundo en la ideología picaresca», en *Las relaciones entre España e Iberoamérica*, Madrid, Universidad Complutense, 1987, pp. 203-209.

OLTRA, José Miguel, *La parodia como referente en «La Pícara Justina»*, León, CSIC, 1985.

—, «Los modelos narrativos de *El Guitón Honofre* de Gregorio González», *Cuadernos de Investigación Filológica*, 10, 1984, pp. 55-76.

SENABRE, Ricardo, «El doctor García y la picaresca», en CRIADO DEL VAL, M., *La Picaresca: orígenes, textos y estructuras*, Madrid, Fundación Universitaria Española, 1979, pp. 631-645.

SOONS, Alan, *Alonso de Castillo Solórzano*, Boston, Twayne, 1978.

CAPÍTULO III

CERVANTES

Textos

CERVANTES SAAVEDRA, Miguel de, *Obras completas*, ed. de R. Schevill y A. Bonilla y San Martín, Madrid, Bernardo Rodríguez, 19 vols., 1914-1931.
—, *El ingenioso hidalgo don Quijote de la Mancha*, ed. L. A. Murillo, Madrid, Castalia, 2 vols., 1878.
—, *Entremeses*, ed. de E. Asensio, Madrid, Castalia, 1970.
—, *La Galatea*, ed. de J. B. Avalle-Arce, Madrid, Espasa-Calpe, 1987.
—, *Los trabajos de Persiles y Sigismunda*, ed. de J. B. Avalle-Arce, Madrid, Castalia, 1969.
—, *Novelas ejemplares*, ed. de J. B. Avalle-Arce, Madrid, Castalia, 3 vols., 1983.
—, *Poesías completas*, ed. de V. Gaos, Madrid, Castalia, 2 vols., 1974-1981.
—, *Teatro completo*, ed. de F. Sevilla Arroyo y J. A. Rey Hazas, Barcelona, Planeta, 1987.
—, *Viaje del Parnaso*, ed. de E. L. Rivers, Madrid, Espasa-Calpe, 1991.

Novelistas posteriores a Cervantes, ed. de Cayetano Rossell, Madrid, Rivadeneyra, BAE, t. XXXIII, 1854.
Novelas amorosas de diversos ingenios del siglo XVII, ed. de Evangelina Rodríguez, Madrid, Castalia, 1986.
CASTILLO SOLÓRZANO, Alonso de, *Tardes entretenidas*, ed. de Emilio Cotarelo y Mori, Madrid, Real Academia Española, 1908.
CÉSPEDES y MENESES, Gonzalo de, *Historias peregrinas y ejemplares*, ed. de Y. R. Fonquerne, Madrid, Castalia, 1970.
TIRSO DE MOLINA (Gabriel Téllez), *Cigarrales de Toledo*, Madrid, Aguilar, 1954.
—, *Los tres maridos burlados/Les trois maris mystifiés*, ed. de André Nougué, París, Aubier, 1966.
—, *El bandolero*, ed. de André Nougué, Madrid, Castalia, 1969.
SALAS BARBADILLO, Jerónimo de, *El caballero perfecto*, ed. de P. Marshall, University of Colorado, Boulder, 1949.

ZAYAS, María de, *Novelas amorosas y ejemplares*, ed. de A. González de Amezúa, Madrid, Real Academia Española, 1948.

—, *Desengaños amorosos*, ed. de A. González de Amezúa, Madrid, Real Academia Española, 1950.

—, *Desengaños amorosos*, ed. de Alicia Yllera, Madrid, Cátedra, 1983.

Estudios

GENERALIDADES

AVALLE-ARCE, Juan Bautista, y RILEY, Edward, eds., *Suma cervantina*, Londres, Tamesis Books, 1973.

CANAVAGGIO, Jean, *Cervantès*, París, Mazarine, 1986.

CASTRO, Américo, *El pensamiento de Cervantes*, Madrid, 1925; reed. aumentada, Barcelona, Noguer, 1972.

—, *Cervantes y los casticismos españoles*, Barcelona, Alfaguara, 1983.

—, *Hacia Cervantes*, Madrid, Taurus, 2.ª ed., 1967.

EGIDO, Aurora, ed., «Miguel de Cervantes. La invención poética de la novela moderna. Estudios de su vida y obra», *Anthropos*, 98-99, 1989.

JOLLY, Monique, ed., «Cervantes», núm. monográfico de la *Nueva Revista de Filología Hispánica*, 38, 1990.

MÁRQUEZ VILLANUEVA, Francisco, *Fuentes literarias cervantinas*, Madrid, Gredos, 1973.

MOLHO, Mauricio, *Cervantes: raíces folklóricas*, Madrid, Gredos, 1976.

MONER, Michel, *Cervantès conteur. Ecrits et paroles*, Madrid, Bibliothèque de la Casa de Velázquez, 1989.

RILEY, Edward C., *Teoría de la novela en Cervantes*, Madrid, Taurus, 1966.

VIAJE DEL PARNASO

CANAVAGGIO, Jean, «La dimension autobiographique du *Viaje del Parnaso*», en *L'Autobiographie dans le monde hispanique*, Publications de l'Université de Provence, 1980, pp. 171-184.

RIVERS, Elias L., «*Viaje del Parnaso* y poesías sueltas», *Suma cervantina*, pp. 119-146.

Teatro

Canavaggio, Jean, *Cervantès dramaturge: un théatre à naître*, París, PUF, 1977.
Casalduero, Joaquín, *Sentido y forma del teatro de Cervantes*, Madrid, Gredos, 1967.
Marrast, Robert, *Miguel de Cervantès dramaturge*, París, L'Arche, 1957.

La Galatea

Avalle-Arce, Juan Bautista, *La novela pastoril española*, Madrid, Istmo, 2.ª ed., 1974.
—, ed., *La «Galatea» de Cervantes, cuatrocientos años después (Cervantes y lo pastoril)*, Juan de la Cuesta, 1985.
López Estrada, Francisco, *«La Galatea» de Cervantes. Estudio crítico*, Universidad de La Laguna, 1948.

Las Novelas ejemplares

Casalduero, Joaquín, *Sentido y forma de las «Novelas ejemplares»*, Madrid, Gredos, 1962.
El Saffar, Ruth, *Novel to Romance. A Study of Cervantes «Novelas ejemplares»*, Baltimore, The Johns Hopkins University Press, 1974.
Forcione, Alban K., *Cervantes and the Humanist Vision: A Study of Four Exemplary Novels*, Princenton University Press, 1982.
—, *Cervantes and the Mystery of Lawlessness: a Study of «El casamiento engañoso» y «El coloquio de los perros»*, Princeton University Press, 1984.
González de Amezúa, Agustín, *Cervantes, creador de la novela corta española*, Madrid, CSIC, 2 vols., 1956-1958.
Hainsworth, George, *Les «Novelas ejemplares» de Cervantès en France au* XVIIe *siècle*, París, Champion, 1933.

La novela después de Cervantes

Krömer, Werner, *Formas de la narración breve en las literaturas románicas hasta 1700*, Madrid, Gredos, 1979.

LASPÉRAS, Jean-Michel, *La nouvelle en Espagne au Siècle d'or*, Montpellier, Éditions du Castillet, 1987,

NOUGUÉ, André, *L'oeuvre en prose de Tirso de Molina: «Los cigarrales de Toledo» et «Deleitar aprovechando»*, París, Centre de Recherches Hispaniques, 1962.

PABST, Walter, *La novela corta en la teoría y en la creación literaria*, Madrid, Gredos, 1972.

PALOMO, María del Pilar, *La novela cortesana (forma y estructura)*, Barcelona, Planeta, 1976.

DON QUIJOTE

CASALDUERO, Joaquín, *Sentido y forma del «Quijote»*, Madrid, Ínsula, 1966.

HALEY, George, ed., *«El Quijote» de Cervantes*, Madrid, Taurus, 1966.

HAZARD, Paul, *«Don Quichotte» de Cervantès: étude et analyse*, París, Mellottée, 1931.

MARAVALL, José Antonio, *Utopía y contrautopía en el «Quijote»*, Santiago de Compostela, Pico Sacro, 1976.

MÁRQUEZ VILLANUEVA, Francisco, *Personajes y temas del «Quijote»*, Madrid, Taurus, 1975.

RILEY, Edward C., *Introducción al «Quijote»*, Barcelona, Crítica, 1990.

ROSENBLAT, Ángel, *La lengua del «Quijote»*, Madrid, Gredos, 1971.

BARDON, Maurice, *«Don Quichotte» en France au XVIIe et au XVIIIe siècle*, París, Champion, 1931.

CLOSE, Anthony J., *The Romantic Approach to «Don Quixote»*, Oxford, Oxford University Press, 1978.

ROBERT, Marthe, *L'Ancien et le Nouveau: de «Don Quichotte» à Franz Kafka*, París, Grasset, 1964.

WELSH, Alexander, *Reflections on the hero as Quixote*, Princeton University Press, 1981.

LOS TRABAJOS DE PERSILES Y SIGISMUNDA

CASALDUERO, Joaquín, *Sentido y forma de «Los trabajos de Persiles y Sigismunda»*, Buenos Aires, Sudamericana, 1947.

FORCIONE, Alban K., *Cervantes, Aristotle and the «Persiles»*, Princeton University Press, 1970.

—, *Cervantes' Christian Romance, A Study of «Persiles y Sigismunda»*, Princeton University Press, 1972.

STEGMANN, Tilbert Diego, *Cervantes' Musterroman «Persiles». Epentheorie und Romanpraxis um 1600*, Hamburgo, Hartmut Ludke, 1971.

VILANOVA, Antonio, «El peregrino andante en el *Persiles* de Cervantes», *Boletín de la Real Academia de Buenas Letras de Barcelona*, 22, 1949, reed. en *Erasmo y Cervantes*, Barcelona, Lumen, 1989, pp. 326-409.

CAPÍTULO IV

LOPE DE VEGA

Textos

Obras escogidas, ed. de F. Sáinz de Robles, Madrid, Aguilar, 3 vols., 1946.

Obras, ed. de M. Menéndez Pelayo, Madrid, Real Academia Española, 13 vols., 1890-1913, (reed. BAE, 1967-1972).

Obras, ed. de E. Cotarelo y Mori, Madrid, Real Academia Española, 16 vols., 1916-1930.

Obras poéticas, ed. de José Manuel Blecua, Barcelona, Planeta, 1969.

La Arcadia, ed. de Edwin S. Morby, Madrid, Castalia, 1975.

El arte nuevo de hacer comedias en este tiempo, ed. de Juana de José Prades, Madrid, CSIC, 1971.

Cartas, ed. de Nicolás Marín, Madrid, Castalia, 1985.

La Circe, ed. de Charles V. Aubrun y Manuel Muñoz Cortés, París, Centre de Recherches Hispaniques, 1962.

La Dorotea, ed. de E. S. Morby, Madrid, Castalia, 1968.

La Gatomaquia, ed. de Celina Sabor de Cortázar, Madrid, Castalia, 1983.

Lírica, ed. de J. M. Blecua, Madrid, Castalia, 1981.

Novelas a Marcia Leonarda, ed. Francisco Rico, Madrid, Alianza, 1968.

Novelas a Marcia Leonarda/Nouvelles à Marcia Leonarda, ed. bilingüe Jeanne Agnès y Pierre Guénoun, París, Aubier, 1978.
El peregrino en su patria, ed. de J. B. Avalle-Arce, Madrid, Castalia, 1973.

Estudios

Generalidades

Castro, Américo y Rennert, Hugo A., *Vida de Lope de Vega (1562-1635)*, Salamanca, Anaya, 1968.
Entrambasaguas, Joaquín de, *Estudios sobre Lope de Vega*, Madrid, CSIC, 3 vols., 1946-1958.
Marín, Nicolás, «Lope de Vega», en *Estudios literarios sobre el Siglo de Oro*, Universidad de Granada, 1988, pp. 315-488.
Márquez Villanueva, Francisco, *Lope: vida y valores*, Universidad de Puerto Rico, Río Piedras, 1988.
Montesinos, José F., *Estudios sobre Lope*, Salamanca, Anaya, 1967.
Rozas, José M., *Estudios sobre Lope de Vega*, Madrid, Cátedra, 1990.

Los poemas

Alonso, Dámaso, «Lope de Vega, símbolo del barroco», en *Poesía española*, Madrid, Gredos, 1950, pp. 445-510.
Carreño, Antonio, *El romancero lírico de Lope de Vega*, Madrid, Gredos, 1979.
Chevalier, Maxime, *L'Arioste en Espagne. Recherches sur l'influence du «Roland furieux»*, Burdeos, Institut d'Études ibériques et ibéro-américaines, 1966.
Lapesa, Rafael, «La *Jerusalén* de Tasso y la de Lope», reed. en *De la Edad Media hasta nuestros días*, Madrid, Gredos, 1967, pp. 264-285.
Lázaro Carreter, Fernando, «Lope, pastor robado. Vida y arte en los sonetos de los mansos», en *Estilo barroco y personalidad creadora*, Madrid, Anaya, 1974, pp. 173-200.
Novo Villaverde, Yolanda, *Las «Rimas sacras» de Lope de Vega. Disposición y sentido*, Universidad de Santiago de Compostela, 1990.

Las prosas

Moll, Jaime, «¿Por qué escribió Lope *La Dorotea*?», *1616. Anuario de la Sociedad española de literatura general y comparada*, 2, 1979.

Rabell, Carmen R., *Lope de Vega: El Arte Nuevo de hacer «novelas»*, Londres, Tamesis Books, 1992.

Trueblood, Alan S., *Experience and artistic expression in Lope de Vega. The making of «La Dorotea»*, Harvard University Press, 1974.

Ynduráin, Francisco, *Lope de Vega como novelador*, Santander, Universidad Internacional Menéndez-Pelayo, 1962.

El teatro

Aubrun, Charles V., *La Comédie espagnole (1600-1680)*, París, PUF, 1966.

Díez Borque, José María, *Sociología de la comedia española del siglo xvii*, Madrid, Cátedra, 1976.

Maravall, José Antonio, *Teatro y literatura en la sociedad barroca*, Madrid, Seminarios y Ediciones, 1972.

Sánchez Escribano, Federico y Porqueras Mayo, Alberto, *Preceptiva dramática española del Renacimiento y el barroco*, Madrid, Gredos, 2.ª ed., 1972.

Shergold, N. D., *A History of the Spanish Stage from Medieval Times until the end of the Seventeenth Century*, Oxford, Clarendon Press, 1965.

Varey, John, *Cosmovisión y escenografía: el teatro español en el Siglo de Oro*, Madrid, Castalia, 1987.

Vitse, Marc, *Eléments pour une théorie du théâtre espagnol du xviie siècle*, Toulouse, France-Ibérie Recherche, 1989.

Wardropper, Bruce W., «La comedia española del Siglo de Oro», en Olson, Elder, *Teoría de la comedia*, Barcelona, Ariel, 1978.

Froldi, Rinaldo, *Lope de Vega y la formación de la comedia*, Salamanca, Anaya, 1968.

Gatto, José F., *El teatro de Lope de Vega. Artículos y estudios*, Buenos Aires, Eudeba, 1962.

LY, Nadine, *La Poétique de l'interlocution dans le théâtre de Lope de Vega*, Burdeos, Institut d'Études ibériques et ibéro-américaines, 1981.

MORLEY, S. Griswold y BRUERTON, Courtney, *Cronología de las comedias de Lope de Vega*, Madrid, Gredos, 2 vols., 1968.

MORLEY, S. G. y TYLER, Richard W., *Los nombres de personajes en las comedias de Lope de Vega. Estudio de onomatología*, Madrid, Castalia, 2 vols., 1961.

OLEZA, Juan, «La propuesta teatral del primer Lope de Vega», *Teatros y prácticas escénicas. II. La comedia*, Londres, Tamesis Books, 1986, pp. 251-308.

SALOMON, Noël, *Recherches sur le thème paysan dans la «comedia» au temps de Lope de Vega*, Burdeos, Institut d'Études ibériques et ibéro-américaines, 1965.

SÁNCHEZ ROMERALO, A., ed., *Lope de Vega: el teatro*, Madrid, Taurus, 2 vols., 1989.

CAPÍTULO V

LA PRIMERA EXPANSIÓN DEL TEATRO

Textos

Dramáticos contemporáneos de Lope de Vega, ed. de R. Mesoneros Romanos, Madrid, BAE, tomos XLIII y XLV, 1857-1858.

GUILLÉN DE CASTRO, *Obras*, ed. de Eduardo Juliá Martínez, Madrid, Real Academia Española, 3 vols., 1925-1927.

MIRA DE AMESCUA, Antonio, *Teatro*, ed. de A. Valbuena Prat y J. M. Bella, Madrid, Espasa-Calpe, 3 vols., 1926, 1928, 1972.

TIRSO DE MOLINA, *Obras dramáticas completas*, ed. de Blanca de los Ríos, Madrid, Aguilar, 3 vols., 1952-1969.

RUIZ DE ALARCÓN, Juan, *Obras completas*, ed. A. Millares Carlo, México, Fondo de Cultura Económica, 1957-1968.

VÉLEZ DE GUEVARA, Luis, *Autos sacramentales*, ed. de A. Lacalle, Madrid, 1931.

—, *La niña de Gómez Arias*, ed. de R. Rozzell, Universidad de Granada, 1959.

—, *Reinar después de morir. El diablo está en Cantillana*, ed. de M. Muñóz Cortés, Madrid, Espasa-Calpe, 1948.

—, *La serrana de la Vera*, ed. de Rodríguez Cepeda, Madrid, Cátedra, 1967.

—, *Virtudes vencen señales*, ed. de Maria Grazia Profeti, Universidad de Pisa, 1965.

El auto sacramental antes de Calderón, ed. de Ricardo Arias, México, Porrúa, 1977.

VALDIVIELSO, José de, *Teatro completo*, ed. de Ricardo Arias y Robert V. Piluso, Madrid, Isla, 2 vols., 1976-1977.

Colección de entremeses, loas, bailes, jácaras y mojigangas, de fines del siglo XVI a mediados del siglo XVIII, ed. de Cotarelo y Mori, Madrid, NBAE, 2 vols., 1911.

Estudios

GUILLÉN DE CASTRO

CRAPOTTA, James, *Kingship and Tyranny in the Theater of Guillén de Castro*, Londres, Tamesis Books, 1984.

FALIU, Christiane, *Un dramaturge espagnol du Siècle d'or: Guillén de Castro*, Toulouse, FIR, 1989.

GARCÍA LORENZO, Luciano, *El teatro de Guillén de Castro*, Barcelona, Planeta, 1976.

WILSON, William E., *Guillén de Castro*, Nueva York, Twayne, 1973.

TIRSO DE MOLINA

DARST, David T., *The Comic Art of Tirso de Molina*, Chapel Hill, University of North Carolina, 1974.

DOLFI, Laura, ed., *Tirso de Molina: immagine e rappresentazione*, Nápoles, Edizione Scientifiche Italiane, 1991.

FLORIT, Francisco, *Tirso de Molina ante la comedia nueva*, Madrid, Estudios, 1986.

FERNÁNDEZ, Xavier, A., *Las comedias de Tirso*, Kassel-Pamplona, Reichenberg-Universidad de Navarra, 1991.

MAUREL, Serge, *L'Univers dramatique de Tirso de Molina*, Publications de l'Université de Poitiers, 1971.

PALOMO, María del Pilar, «La creación dramática de Tirso de Molina», en *Obras de Tirso de Molina*, Barcelona, Vergara, 1968, pp. 9-125.

SULLIVAN, Henry W., *Tirso de Molina and the Drama of the Counter Reformation*, Amsterdam, Rodopi, 1976.

WILSON, Margaret, *Tirso de Molina*, Nueva York, Twayne, 1977.

RUIZ DE ALARCÓN

KING, Williard F., *Juan Ruiz de Alarcón, letrado y dramaturgo. Su mundo mexicano y español*, México, El Colegio de México, 1989.

PARR, James A., *Critical Essays on the Life and Works of Juan Ruiz de Alarcón*, Madrid, Dos Continentes, 1972.

POESSE, Walter A., *Juan Ruiz de Alarcón*, Nueva York, 1972.

VÉLEZ DE GUEVARA Y MIRA DE AMESCUA

PEALE, C. George, ed., *Antigüedad y actualidad en Luis Vélez de Guevara*, Amsterdam, John Benjamins, 1983.

SPENCER, F. E. y Schevill, Rudolph, *The Dramatic Works of Luis Vélez de Guevara*, University of Berkeley, 1937.

ARELLANO, Ignacio y GRANJA, Agustín de la, eds., *Mira de Amescua: un teatro en la penumbra*, Pamplona, Eunsa, 1991.

CASTAÑEDA, James A., *Mira de Amescua*, Boston, G. K. Hall, 1977.

EL AUTO SACRAMENTAL

ARIAS, Ricardo, *The Spanish Sacramental Plays*, Boston, Twayne, 1980.

BATAILLON, Marcel, «Essai d'explication del *auto sacramental*», *Bulletin Hispanique*, 42, 1940, pp. 193-212.

DIETZ, Donald, *The Auto Sacramental and the Parable in Spanish Golden Age Literature*, Chapel Hill, University of North Carolina, 1973.

FLECNIAKOSKA, Jean-Louis, *La Formation de l'auto religieux en Espagne avant Calderón (1550-1635)*, Montpellier, P. Déhan, 1961.

FOTHERGILL PAYNE, Louise, *La alegoría en los autos y farsas anteriores a Calderón*, Londres, Tamesis Books, 1977.

WARDROPPER, Bruce, *Introducción al teatro religioso del Siglo de Oro (La evolución del auto sacramental, 1500-1648)*, Salamanca, Anaya, 1967.

ENTREMÉS Y GÉNEROS MENORES

ASENSIO, Eugenio, *Itinerario del entremés, desde Lope de Rueda a Quiñones de Benavente*, Madrid, Gredos, 2.ª ed., 1971.

GARCÍA LORENZO, Luciano, «La escenografía de los géneros dramáticos menores», en *La escenografía del teatro barroco*, Universidad de Salamanca, 1990, pp. 127-139.

HEIDENREICH, Helmut, *Figuren und Komik in den spanischen Entremés des goldenen Zeitalters*, Munich, 1962.

SOONS, Alan, «Los entremeses de Quevedo: ingeniosidad lingüística y fuerza cómica», *Filologia e Letteratura*, 16, 1970, pp. 424-456.

CAPÍTULO VI

GÓNGORA Y LA POESÍA LÍRICA

Textos

GÓNGORA

GÓNGORA, Luis de, *Obras completas*, ed. de Juan e Isabel Millé Giménez, Madrid, Aguilar, 1932.

—, *Canciones y otros poemas en arte mayor*, ed. de J. M. Micó, Madrid, Espasa-Calpe, 1990.

—, *Fábula de Polifemo y Galatea*, ed. de Alexander A. Parker, Madrid, Cátedra, 1983.

—, *Las firmezas de Isabela*, ed. de Robert Jammes, Madrid, Castalia, 1980.

—, *Letrillas*, ed. de R. Jammes, Madrid, Castalia, 1980.

—, *Soledades*, ed. de Dámaso Alonso, Madrid, Alianza Editorial, 1982.

—, *Soledades*, ed. de Robert Jammes, Madrid, Castalia, 1994.

—, *Sonetos completos*, ed. de B. Ciplijauskaité, Madrid, Castalia, 1969.

Otros poemas líricos

Poetas líricos de los siglos XVI y XVII, ed. de Adolfo de Castro, Madrid, BAE, tomos XXXII y XLII, 1857.

Poesía lírica del Siglo de Oro, ed. de Elias L. Rivers, Madrid, Cátedra, 1979.

ARGUIJO, Juan de, *Obra poética*, ed. de Stanko B. Vranich, Madrid, Castalia, 1971.

BOCÁNGEL, Gabriel, *Obras*, ed. de Rafael Benítez Claros, Madrid, CSIC, 2 vols., 1946.

ESPINOSA, Pedro, *Poesías completas*, ed. de Francisco López Estrada, Madrid, Espasa-Calpe, 1975.

HURTADO DE MENDOZA, Antonio, *Obras poéticas*, ed. de Rafael Benítez Claros, Madrid, Real Academia Española, 2 vols., 1947-1948.

JÁUREGUI, Juan de, *Obras*, ed. de Inmaculada Ferrer de Alba, Madrid, Espasa-Calpe, 2 vols., 1973.

LEONARDO DE ARGENSOLA, Lupercio y Bartolomé, *Rimas*, ed. de José Manuel Blecua, Madrid, Espasa-Calpe, 3 vols., 1972-1974.

POLO DE MEDINA, Salvador Jacinto, *Poesías. Hospital de Incurables*, ed. de F. J. Díez de Revenga, Madrid, Cátedra, 1989.

RIOJA, Francisco de, *Poesías*, ed. de Begoña López Bueno, Madrid, Cátedra, 1984.

SALINAS, Juan de, *Poesías humanas*, ed. de Henry Bonneville, Madrid, Castalia, 1988.

SOLÍS Y RIBADENEYRA, Antonio de, *Varias poesías sagradas y profanas*, ed. de Manuela Sánchez Regueira, Madrid, CSIC, 1968.

SOTO DE ROJAS, Pedro, *Paraíso cerrado*, ed. de Aurora Egido, Madrid, Cátedra, 1981.

VILLAMEDIANA, Juan de, *Obras*, ed. de Juan Manuel Rozas, Madrid, Castalia, 1969.

—, *Poesía impresa completa*, ed. de J. F. Ruiz Casanova, Madrid, Cátedra, 1990.

—, *Poesía*, ed. de María Teresa Ruestes, Barcelona, Planeta, 1992.

Estudios

Góngora

ALONSO, Dámaso, «Góngora y el gongorismo», en *Obras completas*, t. VI, Madrid, Gredos, 1982.

—, *Estudios y ensayos gongorinos*, Madrid, Gredos, 3 vols., 1967.

—, *Góngora y el «Polifemo»*, Madrid, Gredos, 1955.

—, *La lengua poética de Góngora*, Madrid, Anejo XX de la *Revista de Filología española*, 1935.

ARTIGAS, Miguel, *Don Luis de Góngora y Argote. Biografía y estudio crítico*, Madrid, Tipografía «Revista de Archivos», 1925.

DEHENNIN, Elsa, *La Résurgence de Góngora et la génération poétique de 1927*, París, Didier, 1962.

DOLFI, Laura, «Introducción» a *Il teatro di Gongora. «Comedia de las Firmezas de Isabela»*, Pisa, Cursi Editore e F., 2 vols., 1983.

JAMMES, Robert, *Études sur l'oeuvre poétique de don Luis de Góngora y Argote*, Institut d'Études ibériques de la Universidad de Burdeos, 1967.

—, «Rétrogongorisme», *Criticón*, 1, 1978.

MICÓ, José María, *La fragua de las «Soledades». Ensayos sobre Góngora*, Barcelona, Sirmio, 1990.

MOLHO, Maurice, *Sémantique et poétique. A propos des «Solitudes» de Góngora*, Burdeos, Ducros, 1969. Traducción española: *Semántica y poética* (*Góngora, Quevedo*), Barcelona, Crítica, 1977.

OROZCO, Emilio, *Introducción a Góngora*, Barcelona, Crítica, 1984.

VILANOVA, Antonio, *Las fuentes y los temas del «Polifemo» de Góngora*, Madrid, CSIC, 2 vols., 1957.

OTROS POETAS LÍRICOS

BONNEVILLE, Henry, «Sur la poésie à Séville au Siècle d'or», *Bulletin Hispanique*, 66, 1964, pp. 311-348.

COLLARD, André, *Nueva poesía: conceptismo y culteranismo en la crítica española*, Madrid, Castalia, 1967.

Egido, Aurora, «Una introducción a la poesía y a las academias literarias del siglo XVII», reed. en *Fronteras de la poesía en el barroco*, Barcelona, Crítica, 1990, pp. 115-137.

LÓPEZ BUENO, Begoña, *La poesía cultista, de Herrera a Góngora (Estudios sobre la poesía barroca andaluza)*, Sevilla, Alfar, 1987.

PALOMO, María del Pilar, *La poesía de la edad barroca*, Madrid, SGEL, 1975.

SÁNCHEZ, José, *Academias literarias del Siglo de Oro español*, Madrid, Gredos, 1961.

CAPÍTULO VII

QUEVEDO

Textos

Obras completas, ed. de Luis Astrana Marín, Aguilar, 2 vols., 1932.
Obras completas, ed. de Felicidad Buendía, Aguilar, 2 vols., 1958-1961.
Obras completas. I. Poesía original, ed. de José Manuel Blecua, Barcelona, Planeta, 2.ª ed, 1968.
Obra poética, ed. de J. M. Blecua, Madrid, Castalia, 4 vols., 1969-1973.
Poesía varia, ed. de Jammes O. Crosby, Madrid, Cátedra, 2.ª ed, 1982.
Lágrimas de Hieremías castellanas, ed. de Edward M. Wilson y José Manuel Blecua, Madrid, CSIC, 1963.

Obras satíricas y festivas, ed. de José María Salaverría, Madrid, La Lectura, 1922.
Obras festivas, ed. de Pablo Jauralde Pou, Madrid, Castalia, 1981.
La Vida del Buscón llamado don Pablos, ed. de F. Lázaro Carreter, Madrid, CSIC, 1965.
Historia de la Vida del Buscón, ed. de Edmond Cros, Madrid, Taurus, 1988.
El Buscón, ed. de Pablo Jauralde, Madrid, Castalia, 1991.
Sueños y discursos, ed. de Felipe C. R. Maldonado, Madrid, Castalia, 1972.
Los Sueños, ed. de J. O. Crosby, Madrid, Castalia, 1993.
Política de Dios, gobierno de Cristo, ed. de J. O. Crosby, Madrid, Castalia, 1966.
La cuna y la sepultura, ed. de Luisa López Grigera, Madrid, Real Academia Española, Anejo XX del *Boletín de la Real Academia Española*, 1969.
La Hora de todos y la fortuna con seso, ed. bilingüe e introducción de Jean Bourg, Pierre Dupont y Pierre Geneste, París, Aubier, 1980.

Estudios

VISIONES DE CONJUNTO

ASTRANA MARÍN, Luis, *La vida turbulenta de Quevedo*, Madrid, Gran Capitán, 1948.
BORGES, Jorge Luis, «Quevedo», en *Otras inquisiciones*, Buenos Aires, Emecé, 1960, pp. 55-64.

BOUVIER, René, *Quevedo «homme du diable, homme de Dieu»*, París, Champion, 1929.

GÓMEZ DE LA SERNA, Ramón, *Quevedo*, Buenos Aires, Espasa-Calpe, 1953.

MÉRIMÉE, Ernest, *Essai sur la vie et les oeuvres de Francisco de Quevedo (1580-1645)*, París, Picard, 1885.

GARCÍA DE LA CONCHA, Víctor, ed., *Homenaje a Quevedo*, Salamanca, II Academia Renacentista, 1982.

IFFLAND, James, ed., *Quevedo in Perspective*, Newark, Juan de la Cuesta, 1982.

Quevedo in Context, Mester, IX, 2, mayo de 1980.

SOBEJANO, Gonzalo, ed., *Francisco de Quevedo*, Madrid, Taurus, 1978.

REFERENCIAS IDEOLÓGICAS Y CULTURALES

BÉNICHOU-ROUBAUD, Sylvia, «Quevedo helenista (El *Anacreón castellano*)», *Nueva Revista de Filología Hispánica*, 14, 1960, pp. 51-72.

ETTINGHAUSEN, Henry, *Francisco de Quevedo and the Neostoic Movement*, Oxford University Press, 1972.

GENDREAU, Michèle, *Héritage et création. Recherches sur l'humanisme de Quevedo*, París, Champion, 1977.

MARTINENGO, Alessandro, *Quevedo e il simbolo alchimistico. Tre Studi*, Padua, Liviana Editrice, 1980.

ROIG-MIRANDA, Marie, *Le Paradoxe dans la «Vida de Marco Bruto»*, París, École normale supérieure, 1980.

RONCERO, Victoriano, *Historia y política en la obra de Quevedo*, Madrid, Pliegos, 1990.

ROTHE, Arnold, *Quevedo und Seneca. Untersuchungen zu den Früschriften Quevedos*, Ginebra, Droz, 1965.

EL BUSCÓN

CROS, Edmond, *L'Aristocrate et le Carnaval des Gueux. Etude sur le «Buscón» de Quevedo*, Montpellier, Études sociocritiques, 1975.

DÍAZ MIGOYO, Gonzalo, *Estructura de la novela (Anatomía de «El Buscón»)*, Madrid, Fundamentos, 1978.

MOLHO, Maurice, «El Pícaro de nuevo», *Modern Language Notes*, 100/2, 1988, pp. 199-222.

SPITZER, Leo, *L'Art de Quevedo dans le «Buscón»*, París, Ediciones Hispanoamericanas, 1972.

TALENS, Jenaro, «La *Vida del Buscón*, novela política», en *Novela picaresca y práctica de la transgresión*, Madrid, Júcar, 1975.

LA ESCRITURA SATÍRICA Y BURLESCA

CHEVALIER, Maxime, *Quevedo y su tiempo: la agudeza verbal*, Barcelona, Crítica, 1992.

IFFLAND, James, *Quevedo and the Grotesque*, Londres, Tamesis Books, 1978.

LIDA, Raimundo, *Prosas de Quevedo*, Barcelona, Crítica, 1981.

MAS, Amédée, *La caricatura de la femme, du mariage et de l'amour dans l'oeuvre de Quevedo*, París, Ediciones Hispanoamericanas, 1951.

NOLTING-HAUFF, Ilse, *Visión, sátira y agudeza de los «Sueños» de Quevedo*, Madrid, Gredos, 1974.

SCHWARZ LERNER, Lia, *Metáfora y sátira en la obra de Quevedo*, Madrid, Taurus, 1983.

—, ed., *Quevedo: discurso y representación*, Pamplona, Universidad de Navarra, 1987.

EL DISCURSO POÉTICO

ARELLANO, Ignacio, «Introducción» a *Poesía satírico-burlesca de Quevedo*, Pamplona, EUNSA, 1984.

MOLHO, Mauricio, *Semántica y poética (Góngora, Quevedo)*, Barcelona, Crítica, 1977.

OLIVARES, Julián, *The Loeve Poetry of Francisco de Quevedo. An aesthetic and existencial study*, Cambridge University Press, 1983.

POZUELO YVANCOS, José María, *El lenguaje poético de la lírica amorosa de Quevedo*, Universidad de Murcia, 1979.

PROFETI, Maria Grazia, *Quevedo: la scrittura e il corpo*, Roma, Bulzoni, 1984.

ROIG MIRANDA, Marie, *Les Sonnets de Quevedo. Variations, constance et évolution*, Presses de l'Université de Nancy, 1989.

SCHWARZ LERNER, Lía, en *Francisco de Quevedo: Poesía selecta*, ed. de Ignacio Arellano, Barcelona, PPU, 1989.

SMITH, Paul Julian, *Quevedo on Parnassus. Allusive Context and Literary Theory in the Love-Lyric*, Londres, The Modern Humanities Research Association, 1987.
WALTERS, D. Gareth, *Francisco de Quevedo, Love Poet*, Cardiff, University of Wales Press, 1985.

CAPÍTULO VIII

EL SEGUNDO HÁLITO DEL TEATRO

Textos

CALDERÓN DE LA BARCA, Pedro, *Obras completas*, ed. de A.Valbuena Prat y A. Valbuena Briones, Madrid, Aguilar, 3 vols., 3.ª ed., 1966.
—, *The «Comedias» of Calderón. A Facsimile Edition*, ed. de D. W. Cruickshank y J. E. Varey, Londres, Gregg y Tamesis, 19 vols., 1973.
—, *Entremeses, jácaras y mojigangas*, ed. de Evangelina Rodríguez y Antonio Tordera, Madrid, Castalia, 1982.
—, *Teatro cómico breve*, ed. de María Luisa Lobato, Kassel, Reichenberger, 1989.
Dramáticos posteriores a Lope de Vega, ed. de R. de Mesoneros Romanos, Madrid, BAE, tomos XLVII y XLIX, 2 vols., 1858-1859.

BANCES CANDAMO, Francisco, *Autos sacramentales*, ed. de J. J. Pérez Feliú, Oviedo, 1975.
—, *Cómo se curan los celos y Orlando furioso*, ed. de Ignacio Arellano, Ottawa, Dovehouse, 1990.
—, *El esclavo en grillos de oro. La piedra filosofal*, ed. de C. Díaz Castañón, Oviedo, Caja de Ahorros de Asturias, 1983.
—, *Teatro de los teatros de los pasados y presentes siglos*, ed. de Duncan Moir, Londres, Tamesis Books, 1970.
CUBILLO DE ARAGÓN, Álvaro, *Auto sacramental de la muerte de Frislán*, ed. de Marie-France Schmidt, Kassel, Reichenberger, 1984.
—, *Las muñecas de Marcela. El señor de las Noches Buenas*, ed. de A. Valbuena Prat, Madrid, CIAP, 1928.

MORETO Y CAVANA, Agustín de, *Comedias escogidas*, ed. de Luis Fernández Guerra y Orbe, Madrid, BAE, t. XXXIX, 1856.

—, *El desdén con el desdén. Las galeras de la honra. Los oficios*, ed. de Francisco Rico, Madrid, Castalia, 1971.

—, *El lindo don Diego*, ed. de Maria Grazia Profeti, Madrid, Taurus, 1983.

—, *El parecido en la corte*, ed. de Juana de José Prades, Salamanca, Anaya, 1965.

QUIÑONES DE BENAVENTE, Luis, *Entremeses*, ed. de Hannah E. Bergman, Salamanca, Anaya, 1968.

ROJAS ZORRILLA, Francisco de, *Comedias escogidas*, ed. de R. de Mesoneros Romanos, Madrid, BAE, t. XLIV, 1861.

—, *Del rey abajo ninguno*, ed. de Jean Testas, Madrid, Castalia, 1971.

SOLÍS Y RIBADENEYRA, Antonio de, *Comedias*, ed. de Manuela Sánchez Regueira, Madrid, CSIC, 2 vols., 1984.

Colección de entremeses, loas, bailes, jácaras y mojigangas desde fines del siglo XVI a mediados del XVIII, ed. de Cotarelo y Mori, Madrid, NBAE, 2 vols., 1911.

Ramilletes de entremeses y bailes nuevamente recogidos de antiguos poetas de España. Siglo XVII, ed. de Hannah E. Bergman, Madrid, Castalia, 1970.

Teatro breve de los siglos XVI y XVII. Entremeses, loas, bailes, jácaras y mojigangas, ed. de Javier Huerta Calvo, Madrid, Taurus, 1985.

Estudios

GENERALIDADES

HUERTA CALVO, J., den BOER, H. y SIERRA MARTÍNEZ F., *El teatro español a fines del siglo XVII. Historia, cultura y teatro en la España de Carlos II*, Amsterdam-Atlanta, Rodopi, 3 vols., 1989.

CALDERÓN

DURÁN, M. y GONZÁLEZ-ECHEVERRÍA, R., eds., *Calderón y la crítica: historia y antología*, Madrid, Gredos, 2 vols., 1976.

FLASCHE, Hans, ed., *Hacia Calderón* (Actas de los coloquios angloalemanes sobre Calderón), 7 vols., 1970-1985.

GARCÍA LORENZO, Luciano, ed., *Calderón* (Actas del Congreso de Madrid de 1981), Madrid, CSIC, 3 vols., 1983.

WARDROPPER, Bruce W., ed., *Critical Essays on the Theater of Calderon*, New York University Press, 1965.

ARMAS, Frederick de, *The Return of Astraea. An Astral-Imperial Myth in Calderón*, Lexington, The University Press of Kentucky, 1986.

EGIDO, Aurora, *La fábrica de un auto sacramental: «Los encantos de la culpa»*, Salamanca, Universidad de Salamanca, 1982.

HONIG, Edwin, *Calderón and the Seizures of Honor*, Cambridge, Harvard University Press, 1972.

O'CONNOR, Thomas Austin, *Myth and Mythology in the Theater of Pedro Calderón de la Barca*, San Antonio, Trinity University Press, 1988.

PARKER, Alexander A., *Los autos sacramentales de Calderón*, Barcelona, Ariel, 1983.

RODRÍGUEZ, Evangelina y Tordera, Antonio, *Calderón y la obra corta dramática del siglo XVII*, Londres, Tamesis Books, 1983.

RUIZ RAMÓN, Francisco, *Calderón y la tragedia*, Madrid, Alhambra, 1984.

SAUVAGE, Micheline, *Calderon dramaturge*, París, L'Arche, 1959.

SLOMAN, Albert A., *The Dramatic Craftmanship of Calderón. His Use of Earlier Plays*, Oxford, Dolphin, 1958.

SOUILLER, Didier, *Calderon et le grand théâtre du monde*, París, PUF, 1992.

TER HORST, Robert, *Calderón: The Secular Plays*, Lexington, University of Kentucky Press, 1982.

VITSE, Marc, *Segismundo y Serafina*, Toulouse, France-Ibérie Recherche, 1980.

WILSON, Edward M. y Sage, Jack, *Poesías líricas en las obras dramáticas de Calderón*, Londres, Tamesis Books, 1964.

DISCÍPULOS Y EPÍGONOS

WHITAKER, Shirley B., *The Dramatic Works of Alvaro Cubillo de Aragón*, Chapel Hill, The University of North Carolina, 1975.

CALDERA, Ermanno, *Il teatro di Moreto*, Pisa, La Goliardica, 1960.

CASA, Frank P., *The Dramatic Craftsmanship of Moreto*, Cambridge, Mass., Harvard University Press, 1966.

CASTAÑEDA, James A., *Agustín de Moreto*, Nueva York, Twayne, 1974.

MAC CURDY, Raymond, *Francisco de Rojas Zorrilla*, Nueva York, Twayne, 1968.

—, *Francisco de Rojas Zorrilla and the Tragedy*, Albuquerque, University of New Mexico Press, 1958.

SERRALTA, Frédéric, *Antonio de Solís et la «comedia d'intrigue»*, Toulouse, France-Ibérie Recherche, 1987.

GÉNEROS MENORES

ASENSIO, Eugenio, *Itinerario del entremés desde Lope de Rueda a Quiñones de Benavente*, Madrid, Gredos, 2.ª ed., 1971.

BERGMAN, Hannah E., *Luis Quiñones de Benavente y sus entremeses*, Madrid, Castalia, 1965.

FLECNIAKOSKA, Jean-Louis, *La loa*, Madrid, SGEL, 1975.

GARCÍA LORENZO, Luciano, ed., *Los géneros menores en el teatro español del Siglo de Oro (Jornadas de Almagro 1987)*, Madrid, Ministerio de Cultura, 1988.

MERINO QUIJANO, Gaspar, *Los bailes dramáticos del siglo XVII*, Madrid, Universidad Complutense, 1988.

SERRALTA, Frédéric, «La comedia burlesca: datos y orientaciones», en *Risa y sociedad en el teatro del Siglo de Oro*, París, CNRS, 1980, pp. 99-129.

CAPÍTULO IX

ÚLTIMO RESPLANDOR DE LA PROSA: GRACIÁN

Textos

ÁLAMOS DE BARRIENTOS, Álvaro, *Aforismos al Tácito español*, ed. de José A. Fernández-Santamaría, Madrid, Centro de Estudios Constitucionales, 1987.

CASCALES, Francisco, *Cartas filológicas*, ed. de Justo García Soriano, Madrid, Espasa-Calpe, 3 vols., 1930.

CAXA DE LERUELA, Miguel, *Restauración de la abundancia de España*, ed. de Jean-Paul Le Flem, Madrid, Ministerio de Hacienda, 1971.

COVARRUBIAS y HOROZCO, Sebastián de, *Tesoro de la lengua castellana o española*, ed. de Martín de Riquer, Barcelona, Horta, 1943.

FERNÁNDEZ DE NAVARRETE, Pedro, *Conservación de monarquías*, en *Obras*, Madrid, BAE, t. XXV, 1986, pp. 449-557.

LIÑÁN y VERDUGO, Antonio, *Guía y avisos de forasteros que vienen a la corte*, ed. de Edison Simons, Madrid, Editora Nacional, 1980.

MAL LARA, Juan de, *Philosophía vulgar*, ed. de A. Vilanova, Barcelona, Selecciones bibliográficas, 4 vols., 1958.

MARTÍNEZ DE MATA, Francisco, *Memorial a razón de la despoblación y pobreza de España y su remedio*, en *Memoriales y discursos*, ed. de Gonzalo Anés, Madrid, Ministerio de Hacienda, 1971.

MONCADA, Sancho de, *Restauración política de España*, ed. de Jean Vilar, Madrid, Moneda y Crédito, 1971.

PÉREZ DE HERRERA, Cristóbal, *Amparo de pobres*, ed. de Michel Cavillac, Madrid, Espasa-Calpe, 1975.

RIVADENEIRA, Pedro de, *Tratado de la religión y virtudes que debe tener el Príncipe Cristiano...*, en *Obras escogidas*, ed. de V. de la Fuente, Madrid, Rivadeneira, 1886.

ROJAS, Agustín de, *El viaje entretenido*, ed. de J. P. Ressot, Madrid, Castalia, 1972.

SAAVEDRA FAJARDO, Diego de, *Obras completas*, ed. de Ángel González Palencia, Madrid, Aguilar, 1946.

—, *Empresas políticas*, ed. de F. J. Díez de Revenga, Barcelona, Planeta, 1988.

—, *Idea de un príncipe político cristiano representada en cien empresas*, ed. de Fernández Carvajal, Jesús M.ª González de Zárate y Javier Guillamón, Murcia, Academia Alfonso X el Sabio, 1985.

—, *Locuras de Europa*, ed. de José M. Alejandro, Salamanca, Anaya, 1965.

—, *Introducciones a la política y razón de Estado del rey católico don Fernando*, ed. de Alberto Blecua y Jorge García López, Barcelona, Asociación de Bibliófilos de Barcelona, 1984.

—, *República literaria*, ed. de José Carlos de Torres, Barcelona, Plaza y Janés, 1985.

SANTOS, Francisco, *Día y noche de Madrid. Las tarascas de Madrid*, en *Obras se-*

lectas, ed. de Milagros Navarro Pérez, t. I, Madrid, Instituto de Estudios Madrileños, 1976.

SUÁREZ DE FIGUEROA, Cristóbal, *El Pasajero*, ed. de M.ª Isabel López Bascuñana, Barcelona, PPU, 1988.

ZABALETA, Juan de, *El día de fiesta por la mañana y por la tarde*, ed. de Cristóbal Cuevas, Madrid, Castalia, 1983.

GRACIÁN, Baltasar, *Obras completas*, ed. de Arturo del Hoyo, Madrid, Aguilar, 1960.

—, *El Comulgatorio*, ed. de Correa Calderón, Madrid, Espasa-Calpe, 1977.

—, *El Criticón*, ed. de Santos Alonso, Madrid, Cátedra, 1980-1984.

—, *El héroe. El discreto. Oráculo manual y arte de prudencia*, ed. de Raquel Asún, Barcelona, Planeta, 1984.

—, *El político don Fernando el Católico*, ed. de Aurora Egido, Zaragoza, Institución Fernando el Católico, 1985.

Estudios

GENERALIDADES

ABELLÁN, José Luis, *Historia crítica del pensamiento español. 3. Del barroco a la Ilustración*, Madrid, Espasa-Calpe, 1981.

BLANCO, Mercedes, «*Arte de ingenio* y *arte de prudencia*. Le conceptisme dans la pensée politique du XVIIe siècle», *Mélanges de la Casa de Velázquez*, 23, 1987, pp. 355-386.

BLÜHER, Karl Alfred, *Séneca en España*, Madrid, Gredos, 1983.

RALLO GRUSS, Asunción, *La prosa didáctica en el siglo XVII*, en FERRERAS, Juan Ignacio, ed., *Historia crítica de la literatura hispánica*, vol. XI, Madrid, Taurus, 1988.

SOBEJANO, Gonzalo, «Gracián y la prosa de ideas», en RICO, Francisco *Historia y crítica de la literatura española. III. Barroco*, Barcelona, Crítica, 1983, pp. 904-929 (completado por C. Vaíllo, en *Primer suplemento*, Barcelona, Crítica, 1992, pp. 448-500).

Arbitrismo

Gutiérrez Nieto, Juan Ignacio, «El pensamiento económico, político y social de los arbitristas», en Menéndez Pidal, R. *Historia de España*, t. XXVI, vol. 1, Madrid, Espasa-Calpe, 1986, pp. 233-351.

Vilar, Jean, *Literatura y economía. La figura satírica del arbitrista en el Siglo de Oro*, Madrid, Revista de Occidente, 1973.

Vilar, Pierre, «Les primitifs espagnols de la pensée économique. "Quantitativisme" y "Bullionisme"», en *Mélanges offerts à Marcel Bataillon*, Burdeos, 1962, pp. 261-284.

Tacitismo

Fernández-Santamaría, José Antonio, *Razón de estado y política en el pensamiento político español del barroco (1595-1640)*, Madrid, Centro de Estudios Constitucionales, 1986.

Joucla-Ruau, André, *Le Tacitisme de Saavedra Fajardo*, París, Editions hispaniques, 1977.

Maravall, José Antonio, *La Philosophie politique espagnole au xviie siécle dans ses rapports avec l'esprit de la Contre-Réforme*, París, Vrin, 1955.

—, «La corriente doctrinal del tacitismo en España», en *Estudios de historia del pensamiento español, serie tercera, siglo xvii*, Madrid, Ediciones Cultura Hispánica, 1975.

Sanmartí Boncompte, Francisco, *Tácito en España*, Barcelona, CSIC, 1951.

Stegmann, André, «Le tacitisme: programme pour un nouvel essai de définition», en *Machiavellismo e antimachiavellici nel Cinquecento*, Florencia, 1969, pp. 117-130.

Tierno Galván, Enrique, «El tacitismo en las doctrinas políticas del Siglo de Oro español», en *Escritos, 1950-1960*, Madrid, Tecnos, 1971, pp. 11-93.

Saavedra Fajardo

Blecua, Alberto, «Las *Repúblicas literarias* y Saavedra Fajardo», *El Crotalón. Anuario de Filología Española*, 1, 1984, pp. 67-97.

Dowling, John C., *Diego de Saavedra Fajardo*, Boston, Twayne, 1977.

—, *El pensamiento político-filosófico de Saavedra Fajardo*, Murcia, 1957.

FRAGA IRIBARNE, Manuel, *Don Diego de Saavedra Fajardo y la diplomacia de su época*, Madrid, Ministerio de Asuntos Exteriores, 1956.

GONZÁLEZ DE ZÁRATE, Jesús M., «Saavedra Fajardo y la literatura emblemática», *Traza y Baza*, 10, 1985, pp. 5-143.

MURILLO FERROL, Francisco, *Saavedra Fajardo y la política del barroco*, Madrid, Centro de Estudios Constitucionales, 1957 (reed. en 1989).

EGIDO, Aurora, «Introducción a Alciato», en *Emblemas*, ed. de Santiago Sebastián, Madrid, Akal, 1985.

GRACIÁN

Baltasar Gracián. Del Barocco al postmoderno (Seminario del Centro Internazionale studi di estetica), *Aesthetica pre-prints*, 18, Palermo, 1987.

Gracián y su época. Actas de la I Reunión de Filólogos Aragoneses, Zaragoza, Institución Fernando el Católico, 1986.

Gracián: números especiales de *Criticón*, 33, 1986, pp. 5-104, y 43, 1988, pp. 7-259.

BATLLORI, Miguel, *Gracián y el barroco*, Roma, Storia e Letteratura, 1958.

BLECUA, José M., «El estilo de Gracián en el *Criticón*», reed. en *Sobre el rigor poético en España y otros ensayos*, Barcelona, Ariel, 1977, pp. 119-151.

BRIESEMEISTER, Dietrich y NEUMEISTER, Sebastián, eds., *El mundo de Gracián. Actas del Coloquio Internacional de Berlín (1988)*, Berlín, Colloquium, 1991.

FORCIONE, Alban K., «La disociación cósmica en Gracián», *Nueva Revista de Filología Hispánica*, 40, 1992, pp. 419-450.

GENDREAU-MASSALOUX, Michèle y Laurens, Pierre, «Introducción a Gracián», en *La Pointe ou l'Art du génie*, París, L'Age d'Homme, 1983.

HAFTER, Monroe Z., *Gracián and perfection. Spanish moralists of the seventeenth century*, Cambridge, Mass., Harvard University Press, 1966.

LÁZARO CARRETER, Fernando, «El género literario del *Criticón*», en *Gracián y su época..., op. cit.*, pp. 67-87.

MARAVALL, José Antonio, «Las bases antropológicas del pensamiento de Gracián», *Revista de la Universidad de Madrid*, 7, 1958, pp. 403-445.

MILHOU, Alain, «Le temps et l'espace dans le *Criticón*», *Bulletin Hispanique*, 89, 1987, pp. 153-226.

MONTESINOS, José F., «Gracián o la picaresca pura», reed. en *Ensayos de literatura española*, Madrid, Revista de Occidente, 1970, pp. 141-158.

PELEGRIN, Benito, *Éthique et esthétique du Baroque. Espace jésuitique de Baltasar Gracián*, Arles, Actes Sud, 1985.

—, «La rhétorique élargie au plaisir», *Poétique*, 38, 1979, pp. 98-228.

—, *Le Fil perdu du «Criticón» de Gracián: objectif Port-Royal. Allégorie et composition «conceptiste»*, Universidad de Provence, 1984.

SENABRE, Ricardo, *Gracián y «El Criticón»*, Universidad de Salamanca, 1979.

YNDURÁIN, Francisco, «Gracián, un estilo», reed. en *Relección de clásicos*, Madrid, Prensa Española, 1969, pp. 215-253.

LOS AUTORES

Jeanne Battesti-Pelegrin es catedrática de la Universidad de Provenza. Sus trabajos están consagrados principalmente a la poesía de la Edad Media, en especial a los *Cancioneros*, a los que dedicó su tesis de doctorado.

Jean Canavaggio es catedrático de la Universidad de París-X. Es autor de obras y de artículos sobre Cervantes, del que prepara, con un equipo, una nueva traducción al francés, se interesa igualmente por el teatro español de los siglos XVI y XVII.

Raphaël Carrasco es catedrático de la Universidad de Estrasburgo-II. Investiga en especial sobre la Inquisición y las minorías religiosas en la España del Siglo de Oro.

Robert Jammes es catedrático emérito de la Universidad de Toulouse-Le Mirail y director de la revista *Criticón*. Se interesa especialmente por Góngora, que fue el tema de su tesis, sobre el que ha publicado numerosos artículos y cuyas obras edita desde hace varios años.

Monique Joly, catedrática de la Universidad de Lille-III, es autora de una tesis sobre la burla, cuyo paso de la facecia a la novela es tardía. Sus trabajos están dedicados a la lengua y a la literatura del Siglo de Oro, en especial la picaresca y la obra de Cervantes.

Nadine Ly es catedrática de la Universidad de Burdeos-III. En su tesis estudió la poética de la interlocución en el teatro de Lope de Vega. Ha publicado varios artículos sobre la literatura de los siglos XVI y XVII (Garcilaso, san Juan de la Cruz, Cervantes, Góngora, Tirso de Molina), que actualmente reexamina a partir de la noción de literalidad.

Maurice Molho es catedrático emérito de la Universidad de París-Sorbona. Especialista en lingüística general y en literatura española clásica, es autor de numerosos trabajos sobre Cervantes y la novela picaresca, que igualmente ha traducido. Se le deben también varios estudios sobre la poesía barroca (Góngora y Quevedo) y sobre el tema de Don Juan.

Marc Vitse es catedrático de la Universidad de Toulouse-Le Mirail. Autor de artículos sobre Tirso de Molina, Góngora, Salas Barbadillo, así como de un ensayo sobre Calderón, consagró lo esencial de sus trabajos al teatro español del siglo XVII, del que propuso, en su tesis, una reinterpretación de conjunto.

ÍNDICES

ÍNDICE DE AUTORES

ÍNDICE DE OBRAS

ÍNDICE

Impreso en el mes de enero de 1995
en Talleres Gráficos DUPLEX, S. A.
Ciudad de Asunción, 26
08030 Barcelona